JOSÉ HERNÁNDEZ

MARTÍN FIERRO

EL GAUCHO MARTÍN FIERRO

por

JOSÉ HERNÁNDEZ

Edición bilingüe con versión inglesa de
C. E. WARD

Anotada y revisada por
FRANK G. CARRINO
ALBERTO J. CARLOS

Bajo la coordinación y con prólogo de
CARLOS ALBERTO ASTIZ

Centro de Estudios Inter-Americanos
Universidad del Estado de Nueva York—Albany

Illustraciones de
ANTONIO BERNI

STATE UNIVERSITY OF NEW YORK PRESS

THE GAUCHO MARTÍN FIERRO

by

JOSÉ HERNÁNDEZ

Bilingual Edition—English Version by
C. E. WARD

Annotated and Revised by
FRANK G. CARRINO
ALBERTO J. CARLOS

Coordinated and with an Introduction by
CARLOS ALBERTO ASTIZ

Center for Inter-American Studies
State University of New York at Albany

Illustrations by
ANTONIO BERNI

STATE UNIVERSITY OF NEW YORK PRESS

This translation is dedicated to my father, British Ambassador in Argentina 1957–61, without whom I might never have known South America.

Dedico esta traducción a mi padre, el Embajador Británico en la Argentina durante los años 1957–61, sin cuya ayuda pudiera no haber llegado a conocer la América del Sur.

C. E. W.

Notas Preliminares

AGRADECIMIENTOS

Todos aquellos que han participado en esta publicación desean expresar su sincero agradecimiento a Rafael Squirru, argentino y otrora maestro del *Martín Fierro,* en la actualidad Director de Asuntos Culturales de la Unión Pan Americana. Profundamente relacionado con cada uno de los pasos de la empresa, Rafael Squirru asesoró en la traducción, obtuvo las ilustraciones que acompañan al texto y alentó la publicación de esta edición bilingüe. Este agradecimiento se hace extensivo a la Unión Pan Americana por la cesión de los derechos de traducción y de las ilustraciones al Centro de Estudios Interamericanos, Universidad Estatal de New York—Albany.

A Mary McCarthy, secretaria administrativa del Centro de Estudios Interamericanos, se le agradece su insubstituible cooperación en la lectura crítica y en la preparación final del manuscrito. A Ronald Case y John McCarthy, asistentes de dicho Centro, se les agradece la ayuda prestada en la investigación realizada y en la preparación de las versiones inglesa y española; a Elnora Carrino y a Helen Triantafillou se les agradece el haber completado la lectura crítica de las versiones inglesa y española, respectivamente. Fernando de María ayudó a la traductora, sugiriendole interpretaciones de ciertas partes del texto.

Los materiales empleados en la preparación de este volumen se obtuvieron gracias a la cooperación del personal de la biblioteca de la Universidad. Norman S. Mangouni, de la Editorial de la Universidad Estatal de Nueva York, asesoró con respecto al estilo y formato del manuscrito y realizó todos los arreglos con la Editorial Universitaria para su publicación.

DATOS BIOGRÁFICOS DE JOSÉ HERNÁNDEZ

José Hernández nació en una finca ubicada en la Provincia de Buenos Aires, República Argentina, el 10 de noviembre de 1834. Durante su juventud vivió en una estancia de la zona sur de dicha provincia; en esos diez años llegó a conocer íntimamente la vida de la Pampa Argentina y especialmente la del gaucho. Después de 1853, participó en algunos de los conflictos internos que a veces llegaron a resolverse en el campo de batalla, sirvió bajo caudillos provinciales, obtuvo el rango de Sargento Mayor, ocupó distintos puestos públicos y publicó diversos periódicos. En su momento fué soldado, periodista, ayudante y hombre de confianza de políticos conocidos, comerciante,

Preliminary Notes

ACKNOWLEDGMENTS

All those who have participated in this publication wish to thank Rafael Squirru, native Argentine and one-time teacher of *Martín Fierro,* currently Director of Cultural Affairs at the Pan American Union. Involved in every step of this endeavor, Rafael Squirru advised on the translation, obtained the illustrations to accompany the text, and urged publication of this bilingual edition. Deep appreciation also goes to the Pan American Union for making available the translation rights and the illustrations to the Center for Inter-American Studies, State University of New York at Albany.

Mary McCarthy, administrative secretary for the Center for Inter-American Studies, deserves chief credit for critical reading and final preparation of the manuscript for printing. Ronald Case and John McCarthy, student assistants of the Center, collaborated in the research and typing of both English and Spanish manuscripts; and Elnora Carrino and Helen Triantafillou completed the critical reading of the English and Spanish versions respectively. Fernando de María assisted the translator by providing meaningful interpretations of the text.

Reference materials used in editing this volume were secured through the cooperation of the library staff of the State University of New York at Albany. Norman S. Mangouni of the State University of New York Press advised on the style and form of the manuscript for printing and made all arrangements for final publication by the State University Press.

BIOGRAPHICAL DATA ON JOSÉ HERNÁNDEZ

José Hernández was born on a farm located in Buenos Aires Province, Argentina, on November 10, 1834. During his youth he lived on a cattle ranch in the southern part of that Province; in those ten years he familiarized himself with life in the Argentine Pampas, and particularly with that of the gaucho. After 1853, he participated in some of the internal struggles which were sometimes settled on the battlefield, served provincial *caudillos,* earned the rank of Sergeant Major, held various public offices, and published a few newspapers. At various times he was a soldier, newspaperman, assistant and confidant of well-known politicians, businessman, teacher, provincial legislator, member of a provincial supreme court, banker, and co-president of the Argentine Red Cross. However, he is best remembered for his writings, which include *Martín Fierro* (the first and second parts of which were published

maestro, legislador provincial, integrante de una corte suprema provincial, banquero y co-presidente de la Cruz Roja Argentina. Sin embargo, se le recuerda por sus escritos, que incluyen *Martín Fierro* (cuyas primera y segunda parte fueron publicadas en 1872 y 1879, respectivamente), *Vida del Chacho; Rasgos Biográficos del General D. Angel V. Peñaloza,* e *Instrucción del Estanciero; Tratado Completo para la Planteación y Manejo de un Establecimiento de Campo Destinado a la Cría de Hacienda Vacuna, Lanar y Caballar.* José Hernández falleció en su establecimiento de campo, ubicado en Belgrano, en esa época un suburbio de Buenos Aires, el 21 de octubre de 1886.

DATOS BIOGRAFICOS DE ANTONIO BERNI

Antonio Berni nació en Rosario, Provincia de Santa Fe, República Argentina, en el año 1905. Cursó estudios en su ciudad natal y en Europa bajo André Lhote y Othon Frieze. Regresó a la Argentina en 1931 y procedió a integrar en sus cuadros la influencia europea y la tradición latinoamericana. Luego de identificarse con la herencia hispanoamericana, ha desarrollado un estilo neo-realista maduro que ha hecho que sus trabajos se incluyan en muchos de los museos más importantes de Europa y del continente americano, así como en destacadas colecciones privadas en todo el mundo. Berni ha obtenido numerosos premios y galardones, entre los cuales el más conocido es probablemente el Premio Internacional de Grabados y Dibujos que obtuvo en la Bienal de Venecia de 1962.

in 1872 and 1879 respectively), *Vida del Chacho; Rasgos Biográficos del General D. Angel V. Peñaloza,* and *Instrucción del Estanciero; Tratado Completo para la Planteación y Manejo de un Establecimiento de Campo Destinado a la Cría de Hacienda Vacuna, Lanar y Caballar.* José Hernández died in his farmhouse located in Belgrano, then a suburb of Buenos Aires, on October 21, 1886.

BIOGRAPHICAL DATA ON ANTONIO BERNI

Antonio Berni was born in Rosario, Santa Fé Province, Argentina, in 1905. He received his training in his native city and in Europe (under André Lhote and Othon Frieze). He returned to Argentina in 1931 and proceeded to integrate in his paintings the European influence and the Latin American tradition. After identifying closely with the Latin American heritage, he has developed a mature neo-realistic style which has caused his works to be included in many important museums of Europe and the Americas, as well as in noted private collections throughout the world. He has received numerous awards and prizes, of which the best known probably is the International Prize for Prints and Drawings, won at the Venice Biennale of 1962.

CRITERIA FOLLOWED IN PREPARING THE ENGLISH VERSION

The difficulties of translating *Martín Fierro* are probably obvious. It is written in a language born of unique geographical and historical circumstances, and consequently no dialect of another language could be entirely appropriate. Even if there were a comparable physical background, the cultural, religious, and other differences would alter the type of images used.

The aim of this English version has been, in order of preference: (a) to follow the Spanish text as closely as feasible, especially in the imagery; (b) to make it possible for the English version to be read easily, in current English; (c) to keep a rhythm which would give an idea of the shape and movement of the phrasing in the Spanish version.

The original is written almost entirely in six-line rhymed stanzas, with a strong pause at the end of every second, fourth, and sixth line so that they fall into pairs. This pattern makes it possible to rearrange the order of phrases in English for the sake of fluency.

In regard to punctuation, the English version also incorporates the dashes which Hernández uses freely to mark pauses—particularly before the last two lines of each stanza, where a proverb often comes as a punch-line.

Images have been translated directly whenever feasible, although sometimes they have been expanded to make the point clear. In general, the use of Spanish words has been avoided, except when they have no English equivalent.

Indice

Table of Contents

Prologo

No resulta aconsejable que yo, un especialista en ciencia política, aún cuando haya nacido en el país donde *Martín Fierro* tiene lugar, tome a mi cargo la tarea de destacar las virtudes literarias del poema épico de José Hernández. Casi todos los argentinos alfabetos, un buen número de sudamericanos, y aún muchos que provienen de otros países de habla hispana, han tomado contacto por lo menos con trozos representativos, y a veces con la primera parte íntegra. Sin embargo, en la mayor parte de estos contactos, las numerosas virtudes literarias del poema y las expresiones idiomáticas que resultan características del hablar gauchesco monopolizan casi la atención del lector, quizás trayendo como consecuencia que se preste poca atención a un aspecto menos llamativo de la excelente obra de Hernández. Me refiero a la estructura socio-política que los protagonistas revelan al describir sus experiencias, acciones y desgracias individuales; el medio ambiente social del *Martín Fierro,* que así se presenta, podría (y probablemente debería) ser comparado en forma realista con la visión de la estructura socio-política argentina reflejada por hechos y escritos recientes, con el fin de determinar si ha cambiado realmente tanto como a muchos de nosotros se nos ha alentado a creer.

La lectura superficial del poema indica, sin la más mínima duda, que el medio socio-político que rodea a los protagonistas está totalmente corrompido. Surge una constante visión maquiavélica del hombre político y de los elementos que motivan a aquéllos que detentan el poder. El Gobierno—a todos los niveles—constituye un mal para la mayoría, una fuerza negativa que siempre actúa a favor de los pocos elegidos y contra los pobres, especialmente los que habitan en las zonas rurales. Y, entre los más bajos, el gaucho resulta víctima de los peores abusos debido a su negativa a inclinarse ante los dictados de las instituciones y agentes gubernamentales. El autor revela claramente esta persecución cuando escribe:

> Le alvertiré que en mi pago
> ya no va quedando un criollo:
> se los ha tragao el hoyo,
> o juido o muerto en la guerra;

Introduction

It is not for me, a political scientist, even if I happen to be a native of the country where *Martín Fierro* takes place, to extol the literary virtues of the epic poem by José Hernández. Nearly every literate Argentine, a large number of South Americans, and even many people in other Spanish-speaking countries of the world have been in contact with at least representative excerpts, and often with the whole first part. In most of these contacts, however, the many literary virtues of the poem and the idiomatic expressions which are characteristic of gaucho speech almost monopolize the reader's attention, to the neglect perhaps of a less-emphasized aspect of Hernández' outstanding work. I am thinking here of the socio-political structure which the protagonists reveal while describing their individual experiences, actions, and misfortunes; the social environment of *Martín Fierro* thus presented could (and probably should) be compared realistically with the image of Argentina's socio-political structure reflected by recent events and recent writings, to see if it has changed really as much as many of us have been encouraged to believe.

A superficial reading of the poem indicates, without the slightest doubt, that the socio-political environment which surrounds the protagonists is rotten to the core. There is an ever-present Machiavellian view of the political man and of the elements which motivate the holders of power. The Government at all levels is an evil for the majority, a negative force which acts always in favor of the selected few and against the poor, particularly the poor of the countryside. And, among the downtrodden, the gaucho suffers the worst abuses because of his refusal to conform to the dictates of governmental institutions and agents. This persecution is clearly revealed by the author when he writes:

> I can tell you that in my part of the land
> there's hardly a real *criollo* left—
> they've been swallowed by the grave,
> or run off, or been killed in the war—

In another part he emphasizes the frustration of the poor by writing that ". . . a poor man wears out his life/running from the authorities."

En otra parte destaca la frustación del pobre diciendo:

> Que gasta el pobre la vida
> en juir de la autoridá.

Y el gaucho no puede hacer nada, porque "hay que callarse o es claro/que lo quiebran por el eje"; también se le aconseja que no proteste, ya que nada obtendrá con ello: "A reclamar no se meta/porque ese es tiempo perdido".

Pero los ataques más fuertes del autor están dirigidos a la aplicación injusta de las leyes y a la deshonestidad evidenciada por los representantes de la justicia. El Juez de Paz cumple su función de acuerdo al comportamiento electoral de la población (p. 26). Otro juez se apodera dos veces de la propriedad del huérfano (p. 314 y 358). Los distribuidores de la justicia tienen un arreglo con los militares, los sacerdotes y los comerciantes de la zona, resultando imposible obtener protección frente a sus abusos combinados. De allí el consejo:

> Hacéte amigo del Juez;
> no le dés de qué quejarse;
> y cuando quiera enojarse
> vos te debés encojer,
> pues siempre es güeno tener
> palenque ande ir a rascarse.

Al mirar a la Argentina de hoy, ya sea desde adentro o desde lejos, me pregunto hasta qué punto resultan hoy valederos estos puntos de vista. Pero tengo la impresión que la mayor parte de los argentinos les reconocerían una validez por lo menos parcial, no sólo en las áreas rurales sino también en las ciudades, donde la mayor parte de la población del país vive actualmente. En un trabajo reciente, Julio Mafud indica que "estudiar la sociedad del *Martín Fierro* es una de las tantas formas de estudiar la actual sociedad argentina. Las similitudes o las coincidencias que surgirán no son tales. Sino más bien los efectos de las mismas causas que ayer como hoy producen los mismos efectos."[1]

[1] Julio Mafud, *Contenido Social del Martín Fierro* (Buenos Aires: Editorial Americalee, 1961), p. 9. En los últimos años varios libros han dirigido nuestra atención hacia la corrupción existente en el medio ambiente socio-político argentino. Van desde el tratamiento jocoso de Luis A. Ruiz en *La Argentina en la Picota: Una Estadística del Macaneo Nacional* (Buenos Aires: Editorial Mundi, 1966) al trabajo enjundioso de Norberto Folino, *Barceló, Ruggierito y el Populismo Oligárquico* (Buenos Aires: Falbo Librero Editor, 1966). Por otro lado, sería un error suponer que este reconocimiento público es consecuencia de un grado de corrupción mayor que el de otras naciones. En otras partes de la América Latina (y del mundo) esta clase de corrupción se da por sobreentendida.

And there is nothing the gaucho can do because "they have to keep quiet, or clearly they'll be smashed once and for all"; he is further advised not to complain, since it will do no good: "Don't let him start complaining/because that's a waste of time."

But the author's worst attacks are probably reserved for the unjust application of laws and for the dishonesty of the members of the judiciary. The Justice of the Peace performs his duties in accordance with the electoral behavior of the people (p. 27). Another judge twice takes away the orphan's property (pp. 315 and 359). The dispensers of justice have an understanding with the military officers, the priests, and the local businessmen; therefore, no protection can be obtained against their combined abuses. Thus the advice:

> Make friends with the Judge, don't give him
> a chance to complain of you.
> And when he chooses to get annoyed
> what you have to do is lie low—
> because it's always a good thing to have a post
> to go and scratch yourself on.

In looking at today's Argentina, either from within or from afar, I ask myself to what degree these views are valid today. I feel that most Argentines would agree that they are at least partially valid, not only in the rural areas, but also in the cities, where most of the country's population lives today. In a recent essay, Julio Mafud points out that, "to study Martín Fierro's society is one of the many ways to study current Argentine society. What may appear to be similarities or coincidences are not really such. It is more likely that they are the effects of the same causes which yesterday produced the same consequences they do today."[1]

In a letter to a friend, Hernández indicated that one of his objectives in writing the poem was to present the gaucho as he was at that time, with his defects and his virtues.[2] I firmly believe that he achieved much

---

[1] Julio Mafud, *Contenido Social del Martín Fierro* (Buenos Aires: Editorial Americalee, 1961), p. 9. In recent years a number of books have called our attention to the corruption of Argentina's socio-political environment. They run all the way from the tongue-in-cheek treatment of Luis A. Ruiz' *La Argentina en la Picota: Una Estadística del Macaneo Nacional* (Buenos Aires, Editorial Mundi, 1966) to the scholarly analysis of Norberto Folino's *Barceló, Ruggierito y el Populismo Oligárquico* (Buenos Aires, Falbo Librero Editor, 1966). On the other hand, it would be a mistake to assume that this public recognition necessarily implies a degree of corruption greater than that of other nations. In other parts of Latin America (and of the world) this corruption is taken for granted.

[2] Letter to José Zoilo Miguens, reproduced in *Martín Fierro*, Introducción, Notas y Vocabulario por Horacio Jorge Becco (Buenos Aires: Editorial Heumul, 1962), p. 25.

En una carta dirigida a un amigo, Hernández indicó que uno de sus propósitos al escribir el poema era el de presentar al gaucho tal como era en esa época, con sus defectos y sus virtudes.[2] Creo firmemente que logró mucho más de lo que esperaba, ya que sus personajes reflejan muchas de las características que se encuentran en su país, tanto hoy como en la segunda mitad del siglo pasado. Esto se debe a que, tal como Mafud indica con mucha precisión, el conflicto que ha existido casi desde la independencia entre las ideas abstractas de validez universal y la aplicación individual de dichas ideas, delineado tan claramente en *Martín Fierro,* no ha sido realmente solucionado; los periódicos y revistas argentinas suministran casi diariamente prueba de la dualidad que existe entre la justicia por un lado, y la autoridad y la aplicación del derecho por el otro, dualidad que Hernández parece haber comprendido tan bien.[3]

Al terminar estos comentarios desearía hacer mías las palabras de Emilio de Matteis, quien concluye que "históricamente hablando, el argentino no ha logrado aún la síntesis unificadora de las ideas y los sentimientos, del tiempo y del espacio, siendo la historia—en sus manos—un instrumento de materialización diaria y, por lo tanto, sin proyecciones ideológicas en el futuro."[4]

C. A. A.

---

[2] Carta a José Zoilo Miguens, reproducida en *Martín Fierro: Introducción, Notas y Vocabulario por Horacio Jorge Becco* (Buenos Aires: Editorial Huemul, 1962), p. 25.

[3] Julio Mafud, *Psicología de la Viveza Criolla* (Buenos Aires: Editorial Americalee, 1965), ix.

[4] Emilio de Matteis, *Análisis de la Vida Argentina* (Buenos Aires: Editorial Americalee, 1962), p. 116.

more than he hoped for, since his characters reflect many of the characteristics found in his nation today, as well as in the second half of the last century. Because, as Mafud has pointed out so precisely, the conflict which has existed almost since independence, between abstract ideas of universal validity and the individual application of those ideas, so clearly outlined in *Martín Fierro,* has not been really settled; Argentine newspapers and magazines provide almost daily evidence of the dichotomy between justice on the one hand, and authority and applied law on the other, which Hernández seems to have understood so well.[3]

In closing these comments, I should like to make mine the words of Emilio de Matteis, who concludes that "historically speaking, the Argentine has not yet achieved the unifying synthesis of ideas and feelings, of time and space; thus, he makes history an instrument of daily materialization and, consequently, lacks ideological projections toward the future."[4]

C. A. A.

---

[3] Julio Mafud, *Psicología de la Viveza Criolla* (Buenos Aires: Editorial Americalee, 1965), ix.
[4] Emilio de Matteis, *Análisis de la Vida Argentina* (Buenos Aires: Editorial Americalee, 1962), p. 116.

EL GAUCHO MARTÍN FIERRO

THE GAUCHO MARTÍN FIERRO

EL GAUCHO MARTÍN FIERRO[1]

i

1   Aquí me pongo a cantar[2]
al compás de la vigüela,[3]
que el hombre que lo desvela
una pena estrordinaria,
5   como la ave solitaria
con el cantar se consuela.

    Pido a los santos del cielo
que ayuden mi pensamiento:
les pido en este momento
10   que voy a cantar mi historia
me refresquen la memoria
y aclaren mi entendimiento.

    Vengan santos milagrosos,
vengan todos en mi ayuda,
15   que la lengua se me añuda[4]
y se me turba la vista;
pido a mi Dios que me asista
en una ocasión tan ruda.

---

[1] "Los nombres puestos en la cabecera de los cantos indican que el nombrado habla", (nota del autor). No se han encontrado pruebas concluyentes de que el protagonista, Martín Fierro, sea una persona real. Sin embargo, Martín Fierro tampoco es sólo una invención del autor; éste lo sacó de modelos reales con los cuales tuvo contacto durante su juventud en el campo y, posteriormente, durante su servicio militar en las provincias argentinas. Asimismo, publicaciones sobre materias gauchescas le sirvieron de fuente para el desarrollo del personaje. (Véase Eleuterio F. Tiscornia, *La Vida de Hernández y la Elaboración del Martín Fierro,* en Pedro Henríquez Ureña, *Martín Fierro,* Editorial Losada, S.A., 1939).

[2] Nótese que el autor usa por lo general el verso de ocho sílabas, común en los viejos romances españoles.

[3] Vigüela (vihuela): Instrumento de cuerdas que se asemeja a la guitarra. Trátase de un instrumento en boga en España durante el siglo XVI, que varía entre cinco y siete cuerdas. La vihuela del payador era de seis cuerdas y a veces la caja de sonido se construía del carapacho de un armadillo.

[4] La inhibición de sus facultades experimentada aquí por Martín Fierro se debe a la gravedad del asunto que va a exponer y no a miedo que le inspira su público.

THE GAUCHO MARTÍN FIERRO[1]

i

1   Here I come to sing
to the beat of my guitar:[2]
because a man who is kept from sleep
by an uncommon sorrow
5   comforts himself with singing
like a solitary bird.

I beg the saints in heaven
to help my thoughts:
I beg them here and now
10   as I start to sing my story
that they refresh my memory
and make my understanding clear.

Come, saints with your miracles,
come all of you to my aid,
15   because my tongue is twisting up
and my sight growing dim—
I beg my God to help me
at such a difficult time.[3]

---

[1] "Names placed at the beginning of cantos indicate that the named person speaks." (Author's note.) Evidence that the protagonist, Martín Fierro, was a person in real life is inconclusive. On the other hand, Martín Fierro is not a figment of the author's imagination; he is drawn from models in real life with whom the author came in contact during his early days in the pampas and in his subsequent military career. Also, previous publications of gaucho materials served as sources for the character development of Martín Fierro. (Cf. Eleuterio F. Tiscornia, *La Vida de Hernández y la Elaboración del Martín Fierro,* in Pedro Henríquez Ureña, *Martín Fierro,* Editorial Losada, S.A., 1939).

[2] Today's guitar best approximates the "vigüela" (*vihuela*) mentioned in the Spanish text. The gaucho's *vihuela* had six strings and at times the sound box was fashioned from the shell of an armadillo. In Spain the *vihuela* varied from five to seven strings and was a popular instrument during the sixteenth century.

[3] Martín Fierro's apparent strain is due to his strong feelings about the subject-matter, rather than to any fear of facing his audience.

Yo he visto muchos cantores,
20   con famas bien otenidas,
y que después de alquiridas
no las quieren sustentar:
parece que sin largar
se cansaron en partidas.[5]

25   Mas ande[6] otro criollo[7] pasa
Martín Fierro ha de pasar;
nada lo hace recular
ni las fantasmas lo espantan,
y dende[8] que todos cantan
30   yo también quiero cantar.

Cantando me he de morir,
cantando me han de enterrar,
y cantando he de llegar
al pie del Eterno Padre;
35   dende el vientre de mi madre
vine a este mundo a cantar.

Que no se trabe mi lengua
ni me falte la palabra;
el cantar mi gloria labra
40   y, poniéndomé a cantar,
cantando me han de encontrar
aunque la tierra se abra.[9]

---

[5] "Parece ... partidas": Una actividad que se inicia con entusiasmo, y luego se abandona a poco de iniciada.

[6] Ande: Dónde.

[7] Criollo: Término que se aplica al hijo de padres europeos nacido en el Nuevo Mundo; aquí, sin embargo, se refiere a una persona que merece respeto y admiración. Debido a que fue principalmente el criollo el que ganó para la Argentina su independencia de España y civilizó la pampa, el mejor elogio que podía hacerse a una persona era decirle: "ése es criollo;" (Véase Francisco I. Castro, *Vocabulario y Frases de Martín Fierro, Segunda Edición*, p. 122).

[8] Dende: Desde.

[9] La tenacidad aquí demostrada por Martín Fierro caracteriza a su casta: sigue sus impulsos naturales sin cuidarse de los resultados.

	I have seen many singers
20	whose fame was well won,
	and after they've achieved it
	they can't keep it up—
	it's as if they'd tired in the trial runs
	without ever starting the race.

	But where another *criollo*[4] goes
25	
	Martín Fierro will go too:
	there's nothing sets him back,
	even ghosts don't scare him,
	and since everybody sings
30	I want to sing also.

	Singing I'll die,
	singing they'll bury me,
	and singing I'll arrive
	at the Eternal Father's feet—
35	out of my mother's womb I came
	into this world to sing.

	Let me not be tongue-tied
	nor words fail me:
	singing carves my fame,
40	and once I set myself to sing
	they'll find me singing even though
	the earth should open up.[5]

[4] *Criollo:* A term that usually refers to a child born in the New World of European parents; here, however, the term is used to designate a person worthy of respect and admiration. Since it was the *criollo* who deserved most of the credit for Argentina's independence from Spain and domestication of the pampas, the remark, "he's a *criollo*," was considered the highest compliment.

[5] "Once . . . up": Martín Fierro's tenacity here is characteristic of his breed; he will follow natural impulses regardless of outcome.

Me siento en el plan de un bajo
a cantar un argumento;
45   como si soplara el viento
hago tiritar los pastos.
Con oros, copas y bastos[10]
juega allí mi pensamiento.[11]

Yo no soy cantor letrao,
50   mas si me pongo a cantar
no tengo cuándo acabar
y me envejezco cantando:
las coplas me van brotando
como agua de manantial.

55   Con la guitarra en la mano
ni las moscas se me arriman;
naides me pone el pie encima,[12]
y, cuando el pecho se entona,
hago gemir a la prima[13]
60   y llorar a la bordona.[14]

Yo soy toro en mi rodeo
y torazo en rodeo ajeno;[15]
siempre me tuve por güeno
y si me quieren probar
65   salgan otros a cantar
y veremos quién es menos.

No me hago al lao de la güeya[16]
aunque vengan degollando;[17]
con los blandos yo soy blando
70   y soy duro con los duros,
y ninguno en un apuro
me ha visto andar tutubiando.

---

[10] "Oros ... bastos": Palos del naipe español.

[11] Martín Fierro demuestra la flexibilidad de sus pensamientos; además, triunfará en cada juego.

[12] Igual a poner "el pie encima" de un animal para imposibilitarlo de defenderse.

[13] Prima: Primera cuerda de la vihuela.

[14] Bordona: Por lo general la cuarta cuerda de la vihuela.

[15] "Yo ... ajeno": Soy "bueno" entre mi gente, pero "superior" entre gente ajena.

[16] Güeya: Huella dejada en la tierra por ruedas, caballos o peatones.

[17] El autor recordará la costumbre que tenían los vencedores en la época de las montoneras: ¡pasaban a degüello a los vencidos que caían en sus manos!

I sit down in a hollow
to sing a story;
45   I make the grass-blades shiver
as if it was a wind that blew—
my thoughts go playing there
with all the suits in the deck.[6]

I'm no educated singer,
50   but if I start to sing
there's nothing to make me stop
and I grow old singing—
the verses go spouting from me
like water from a spring.

55   With the guitar in my hand
even flies don't come near me:
no one sets his foot on me,
and when I sing full from my heart
I make the high string moan
60   and the low string cry.

I'm the bull in my own herd
and a braver bull in the next one;[7]
I always thought I was pretty good
and if anyone else wants to try me
65   let them come out and sing
and we'll see who comes off worst.

I don't step aside
even though they're out to cut our throats:[8]
with the soft, I am soft,
70   and I am hard with the hard—
and in a time of peril, no one
has seen me hesitate.

---

[6] "My . . . deck": Martín Fierro points up the flexibility and wide range of his thoughts.

[7] "I'm . . . one": I am "good" among my own people, but "superior" among others.

[8] A common practice of victorious cavalry groups during the revolutionary era was to slit the throats of any fleeing opponents they could catch!

En el peligro ¡qué Cristos!
el corazón se me enancha,
75   pues toda la tierra es cancha,
y de esto naides se asombre:
el que se tiene por hombre
donde quiera hace pata ancha.[18]

Soy gaucho,[19] y entiéndanló
80   como mi lengua lo esplica:
para mí la tierra es chica
y pudiera ser mayor;
ni la víbora me pica
ni quema mi frente el sol.[20]

85   Nací como nace el peje
en el fondo de la mar;
naides me puede quitar
aquello[21] que Dios me dió:
lo que al mundo truje yo
90   del mundo lo he de llevar.

Mi gloria es vivir tan libre
como el pájaro del cielo;
no hago nido en este suelo
ande hay tanto que sufrir,
95   y naides me ha de seguir[22]
cuando yo remuento el vuelo.

---

[18] "Hace ... ancha": Se encara con cualquier situación. El modismo procede de afirmar bien los pies en el suelo en luchas mano a mano, a cuchillo, etc.

[19] Gaucho: Término que se aplica a los naturales de las pampas del Río de la Plata de Argentina, Uruguay y Río Grande del Sur (Brasil), que, por lo común, son cruza de blanco e indio. No obstante, cuando Martín Fierro dice: "soy gaucho", se refiere a su habilidad como jinete, obrero de campo, vaquero y payador, así como en el buen manejo del lazo, cuchillo y bolas y capacidad para defenderse contra los enemigos y elementos naturales. Sobre todo, se refiere a su predilección por la libertad más absoluta en el tiempo y espacio ilimitados de la pampa.

[20] Líneas 81 a 84: El amor que tiene el gaucho a la libertad no admite restricciones de ninguna clase; es capaz de llegar a dominar su medio ambiente inhospitalario.

[21] El que habla se refiere a facultades humanas.

[22] Además de seguirle personalmente, una interpretación distinta es que otras personas no alcanzarán el nivel idealista de Fierro.

In danger—by Christ!
my heart swells wide:
75 since the whole earth's a battlefield,
and no one need be surprised at that,
anyone who holds himself a man
stands his ground no matter where.

I am a gaucho,[9] and take this from me
80 as my tongue explains to you:
for me the earth is a small place
and it could well be bigger—
the snake does not bite me
nor the sun burn my brow.[10]

85 I was born as a fish is born
at the bottom of the sea;
no one can take from me
what I was given by God—
what I brought into the world
90 I shall take from the world with me.[11]

It is my glory to live as free
as a bird in the sky:
I make no nest on this ground
where there's so much to be suffered,
95 and no one will follow me
when I take to flight again.[12]

[9] Gaucho: A term applied to natives of the River Plate plains of Argentina, Uruguay, and Río Grande del Sur (Brazil), generally of Spanish and Indian extraction. But when Martín Fierro says, "I am a gaucho," he refers to his expert ability as a horseman, field and cow hand, and minstrel; to his skill with a lasso, knife, bolas (two or more weights attached to the ends of a cord); and to his capacity as a fighter to defend himself against the elements of nature and against human foes. Above all, he refers to his desire to operate as a free agent in the limitless time and space of the pampas.

[10] "For . . . brow": Restrictions of any kind are incompatible with the gaucho's love of freedom; he has the capacity to overcome an inhospitable environment.

[11] Lines 89–90: The speaker refers to human endowments.

[12] "And . . . again": Other than pursuing him personally, an alternate interpretation here is that others cannot follow Fierro's idealistic thoughts.

Yo no tengo en el amor
quien me venga con querellas;
como esas aves tan bellas
100 que saltan de rama en rama,
yo hago en el trébol[23] mi cama
y me cubren las estrellas.

Y sepan cuantos escuchan
de mis penas el relato
105 que nunca peleo ni mato
sino por necesidá
y que a tanta alversidá
sólo me arrojó el mal trato.

Y atiendan la relación
110 que hace un gaucho perseguido,
que padre y marido ha sido
empeñoso y diligente,
y sin embargo la gente
lo tiene por un bandido.

ii

115 Ninguno me hable de penas,
porque yo penando vivo,
y naides se muestre altivo
aunque en el estribo esté,
que suele quedarse a pie
120 el gaucho más alvertido.[1]

Junta esperencia en la vida
hasta pa dar y prestar
quien la tiene que pasar
entre sufrimiento y llanto;
125 porque nada enseña tanto
como el sufrir y el llorar.

---

[23] Trébol: Planta muy abundante y conocida de la pampa; se indica que hace su cama en cualquier lugar que se encuentre al llegar la noche.

[1] "Aunque ... alvertido": Un hombre no debe mostrarse altivo simplemente por poseer un caballo ligero y tener un pie ya en el estribo. El mejor jinete puede caer en poder de su perseguidor.

In love I have no one
to come to me with quarrels—
like those beautiful birds
100   that go hopping from branch to branch,
I make my bed in the clover
and the stars cover me.

Let whoever may be listening
to the tale of my sorrows—
105   know that I never fight nor kill
except when it has to be done,
and that only injustice threw me
into so much adversity.

And listen to the story told
110   by a gaucho who's hunted by the law;
who's been a father and husband
hard-working and willing—
and in spite of that, people take him
to be a criminal.

ii

115   No one speak of sorrows to me
because I live sorrowing:
and nobody give himself airs
even though he's got a foot in the stirrup—
as even the gaucho with most sense
120   often finds himself left on foot.[1]

You gather experience in life,
enough to lend and give away,
if you have to go through it
between tears and suffering—
125   because nothing teaches you so much
as to suffer and cry.

[1] Lines 117–20: One should not become high and mightly just because he has a swift horse and one foot already in the stirrup. The best horseman can fall into the hands of his pursuers.

Viene el hombre ciego al mundo,
cuartiándoló la esperanza,
y a poco andar ya lo alcanzan
130   las desgracias a empujones;
¡la pucha,[2] que trae liciones[3]
el tiempo con sus mudanzas!

Yo he conocido esta tierra
en que el paisano vivía
135   y su ranchito tenía
y sus hijos y mujer ...
Era una delicia el ver
cómo pasaba sus días.

Entonces ... cuando el lucero
140   brillaba en el cielo santo,
y los gallos con su canto
nos decían que el día llegaba,
a la cocina rumbiaba
el gaucho ... que era un encanto.

145   Y sentao junto al jogón
a esperar que venga el día,
al cimarrón[4] le prendía
hasta ponerse rechoncho,
mientras su china[5] dormía
150   tapadita con su poncho.

Y apenas la madrugada
empezaba a coloriar,
los pájaros a cantar
y las gallinas a apiarse,[6]
155   era cosa de largarse
cada cual a trabajar.

[2] La pucha: Expresión común entre gente del campo; eufemismo para "puta".

[3] Liciones: Lecciones. El orden normal sería "que el tiempo con sus mudanzas trae liciones."

[4] Cimarrón: Mate sin azúcar. El gaucho no solía tomar mate dulce; lo consideraba bebida propria de mujeres o puebleros.

[5] China: Nombre afectivo que se daba a la compañera o concubina del gaucho. El matrimonio legal prácticamente no existía entre los gauchos. (Véase Castro, p. 140.)

[6] Apiarse: Apearse. No se acostumbraba tener gallineros en el campo. Las gallinas se posaban en matas o árboles que circundaban el rancho.

Man comes blind into the world
with hope tugging him on,
and within a few steps, misfortunes
130 have caught him and beat him up. . . .
La pucha[2]—the hard lessons
Time with its changes brings!

I have known this land
when the working-man lived in it
135 and had his little cabin
and his children and his wife. . . .
It was a delight to see
the way he spent his days.

Then . . . when the morning star
140 was shining in the blessed sky,
and the crowing of the cocks
told us that day was near,
a gaucho would make his way
to the kitchen . . . it was a joy.

145 And sitting beside the fire
waiting for day to come,
he'd suck at the bitter maté[3]
till he was glowing warm,
while his girl[4] was sleeping
150 tucked up in his poncho.

And as soon as the dawn
started to turn red
and the birds to sing
and the hens came down off their perch,[5]
155 it was time to get going
each man to his work.

[2] *La pucha:* Euphemistic expression in Spanish to soften the term *puta* (whore).
[3] Maté (two syllables): A bitter herb commonly drunk as tea through a metal tube called a *bombilla* in the River Plate countries. The gaucho preferred his maté unsweetened, considering sugared maté the drink of women and city folk.
[4] Legal marriages were the exception among the gauchos.
[5] Henhouses were rare in the pampas. Hens normally perched on bushes or trees surrounding the living quarters.

Éste se ata las espuelas,
se sale el otro cantando,
uno busca un pellón blando,
160   éste un lazo, otro un rebenque,
y los pingos[7] relinchando
los llaman dende el palenque.

Él que era pion domador
enderezaba al corral,
165   ande estaba el animal
bufidos que se las pela ...
y más malo que su agüela[8]
se hacía astillas el bagual.[9]

Y allí el gaucho inteligente
170   en cuanto el potro enriendó
los cueros le acomodó,
y se le sentó en seguida,
que el hombre muestra en la vida
la astucia que Dios le dió.

175   Y en las playas corcoviando
pedazos se hacía[10] el sotreta[11]
mientras él por las paletas
le jugaba las lloronas[12]
y al ruido de las caronas
180   salía haciéndosé gambetas.

---

[7] Pingos: Caballos. Pingo indica un caballo ligero, brioso, de líneas armoniosas y no muy pesado.

[8] Agüela: Abuela. En el folklore hispánico, la abuela suele usarse como respuesta a un insulto o a algo desagradable.

[9] Bagual: Animal salvaje; también se llamaba "bagual" al animal domesticado.

[10] El caballo, en su deseo frenético de librarse del jinete, parece que quisiera explotar y deshacerse en el aire, para llevar a cabo su deseo. (Véase Castro, p. 387.)

[11] Sotreta: Caballo mañero, de malas costumbres.

[12] Lloronas: Espuelas. La expresión procede del ruido que se hace cuando se camina con ellas puestas.

One would be tying on his spurs,
another go out singing;
one choose a supple sheepskin,
160   one a lasso, someone else a whip—
and the whinnying horses[6]
would be calling them from the hitching-rail.

The one whose job was horse-breaking
headed for the corral
165   where the beast was waiting,
snorting fit to burst—
wild and wicked as they come
and tearing itself to bits.

And there the skilful gaucho,
170   as soon as he'd got a rein on the colt,
would settle the leathers on his back
and mount him straight away. . . .
A man shows, in this life,
the craft God gave to him.

175   And plunging round the clearing,
the nag would tear itself up[7]
while the man was playing him
with the round spurs, on his shoulders—
and he'd rush out squirming
180   with the leathers squeaking loud.

[6] The gaucho's horse was swift, spirited, well-proportioned, and not too heavy.
[7] The horse seemed to want to explode into small bits in order to break free from his rider.

¡Ah tiempos! ... ¡Si era un orgullo
ver jinetiar un paisano!
Cuando era gaucho baquiano,[13]
aunque el potro se boliase
185   no había uno que no parase
con el cabresto en la mano.

Y mientras domaban unos,
otros al campo salían,
y la hacienda[14] recogían,
190   las manadas repuntaban,
y ansí sin sentir pasaban
entretenidos el día.

Y verlos al cáir la noche
en la cocina riunidos,
195   con el juego bien prendido
y mil cosas que contar,
platicar muy divertidos
hasta después de cenar.

Y con el buche[15] bien lleno
200   era cosa superior
irse en brazos del amor
a dormir como la gente,
pa empezar al día siguiente
las fáinas[16] del día anterior.

205   Ricuerdo ¡qué maravilla!
cómo andaba la gauchada
siempre alegre y bien montada
y dispuesta pa el trabajo;
pero hoy en el día ... ¡barajo![17]
210   no se le ve de aporriada.[18]

---

[13] Baquiano: Reúne todas las habilidades del gaucho; es buen jinete y conoce al dedillo su zona.
[14] Hacienda: Ganado mayor, especialmente vacuno.
[15] Buche: Estómago.
[16] Fáinas: Faenas.
[17] ¡Barajo!; Interjección fuerte con la primera letra cambiada; muy usada por el gaucho.
[18] Aporriada (aporreada): Maltratada, miserable.

Ah, those times! . . . you felt proud
to see how a man could ride.
When a gaucho really knew his job,
even if the colt went over backwards,
185   not one of them wouldn't land on his feet
with the halter-rein in his hand.

And while some were breaking-in,
others went out on the land
and rounded up the cattle
190   and got together the horse-herds—
and like that, without noticing,
they'd pass the day, enjoying themselves.

And as night fell, you'd see them
together again in the kitchen,
195   with the fire well alight
and hundreds of things to talk over—
they'd be quite happy, chatting
till after the evening meal.

And with your belly well filled
200   it was a fine thing
to go to sleep the way things ought to be
in the arms of love—
and so to next day, to begin
the work from the day before.

205   I remember—ah, that was good!
how the gauchos went around,
always cheerful and well mounted
and willing to work. . . .
But these days—curse it!
210   you don't see them, they're so beaten down.

El gaucho más infeliz[19]
tenía tropilla de un pelo;
no le faltaba un consuelo
y andaba la gente lista ...
215   Tendiendo al campo la vista,
no vía sino hacienda y cielo.

Cuando llegaban las yerras,[20]
¡cosa que daba calor
tanto gaucho pialador
220   y tironiador sin yel!
¡Ah tiempos ... pero si en él
se ha visto tanto primor!

Aquello no era trabajo,
más bien era una junción,[21]
225   y después de un güen tirón
en que uno se daba maña,
pa darle un trago de caña
solía llamarlo el patrón.

Pues siempre la mamajuana[22]
230   vivía bajo la carreta,
y aquel que no era chancleta[23]
en cuanto el goyete[24] vía,
sin miedo se le prendía
como güérfano a la teta.

235   ¡Y qué jugadas se armaban
cuando estábamos riunidos!
Siempre íbamos prevenidos,
pues en tales ocasiones
a ayudarles a los piones
240   caiban[25] muchos comedidos.[26]

---

[19] Infeliz: En este caso, de poca capacidad.

[20] Yerras (hierras): Época de marcar los animales con un hierro candente.

[21] Junción: Función.

[22] Mamajuana (damajuana): Nombre que se daba al recipiente que contenía bebidas alcohólicas; *mama* Juana" o "*emborracha* Juana".

[23] Chancleta: Afeminado, tímido.

[24] Goyete (gollete): Cuello de un recipiente.

[25] Caiban (caían): Llegaban.

[26] Comedidos: Personas que prestan servicios sin que se les haya solicitado. Las "yerras" atraían a muchos vecinos, más para divertirse que para prestar ayuda.

18

Even the poorest gaucho
had a string of matching horses;
he could always afford some amusement,
and people were ready for anything. . . .
215   Looking out across the land
you'd see nothing but cattle and sky.

When the branding-time came round
that was work to warm you up!
What a crowd! lassoing the running steers
220   and keen to hold and throw them. . . .
What a time that was! in those days surely
there were champions to be seen.

You couldn't call that work,
it was more like a party—
225   and after a good throw
when you'd managed it skilfully,
the boss used to call you over
for a swig of raw liquor.

Because the great jug of booze
230   always lived under the cart,
and anyone who wasn't shy,
when he saw the open spout
would take a hold on it fearlessly
as an orphan calf to the teat.

235   And the games that would get going
when we were all of us together!
We were always ready for them,
as at times like those
a lot of neighbors would turn up[8]
240   to help out the regular hands.

---

[8] Neighbors would turn up not so much to help, as to enjoy the festivities that generally were associated with important work projects.

　　　　Eran los días del apuro
　　　　y alboroto pa el hembraje,
　　　　pa preparar los potajes
　　　　y osequiar bien a la gente,
245　　y ansí, pues, muy grandemente
　　　　pasaba siempre el gauchaje.

　　　　Venía la carne con cuero,
　　　　la sabrosa carbonada,
　　　　mazamorra bien pisada,
250　　los pasteles y el güen vino ...
　　　　pero ha querido el destino
　　　　que todo aquello acabara.

　　　　Estaba el gaucho en su pago
　　　　con toda siguridá,
255　　pero aura[27] ... ¡barbaridá!
　　　　la cosa anda tan fruncida,
　　　　que gasta el pobre la vida
　　　　en juir de la autoridá.

　　　　Pues si usté pisa en su rancho
260　　y si el alcalde lo sabe
　　　　lo caza lo mesmo que ave
　　　　aunque su mujer aborte ...
　　　　¡No hay tiempo que no se acabe
　　　　ni tiento[28] que no se corte!

265　　Y al punto dése por muerto
　　　　si el alcalde lo bolea,
　　　　pues áhi no más se le apea
　　　　con una felpa[29] de palos.
　　　　Y despúes dicen que es malo
270　　el gaucho si los pelea.

[27] Aura: Ahora.
[28] Tiento: Tira de cuero crudo.
[29] Felpa: Paliza.

For the womenfolk, those were days
full of hurry and bustling
to get the cooking done
and serve the people properly . . .
245 and so like this, we gauchos
always lived in grand style.

In would come meat roasted in the skin
and the tasty stew,
cooked cornmeal well ground,
250 pies and wine of the best. . . .
But it has been the will of fate
that all these things should come to an end.

A gaucho'd live in his home country
as safe as anything,
255 but now—it's a crime!
things have got to be so twisted
that a poor man wears out his life
running from the authorities.

Because if you set foot in your house
260 and if the mayor finds out about it,
he'll hunt you like a beast
even if it makes your wife miscarry. . . .
There's no time that won't come to an end
nor a rope that won't break sometime.

265 And you can give yourself up for dead
right away, if the mayor catches you,
because he'll come down on you
there and then, with a flogging—
and then if a gaucho puts up a fight
270 they call him a hard case.

Y el lomo le hinchan a golpes,
y le rompen la cabeza,
y luego con ligereza,
ansí lastimao y todo,
275   lo amarran codo con codo
y pa el cepo[30] lo enderiezan.

    Áhi comienzan sus desgracias,
áhi principia el pericón;[31]
porque ya no hay salvación,
280   y que usté quiera o no quiera,
lo mandan a la frontera[32]
o lo echan a un batallón.

    Ansí empezaron mis males
lo mesmo que los de tantos;
285   si gustan ... en otros cantos
les diré lo que he sufrido.
Después que uno está perdido
no lo salvan ni los santos.

iii

    Tuve en mi pago en un tiempo
290   hijos, hacienda y mujer,
pero empecé a padecer,
me echaron a la frontera
¡y qué iba a hallar al volver!
tan sólo hallé la tapera.

295   Sosegao vivía en mi rancho
como el pájaro en su nido;
allí mis hijos queridos
iban creciendo a mi lao ...
Sólo queda al desgraciao
300   lamentar el bien perdido.

---

[30] Cepo: Aparato de tortura.

[31] Pericón: Baile o fiesta (véase vii, nota 5). En este caso se emplea irónicamente para indicar adversidad.

[32] Frontera: Zona de separación de las tierras ocupadas por la gente civilizada y las que estaban en poder de los indios, donde se habían construído fortines.

They bruise your back with beating
and break your head open for you,
and then without any more ado,
bleeding as you are and all,
275   they lash your elbows together
and head you for the stocks.

That's where your misfortunes start,
and that's where the dance begins—
because there's no saving you now,
280   and whether you like it or not
they send you off to the frontier[9]
or sling you into a regiment.

That was the way my troubles began,
the same as many another's.
285   If you like, I'll tell you
what I've gone through, in some more verses. . . .
Once you're done for, you can't be saved,
not even by the saints.

iii

In my part of the land, at one time,
290   I had children, cattle, and a wife;
but my sufferings began,
they pushed me out to the frontier—
and when I got back, what was I to find!
a ruin, and nothing more.

295   I lived peacefully in my cabin
like a bird in its nest;
my beloved sons
were growing up there at my side. . . .
When you're unhappy, all that's left you
300   is to mourn for good things that are lost.

[9] Fortified posts against land still occupied by Indians.

Mi gala en las pulperías[1]
era, cuando había más gente,
ponerme medio caliente,
pues cuando puntiao[2] me encuentro
305   me salen coplas de adentro
como agua de la virtiente.

Cantando estaba una vez
en una gran diversión;
y aprovechó la ocasión
310   como quiso el juez de paz.
Se presentó, y áhi no más
hizo una arriada en montón.[3]

Juyeron los más matreros[4]
y lograron escapar.
315   Yo no quise disparar,
soy manso y no había por qué;
muy tranquilo me quedé
y ansí me dejé agarrar.

Allí un gringo[5] con un órgano
320   y una mona que bailaba
haciéndonós rair estaba
cuando le tocó el arreo.
¡Tan grande el gringo y tan feo
lo viera cómo lloraba!

---

[1] Pulperías: centros comerciales y sociales. Allí se comerciaba en artículos de uso diario; la gente se reunía para conversar, jugar, bailar, tomar, y con frecuencia, para armar riñas y peleas. A pesar de lo necesaria que era la pulpería como lugar de reunión, tuvo un efecto dañino sobre las normas morales y sociales del campo; la venta libre de bebidas alcohólicas contribuyó a la delincuencia de los consumidores; los pulperos (dueños de las pulperías) fomentaban robos, pues falsificaban certificados para la venta de mercancías o ganado robados. (Véase, Parte II, versos 2187–2192.)

[2] Puntiao (puntiado): Algo ebrio.

[3] "Arriada (arreada) en montón": Se refiere a la manera injusta en que se iba reclutando gente para el ejército o servicios en la frontera. Nadie se libraba de esas arreadas, salvo amigos o protegidos de las autoridades.

[4] Matreros: Astutos, o los que han aprendido como eludir la justicia.

[5] Gringo: En la Argentina el término se aplica a aquellos que hablan mal el español, siendo los inmigrantes italianos, alemanes e ingleses los más numerosos.

What I enjoyed, in a country store[1]
when there was a good crowd,
was to warm myself up a bit—
because when I get tight
305 the verses come out from inside of me
like water from a waterfall.

One day I was singing away
in the middle of a big party,
and the Justice of the Peace
310 thought he'd make the most of the occasion—
he appeared on the scene, and there and then
he had the whole crowd rounded up.[2]

The ones who knew best escaped
and managed to get away;
315 I didn't want to run off—
I'm a quiet one, and there was no reason—
I stayed there quite calm
and so I let myself get caught.

There was a gringo[3] with a barrel-organ
320 and a monkey that danced
who was making us laugh there
when the round-up came to him—
a huge fellow he was, and so ugly!
you should have seen how he cried.

---

[1] The country store was both the commercial and social center of the countryside. There, articles of daily use were bought and sold; people met to converse, play games, dance, drink, and, not infrequently, to argue or pick a fight with someone. Although necessary as a trading post, the country store had a degrading effect on the moral and social habits of the countryside through unrestricted sale of alcoholic beverages and encouragement of stealing. Proprietors fostered theft by issuing false certificates of sale for stolen merchandise and livestock. (See Part II, lines 2187–92.)

[2] Lines 309–12: Martín Fierro refers to the unjust manner in which people were recruited for military or frontier service. Only friends or favorites of the authorities remained free in these round-ups.

[3] Gringo: in Argentina the term refers to speakers of broken Spanish: the Italian, German, and English immigrants were the most numerous.

Hasta un inglés sanjiador[6]
que decía en la última guerra
que él era de Inca-la-perra[7]
y que no quería servir,
tuvo también que juír
330 a guarecerse en la sierra.

Ni los mirones salvaron
de esa arriada de mi flor;
fué acoyarao[8] el cantor
con el gringo de la mona;
335 a uno solo, por favor,
logró salvar la patrona.

Formaron un contingente
con los que en el baile arriaron;
con otros nos mesturaron
340 que habían agarrao también:
las cosas que aquí se ven
ni los diablos las pensaron.

A mí el Juez me tomó entre ojos
en la última votación:
345 me le había hecho el remolón[9]
y no me arrimé ese día,
y él dijo que yo servía
a los de la esposición.[10]

Y ansí sufrí ese castigo
350 tal vez por culpas ajenas;
que sean malas o sean güenas
las listas, siempre me escondo:
yo soy un gaucho redondo
y esas cosas no me enllenan.[11]

---

[6] Sanjiador (zanjeador): Como no existían alambrados, el ganado se controlaba por medio de zanjas. Los corrales y otras propiedades se marcaban de la misma manera. El trabajo lo hacían inmigrantes extranjeros, no los gauchos.

[7] Inca-la-perra: Inglaterra. El gaucho solía cambiar una palabra que no conocía, dividiéndola en sílabas de doble intención.

[8] Acoyarao: Acollarado.

[9] Remolón: Indolente, el que se escapa de una responsibilidad.

[10] Esposición: Oposición. Aquí el autor refleja la manera en que el gaucho se confundía en el empleo de palabras.

[11] Enllenan (llenan): Se emplea en el sentido de satisfacer.

325	Even an Englishman ditch-digger[4]
	who'd said in the last war
	that he wouldn't do the service
	because he came from *Inca-la-perra*—[5]
	he had to escape as well
330	and take cover in the hills.

Not even the people looking on
were saved from this bumper catch;
the singer was yoked together
with the gringo who had the monkey—
only one, as a favor,
the storeman's wife managed to save.

They formed up a troop of recruits
with the men they'd caught at the dance;
they mixed us in with some others
that they'd grabbed as well. . . .
Even devils didn't think up
the things you see going on here.

The Judge had taken against me
the last time we had to vote.
I'd played it stubborn
and I didn't go near him that day—
and he said I was working for
the ones in the Opposition.[6]

And that's how I suffered the punishment
for someone else's sins, maybe.
Voting lists may be bad or good,
I always keep out of sight—
I'm a gaucho through and through
and these things don't satisfy me.

335

340

345

350

---

[4] Since fences and barbed wire were nonexistent, livestock was confined by ditches. Corrals and certain properties were marked off in the same manner, the ditch-digging being done by foreign immigrants, not by the gauchos.

[5] *Inca-la-perra* approximates a broken Spanish pronunciation of "England": *Inglaterra*. The gaucho often converted an unfamiliar word into suggestive syllables, as in this case, *perra:* bitch.

[6] The Spanish text has *esposición* (exposition) to mean "opposition." The author here reflects the gaucho's misuse of terms.

355   Al mandarnos nos hicieron
más promesas que a un altar.
El Juez nos jué[12] a ploclamar
y nos dijo muchas veces:
"Muchachos, a los seis meses
360   los van a ir a revelar."[13]

      Yo llevé un moro[14] de número.
¡Sobresaliente el matucho![15]
Con él gané en Ayacucho[16]
más plata que agua bendita:
365   siempre el gaucho necesita
un pingo pa fiarle un pucho.[17]

      Y cargué sin dar más güeltas
con las prendas que tenía:
jergas, poncho, cuanto había
370   en casa, tuito lo alcé;
a mi china la dejé
media desnuda ese día.

      No me faltaba una guasca;[18]
esa ocasión eché el resto:
375   bozal, maniador, cabresto,
lazo, bolas y manea ...
¡El que hoy tan pobre me vea
tal vez no crerá todo esto!

---

[12] Jué: Fué, de ir.

[13] Revelar: Relevar.

[14] Un moro: Un caballo de color azulado oscuro. Los campesinos preferían caballos de pelo oscuro a los de pelo claro. (Véase verso 2171, Parte II.)

[15] Matucho: Caballo con ulceraciones; sin embargo en este caso se usa irónicamente para expresar admiración.

[16] Ayacucho: Una división territorial en la parte sur de la provincia de Buenos Aires. Ayacucho, Palermo y Sante Fe son los únicos lugares geográficos que el autor menciona en la obra.

[17] Pucho: En este caso una apuesta que ganará en una carrera de caballos.

[18] Guasca (huasca): Trozos de cuero crudo para confeccionar prendas del apero. Aquí el autor indica que Fierro se lo llevó todo.

355 As they sent us off, they made us
more promises than at an altar.
The Judge came and made us speeches
and told us again and again:
"In six months' time, boys,
360 they'll be going out to relieve you."

I took a classy dark roan—[7]
a real winner he was, the brute!
with him in Ayacucho[8] I won
more money than the holy saints—
365 a gaucho always needs a good horse
to stake a few cents on.

And without any more ado
I loaded up with the gear I had:
saddle-blankets, poncho, everything there was
370 in the house, I took the lot—
I left my girl that day
with hardly any clothes on her back.

There wasn't a strap missing,
I staked all I had, that time:
375 halter, tether, leading-rein,
lasso, bolas,[9] and hobbles—
people seeing me so poor today
won't believe all this, maybe!

[7] Country people preferred dark-colored horses rather than light ones. (See line 2171, Part II.)

[8] Ayacucho: A territorial division in the southern part of the province of Buenos Aires. Ayacucho, Palermo, and Santa Fe are the only geographic areas the author specified in the poem.

[9] Bolas: (See i, note 9.)

Ansí en mi moro, escarciando,[19]
380   enderecé a la frontera.
¡Aparcero,[20] si usté viera
lo que se llama cantón[21] ... !
Ni envidia tengo al ratón
en aquella ratonera.

385   De los pobres que allí había
a ninguno lo largaron;
los más viejos rezongaron
pero a uno que se quejó
en seguida lo estaquiaron
390   y la cosa se acabó.

En la lista de la tarde
el jefe nos cantó el punto,[22]
diciendo: Quinientos juntos[23]
llevará el que se resierte;[24]
395   lo haremos pitar del juerte;[25]
más bien dése por dijunto.[26]

A naides le dieron armas,
pues toditas las que había
el coronel las tenía,
400   según dijo esa ocasión,
pa repartirlas el día
en que hubiera una invasión.

[19] Escarciando (escarceando): Movimiento que hace el caballo con la cabeza y cuello.

[20] Aparcero: En este caso la palabra se emplea en el sentido de compañero.

[21] Cantón: Fortín.

[22] Cantar el punto: Hablar claro.

[23] "Quinientos (azotes) juntos."

[24] Resierte: Desierte.

[25] "Pitar del juerte" (fuerte): Someter a máximo castigo.

[26] Dijunto: Difunto.

And so, with my dark roan tossing its head,
380   I headed for the frontier.
I tell you, you ought to see
the place they call a fort—
I wouldn't envy even a mouse
who had to live in that hole.

385   Of all the wretched men who were there
they hadn't let one go free.
The older ones grumbled,
but when one of them complained
they staked him out right away
390   and that was the end of that.

At the evening roll-call
the Chief showed us his hand
by saying, "Anyone who deserts
will get five hundred straight.[10]
395   We won't pull any punches—
he'd better give himself up for dead."

They didn't give arms to anyone
because the whole lot there
was being kept by the Colonel
400   (so he said on that occasion)
so as to hand them out on the day
if an invasion came.

---

[10] "Five hundred (lashes) straight."

Al principio nos dejaron
de haraganes criando sebo,[27]
405   pero después ... no me atrevo
a decir lo que pasaba.
¡Barajo! ... si nos trataban
como se trata a malevos.[28]

Porque todo era jugarle
410   por los lomos con la espada,
y, aunque usted no hiciera nada,
lo mesmito que en Palermo[29]
le daban cada cepiada
que lo dejaban enfermo.

415   ¡Y qué indios, ni qué servicio,
si allí no había ni cuartel!
Nos mandaba el coronel
a trabajar en sus chacras,[30]
y dejabamos las vacas
420   que las llevara el infiel.[31]

Yo primero sembré trigo
y después hice un corral,
corté adobe pa un tapial,
hice un quincho,[32] corté paja ...
425   ¡La pucha, que se trabaja
sin que le larguen ni un rial!

Y es lo pior de aquel enriedo
que si uno anda hinchando el lomo[33]
ya se le apean como plomo ...
430   ¡Quién aguanta aquel infierno!
Y eso es servir al gobierno,
a mí no me gusta el cómo.

[27] Criando sebo: Comer sin trabajar.
[28] Malevos: Malvivientes.
[29] Palermo. San Benito de Palermo era el rancho que ocupaba Juan Manuel de Rosas, tirano argentino. El rancho estaba equipado con una variedad de aparatos de tortura.
[30] Chacras: Chácara (quichua). Terrenos destinados al cultivo de cereales.
[31] Infiel: Así se le llamaba al indio.
[32] Quincho: Soporte de pared.
[33] "Hinchamo el lomo": Resistiendo.

At first they left us
to laze around and grow fat,
405   but afterwards—I daren't tell you
the things that went on. . . .
Curse it! they treated us
the way you treat criminals.

Because they'd go hitting you
410   with their swords, on your back,
and even though you weren't doing anything,
it was just like in Palermo—[11]
they'd give you such a time in the stocks
that it would leave you sick.

415   And as for Indians and army service—
there wasn't even a barracks there.
The Colonel would send us out
to go and work in his fields,
and we left the cattle on their own
420   for the heathens[12] to carry off.

The first thing I did was sow wheat
and then I made a corral;
I cut adobe for a wall,
made hurdles,[13] cut straw . . . .
425   You work like the devil
and they don't even throw you a dime.

And the worst of all that mess
is that if you start to get your back up,[14]
they come down on you like lead. . . .
430   Who'd put up with a hell like that!
If that's serving the Government
I don't like the way it's done.

[11] Palermo: San Benito de Palermo was the ranch of Juan Manuel de Rosas, Argentine tyrant. The ranch was equipped with a variety of torture instruments. (Also, see iii, note 8.)
[12] Heathens: the Indians.
[13] Hurdles: wall-frames.
[14] "If . . . up": "If you start to resist."

	Más de un año nos tuvieron
	en esos trabajos duros,
435	y los indios,[34] le asiguro,
	dentraban cuando querían:
	como no los perseguían
	siempre andaban sin apuro.

	A veces decía al volver
440	del campo la descubierta
	que estuviéramos alerta,
	que andaba adentro la indiada;
	porque había una rastrillada
	o estaba una yegua[35] muerta.

445	Recién[36] entonces salía
	la orden de hacer la riunión
	y cáibamos[37] al cantón
	en pelos y hasta enancaos[38]
	sin armas, cuatro pelaos
450	que íbamos a hacer jabón.[39]

	Áhi empezaba el afán,
	se entiende, de puro vicio,[40]
	de enseñarle el ejercicio
	a tanto gaucho recluta,
455	con un estrutor ¡qué ... bruta!
	que nunca sabía su oficio.

	Daban entonces las armas
	pa defender los cantones,
	que eran lansas y latones[41]
460	con ataduras de tiento ...
	Las de juego no las cuento,
	porque no había municiones.

[34] Los indios del Martín Fierro eran los famosos araucanos. (Véase *La Araucana* de Alonso Ercilla y Zúñiga.)

[35] A los indios les gustaba comer carne de yegua.

[36] Recién: Inmediatamente.

[37] Cáibamos (caíamos) o llegábamos.

[38] Enancaos (en ancas): Dos personas en el mismo caballo.

[39] "Hacer jabón": No hacer nada en absoluto.

[40] "De puro vicio": Inútilmente.

[41] Latones: Sables.

For more than a year they kept us
at this hard labor,
435   and the Indians,[15] you may be sure,
came in whenever they liked—
as nobody went after them,
they were never in any hurry.

Sometimes, when the look-out patrol
440   came back from the plain, they'd say
that we ought to be on the alert,
the Indians were moving in,
because they had found tracks
or the carcass of a mare.[16]

445   Only then the order would go out
for us to get together;
and we'd turn up at the fort
bareback, even two a-back,
unarmed—half a dozen poor beggars
450   who'd go out to do no good at all.

And now the fuss began
(all for show, naturally)
of teaching drill
to the crowd of gaucho recruits,
455   with an instructor, a . . . fool
who never knew his job.

Then they'd give out the arms
to defend the fortifications,
which consisted of pikes and old swords
460   tied together with strips of hide—
the firearms I don't count
because there was no ammunition.

---

[15] The Indians referred to in *Martín Fierro* were of the famous Araucanian tribe. (See C. M. Lancaster and P. T. Manchester, *The Araucaniad,* Vanderbilt Press, 1945.)
[16] The Indians were fond of mare meat.

Y chamuscao[42] un sargento
me contó que las tenían,
465   pero que ellos las vendían
para cazar avestruces;
y ansí andaban noche y día
déle bala a los ñanduces.[43]

Y cuando se iban los indios
470   con lo que habían manotiao,[44]
salíamos muy apuraos
a perseguirlos de atrás;[45]
si no se llevaban más
es porque no habían hallao.

475   Allí sí se ven desgracias
y lágrimas y afliciones,
naides le pida perdones
al indio, pues donde dentra
roba y mata cuanto encuentra
480   y quema las poblaciones.

No salvan de su juror
ni los pobres angelitos:[46]
viejos, mozos y chiquitos
los mata del mesmo modo;
485   que el indio lo arregla todo
con la lanza y con los gritos.

Tiemblan las carnes al verlo
volando al viento la cerda,[47]
la rienda en la mano izquierda
490   y la lanza en la derecha;
ande enderiesa abre brecha
pues no hay lanzaso que pierda.

---

[42] Chamuscao (chamuscado): Algo ebrio.
[43] Ñanduces: Avestruces.
[44] Manotiao (manoteado): Robado.
[45] "Perseguirlos de atras": El autor destaca la clase inferior de caballos que se le daba a los reclutas.
[46] Angelitos: niños.
[47] Cerda: Se refiere al cabello largo del indio; así acostumbrada usarlo.

And one of the sergeants, when he was drunk,
told me they did have some,
465 but that they used to sell it
for hunting ostriches—
and that was how they went on day and night
banging away at the birds.

And when the Indians went off
470 with the stuff they'd looted,
we'd set out in a great hurry
chasing after them—[17]
if they didn't take more with them
it's because they hadn't found it.

475 And there truly you see misfortunes
and tears and sufferings;
no one asks the Indians for mercy,
because where they break in
they'll steal and kill all they come across
480 and burn down the settlements.

Even the poor little angels[18]
aren't saved from their fury—
old men, boys, and children,
they kill them all in the same way—
485 because an Indian fixes everything
with his spear and a yell.

Your flesh shakes to see them,
their manes of hair flying in the wind,
reins in their left hand
490 and spear in the right—
they break through wherever they turn,
because there's no spear-thrust goes wide.

[17] The author stresses that inferior horses were given to the recruits.
[18] "Little angels": Infants.

Hace trotiadas tremendas
dende el fondo del desierto;
495   ansí llega medio muerto
de hambre, de sé y de fatiga;
pero el indio es una hormiga
que día y noche está dispierto.

Sabe manejar las bolas
500   como naides las maneja;
cuando el contrario se aleja
manda una bola perdida
y si lo alcanza, sin vida
es siguro que lo deja.

505   Y el indio es como tortuga
de duro para espichar;[48]
si lo llega a destripar
ni siquiera se le encoge:[49]
luego sus tripas recoge
510   y se agacha a disparar.

Hacían el robo a su gusto[50]
y después se iban de arriba,
se llevaban las cautivas
y nos contaban que a veces
515   les descarnaban los pieses
a las pobrecitas, vivas.

¡Ah, si partía el corazón
ver tantos males, canejo![51]
Los perseguíamos de lejos
520   sin poder ni galopiar.
¡Y qué habíamos de alcanzar
en unos bichocos[52] viejos!

[48] Espichar: Expirar (morir).
[49] Encoge: Perturba.
[50] Los indios tenían poco que temer de la milicia.
[51] Canejo: Caramba.
[52] Bichocos: Caballos inútiles.

They ride tremendous distances
from the depths of the desert,
495 and so they arrive half dead
of hunger and thirst and fatigue—
but the Indian's like an ant
that stays awake night and day.

He knows how to handle the bolas
500 as no one else can handle them—
as his enemy moves away
he'll sling off a loose ball,
and if it reaches him
it'll leave him dead for certain.

505 And an Indian is tough
as a tortoise to finish off:
if you do manage to spill his guts
it won't even worry him—
he'll stuff them back in right away,
510 hunch low, and gallop off.

They used to plunder as they pleased
and then went off scot-free;[19]
they took the captive women with them,
and we were told that sometimes
515 they used to cut the skin
off their feet, alive, poor things.

Curse it, if your heart didn't break
seeing so many crimes!
We'd follow them from far off
520 not even able to gallop—
and how could we've caught up with them
on a few broken-down old nags!

[19] The Indians had little to fear from the militia.

          Nos volvíamos al cantón
          a las dos o tres jornadas
525   sembrando las caballadas;[53]
          y pa que alguno la venda,
          rejuntábamos la hacienda
          que habían dejao resagada.[54]

          Una vez entre otras muchas,
530   tanto salir al botón,[55]
          nos pegaron un malón[56]
          los indios y una lanciada,
          que la gente acobardada
          quedó dende esa ocasión.

535   Habían estao escondidos
          aguaitando atrás de un cerro.
          ¡Lo viera a su amigo Fierro
          aflojar como un blandito!
          Salieron como maíz frito[57]
540   en cuanto sonó un cencerro.

          Al punto nos dispusimos
          aunque ellos eran bastantes;
          la formamos al istante
          nuestra gente, que era poca;
545   y golpiándosé en la boca[58]
          hicieron fila adelante.

          Se vinieron en tropel
          haciendo temblar la tierra.
          No soy manco pa la guerra
550   pero tuve mi jabón,
          pues iba en un redomón[59]
          que había boliao en la sierra.

[53] Los caballos que no aguantaban se dejaban en el camino.
[54] "Dejao resagado": Dejado atrás.
[55] "Al botón": Inútilmente.
[56] Pegar un malón: Efectuar un ataque por sorpresa, generalmente en noches de luna clara.
[57] "Maíz frito" o rositas de maíz. Los gauchos eran muy aficionados al maíz frito.
[58] Los indios solían dar gritos, interrumpidos con la mano, durante un ataque.
[59] Redomón: Caballo en período de doma.

After two or three days,
we would turn back to the fort
with our horses dropping by the road—
525 and so that someone could sell them,
we'd collect the cattle
which they'd left straggling behind.

Once, out of the many times
530 when we rushed out all for nothing,
the Indians landed on us
with such a raid and a spear-attack
that from that time onwards
people lost their nerve.

535 They had been hiding
in ambush, behind a hill. . . .
You should have seen your friend Fierro
flinching as if he was soft!
They shot out like popcorn[20]
540 the moment a cow-bell rang.

Although there were a good many of them
we took our stand on the spot;
in a moment we formed up
the few men we had—
545 and they charged us in a line
beating their mouths with their hands.[21]

They came on in a stampede
that made the ground shake. . . .
I'm not lame when there's fighting to be done,
550 but I was in a sweat
because I was riding a half-wild horse
that I'd caught in the hills.

[20] The gauchos were fond of popcorn.
[21] The Indians produced "whooping" sound effects during an attack.

¡Qué vocerío, qué barullo,
qué apurar esa carrera![60]
555   La indiada todita entera
dando alaridos cargó.
¡Jué pucha! ... y ya nos sacó
como yeguada matrera.[61]

¡Qué fletes[62] traiban los bárbaros
560   como una luz de lijeros!
Hicieron el entrevero[63]
y en aquella mescolanza,
éste quiero, éste no quiero,
nos escojían con la lanza.

565   Al que le dan un chuzaso[64]
dificultoso es que sane:
en fin, para no echar panes,[65]
salimos por esas lomas
lo mesmo que las palomas
570   al juir de los gavilanes.[66]

Es de almirar la destreza
con que la lanza manejan.
De perseguir nunca dejan
y nos traiban apretaos.
575   ¡Si queríamos, de apuraos,
salirnos por las orejas![67]

---

[60] ¡Qué ... carrera!": El autor se refiere al espanto producido por el conjunto de ruido y velocidad con que atacaba la indiada.

[61] "Ya ... matrera": "Huimos despavoridos en todas direcciones."

[62] Fletes: Caballos sin mañas y que reúnen cualidades superiores.

[63] Entrevero: El producir una confusión o mezcla entre dos bandos de caballería de combate.

[64] Chuzaso: Herida producida por una lanza. Procede de "chuzo" o arma improvisada.

[65] "Echar Panes": Exagerar.

[66] Gavilanes: Aves de rapiña, tipo falcón, de vuelo rápido.

[67] Orejas (del caballo). Tanto querían salir de allí que deseaban correr a más velocidad que los caballos.

What a yelling, what a row!
what a rate they moved at!
555   The whole of that Indian band
landed on us howling—
pucha! and they scattered us
like a herd of wild mares.

And the horses those heathens had!
560   like a flash, they were so fast.
They clashed into us,
and then in the confusion[22]
take one—leave one—
they picked us out with their spears.

565   Anyone who gets lanced by them
is not likely to recover. . . .
Finally, to make the story short,
we got out of those hills
like a flock of pigeons
570   flying away from hawks.

You have to admire the skill,
the way they handle a spear.
They never give up a chase
and they pressed us close—
575   we were in such a hurry
we could have jumped over the horses' ears.

---

[22] The confusion was intentional and was produced by the mixing of the two opposing bands.

Y pa mejor de la fiesta
en esta aflición tan suma,
vino un indio echando espuma
580   y con la lanza en la mano
gritando: "Acabau,[68] cristiano,[69]
metau[70] el lanza hasta el pluma."[71]

Tendido en el costillar,[72]
cimbrando por sobre el brazo
585   una lanza como un lazo,
me atropeyó dando gritos:
si me descuido ... el maldito
me levanta de un lanzaso.

Si me atribulo o me encojo,
590   siguro que no me escapo;
siempre he sido medio guapo
pero en aquella ocasión
me hacía buya[73] el corazón
como la garganta al sapo.

595   Dios le perdone al salvaje
las ganas que me tenía ...
Desaté las tres marías[74]
y lo engatusé a cabriolas.[75]
¡Pucha! ... si no traigo bolas
600   me achura[76] el indio ese día.

[68] "Acabau": "Acabado" o muerto.

[69] Cristiano: Así llamaban los indios a la gente de raza blanca; no era por razones religiosas.

[70] "Metau": Metiendo o meto. Los indios hacían uso extensivo del gerundio.

[71] Las plumas se ponían casi a un metro por encima de la punta.

[72] Costillar: Del caballo.

[73] Buya: De "bullir".

[74] "Tres marías": Bolas. Procede de las tres estrellas que forman el cinto de Orión.

[75] "Lo engatusé a cabriolas": "lo engañe con movimientos falsos".

[76] Achura: De achurar o despedazar.

And just to make life easier
at the height of this danger,
up came an Indian frothing at the mouth
580   with his spear in his hand,
yelling out, "Christian[23] finish!
Spear go in you up to feather!"[24]

He rushed at me screaming
stretched flat along the horse's ribs,
585   and brandishing over his arm
a lance as long as a lasso[25]. . . .
One false move, and that devil
will have me off with a swipe of his spear.

If I lose my head or hesitate
590   I won't escape, that's certain.
I've always been pretty tough,
but on that occasion
my heart was bumping
like the throat of a toad.

595   God forgive that savage
the way he wanted to get me. . . .
I got my Three Marys[26] out
and led him on, dodging round—
pucha! if I hadn't had bolas
600   that Indian would have had my guts.

[23] Christian: the Indians referred to white people as "Christians." The expression here does not apply to religion.
[24] Feathers were attached about a yard above the point.
[25] Indian lances were from nine to fifteen or more feet in length.
[26] "Three Marys": Bolas, from the name of the three stars in Orion's belt.

　　　　Era el hijo de un casique
　　　　sigún yo lo avirigüé;
　　　　la verdá del caso jué
　　　　que me tuvo apuradazo,
605　　 hasta que, al fin, de un bolazo
　　　　del caballo lo bajé.

　　　　Áhi no más me tiré al suelo
　　　　y lo pisé en las paletas;
　　　　empezó a hacer morisquetas[77]
610　　 y a mezquinar[78] la garganta ...
　　　　pero yo hice la obra santa
　　　　de hacerlo estirar la jeta.[79]

　　　　Allí quedó de mojón[80]
　　　　y en su caballo salté;
615　　 de la indiada disparé,
　　　　pues si me alcanza me mata,
　　　　y, al fin, me les escapé
　　　　con el hilo en una pata.[81]

iv

　　　　Seguiré esta relación
620　　 aunque pa chorizo es largo:[1]
　　　　el que pueda hágasé cargo
　　　　cómo andaría de matrero,[2]
　　　　después de salvar el cuero
　　　　de aquel trance tan amargo.

---

[77] Morisquetas: Hacer gestos ridículos con la cara.

[78] Mezquinar: Esconder o defender con empeño.

[79] "Estirar la jeta" (jeta: ocico de cerdo, empleado en sentido despectivo): Morir.

[80] Mojón: Señal en el campo que sirve de guía; también indica el límite entre propiedades o fronteras.

[81] "Hilo en una pata": Se supone que una gallina que logra cortar el hilo que la sujeta se lleva una parte del hilo en una pata.

[1] "Pa ... largo": La imagen indica que un chorizo debe ser corto — no tan largo como esta relación.

[2] Matrero: El que huye de la justicia.

He was the son of a chieftain
according to what I found out—
the truth of the matter was
that he had me very worried
605   till finally, with a swing of the bolas
I got him down off his horse.

I threw myself off straight away
and stood on his shoulder-blades;
he started making faces
610   and trying to hide his throat—
but I performed the good deed
of stretching him out cold.

There he stayed as a landmark
and I jumped on his horse.
615   I made off from the Indians,
for if they caught me it meant death—
and in the end I escaped from them
by the skin of my teeth.

iv

I'll carry on with this story
620   though it's too long by half. . . .
Just imagine, if you can,
how I was on my guard
after I'd saved my skin
from a danger cruel as that.

625 Del sueldo nada les cuento,
porque andaba disparando;
nosotros, de cuando en cuando,
solíamos ladrar de pobres:[3]
nunca llegaban los cobres[4]
630 que se estaban aguardando.

Y andábamos de mugrientos[5]
que el mirarnos daba horror;
le juro que era un dolor
ver esos hombres, ¡por Cristo!
635 En mi perra vida he visto
una miseria mayor.

Yo no tenía ni camisa
ni cosa que se parezca;
mis trapos sólo pa yesca
640 me podían servir al fin ...
No hay plaga como un fortín
para que el hombre padezca.

Poncho, jergas, el apero,
las prenditas, los botones,[6]
645 todo, amigo, en los cantones
jué quedando poco a poco;
ya nos tenían medio loco
la pobreza y los ratones.

[3] "Ladrar de pobres": Sufrir la mayor miseria. Además de no llegarle el sueldo, el recluta recibía mala comida, casi siempre sin sal, y tenía que soportar una variedad de parásitos y ratones, que destruían hasta las prendas de ropa y del apero. Pero lo que más les hacía sufrir era carecer de yerba para el mate, lo cual era frecuente. Cuando no había, se preparaba el mate con *cola de zorro,* una hierba silvestre que no poseía ninguna de las propiedades de la yerba mate. (Véase Castro: pp. 393–394.

[4] Cobre: Lleva implícita la idea de poco dinero; procede del poco valor de las monedas de cobre.

[5] Mugrientos: Sucios o desaseados.

[6] Botones: Monedas de plata y oro que llevaban en su tirador (cinto de cuero). La fortuna del gaucho consistía en el chapeado de su apero y los botones de su tirador.

625   I won't tell you anything about our pay,[1]
                      because it kept well out of sight.
                      At times we'd reach the state
                      of howling from poverty—
                      the money never came
630   that we were waiting for.

                      And we went around so filthy
                      it was horrible to look at us.
                      I swear to you, it hurt you
                      to see those men, by Christ!
635   In my bitch of a life I've never seen
                      poverty worse than that.

                      I hadn't even a shirt
                      nor anything that was like one,
                      the only use my rags were
640   in the end, was to use as kindling. . . .
                      There's no plague like an army fort
                      to teach a man to endure.[2]

                      Poncho, saddle-blankets, harness,
                      my clothes, and the coins off my belt,[3]
645   I tell you, the whole lot got left
                      little by little, in the barrack-store. . . .
                      The rats and the poverty
                      had got me half crazed by now.

[1] The recruits' pay was minimal and often arrived after they had been discharged or had deserted.

[2] Recruits had a wretched diet, almost always lacking in salt; they had to endure a variety of parasites and rats, which even destroyed clothing and harness equipment. However, the greatest suffering was caused by the frequent lack of proper herbs to prepare maté. Substitute herbs were available, but failed to supply the desired stimulant.

[3] The fortune of the gaucho consisted of the silver inlay of his harness and coins on his belt.

	Sólo una manta peluda
650	era cuanto me quedaba;
	la había agenciao[7] a la taba[8]
	y ella me tapaba el bulto;
	yaguané[9] que allí ganaba
	no salía ... ni con indulto.[10]

	Y pa mejor hasta el moro
655	se me jué de entre las manos;
	no soy lerdo[11] ... pero, hermano,
	vino el comendante un día
	diciendo que lo quería
660	"pa enseñarle a comer grano".[12]

	Afigúresé cualquiera
	la suerte de este su amigo,
	a pie y mostrando el umbligo,
	estropiao, pobre y desnudo.
665	Ni por castigo se pudo
	hacerse más mal conmigo.

	Ansí pasaron los meses,
	y vino el año siguiente,
	y las cosas igualmente
670	siguieron del mesmo modo:
	adrede[13] parece todo
	para aburrir a la gente.

---

[7] Agenciao (agenciado): Procurado.

[8] Taba: Hueso astrágalo, en este caso de animal vacuno y que se emplea para el juego que lleva el mismo nombre. La taba se juega por lanzamientos y se gana si al caer queda para arriba el lado cóncavo, llamado "suerte"; se pierde si al caer queda para arriba el lado liso, llamado "culo".

[9] Yaguané: Piojo.

[10] Como no había desinfectante en el fortín, no era posible librarse de los piojos, una vez infectada la ropa.

[11] Lerdo: Torpe.

[12] Como el caballo del campo en su estado salvaje comía únicamente pasto, era necesario enseñarlo a comer grano al domesticarlo.

[13] Adrede: Con intención.

	Only one rough blanket
650	was all that was left to me.
	I'd acquired it playing *taba*,[4]
	and it served to cover me up. . . .
	The lice that got in there wouldn't leave—
	not even with a free pardon.[5]

655	And to top it all, even my dark roan
	slipped from out of my hands.
	I'm not a fool, but I tell you, brother!
	the Commandant came up one day
	saying that he wanted him
660	"to teach him to eat grain."[6]

	So imagine, anyone,
	the state your friend here was in:
	on foot with his navel showing,
	poor and naked and worn out—
665	even as a punishment
	they couldn't have treated me worse.

	And so the months passed by
	and the next year came,
	and likewise everything
670	went on in just the same way—
	it seems all done on purpose
	to drive people mad.

---

[4] *Taba:* Similar to dice, but played with cow's knuckles. The thrower wins if the concave side of the *taba* comes to rest in a face-up position. This side is called *"suerte"* (luck).

[5] The fort had no insecticides to eliminate these pests.

[6] In its wild state, the prairie horse fed only on grass. When tamed, it had to be taught to eat grain.

No teníamos más permiso,
ni otro alivio la gauchada,
675   que salir de madrugada,
cuando no había indio ninguno,
campo ajuera, a hacer boliadas,
desocando[14] los reyunos.[15]

Y cáibamos[16] al cantón
680   con los fletes aplastaos,
pero a veces medio aviaos[17]
con plumas y algunos cueros
que áhi no más con el pulpero
los teníamos negociaos.

685   Era un amigo del jefe
que con un boliche[18] estaba;
yerba y tabaco nos daba
por la pluma de avestruz,
y hasta le hacía ver la luz[19]
690   al que un cuero le llevaba.

Sólo tenía cuatro frascos
y unas barricas vacías,
y a la gente le vendía
todo cuanto precisaba:
695   a veces creiba que estaba
allí la proveduría.

[14] Desocando (dezocando): En este caso, incapacitar los ligamentos de los caballos por mal trato o excesiva carrera.

[15] Reyunos: "Caballos del rey." Aquí se refiere a caballos mostrencos que caen bajo el poder del gobierno en ciertos distritos. A fin de identificarlos, se les cortaba una oreja, y a veces las dos. Solían ser abusados por aquellos que los montaban.

[16] Cáibamos (caíamos): Aquí, llegar en estado de cansancio.

[17] Aviaos (aviados): Provistos.

[18] Boliche: Negocio de almacén y bebidas, de menor categoría que la pulpería.

[19] "Hacía ... luz": Lleva el concepto de percibir alguna moneda de plata.

We gauchos weren't allowed
to do anything—no kind of sport
675   except to go out at dawn
when there was no Indians around,
to hunt with bolas in the open country
and ride the Government horses[7] lame.

And we'd turn up at the camp
680   with our mounts done in,
but sometimes pretty well provided
with feathers, and a few hides,
and we'd trade these in on the spot
with the keeper of the store.

685   The man who kept the store
was a friend of the Chief.
He gave us maté and tobacco
in exchange for the ostrich-feathers—
and if it was a hide you brought him
690   he'd even show a glint of silver.

All he kept was a few bottles
and some barrels with nothing in them,
and yet he'd sell people
anything they needed—
695   some of them believed it was
the Quartermaster's store he had there.

---

[7] "Government horses": The government took possession of wild horses in certain districts for official use; a notch was cut in one or both ears for purposes of identification. Usually these horses were rendered useless because they were badly abused by their riders.

¡Ah pulpero habilidoso!
Nada le solía faltar
¡aijuna! y para tragar
700 tenía un buche de ñandú.[20]
La gente le dió en llamar
"el boliche de virtú".[21]

Aunque es justo que quien vende
algún poquitito muerda,[22]
705 tiraba tanto la cuerda[23]
que con sus cuatro limetas[24]
él cargaba las carretas
de plumas, cueros y cerda.

Nos tenía apuntaos a todos
710 con más cuentas que un rosario,
cuando se anunció un salario
que iban a dar, o un socorro;
pero sabe Dios qué zorro
se lo comió al comisario.

715 Pues nunca lo vi llegar
y, al cabo de muchos días,
en la mesma pulpería
dieron una *buena cuenta,*[25]
que la gente muy contenta
720 de tan pobre recebía.

Sacaron unos sus prendas
que las tenían empeñadas,
por sus diudas atrasadas
dieron otros el dinero;
725 al fin de fiesta el pulpero
se quedó con la mascada.[26]

[20] El pulpero se aprovechaba de cualquier cosa que tenía valor, de la misma manera
que el ñandú (avestruz) se "traga" rápidamente todo lo que esté a su alcance.
[21] "El boliche de virtú" (virtud): Se emplea con el significado contrario.
[22] Muerda: En este caso, en el sentido de aprovechar ganancia.
[23] "Tiraba ... cuerda": Iba a tal extremo.
[24] Limetas: Frascos para bebida.
[25] "Dieron ... cuenta": "Dar una *buena cuenta*"; aquí se refiere a reducir la deuda
en forma de saldo a favor o pago que generalmente no favorecía al gaucho.
[26] "Se ... mascada": "quedarse con la mascada": Alusión a una mascada de
tabaco; aquí, quedarse con todo.

That crafty trader,
he never went short of a thing!
Curse it—and as for greed
700   he had the belly of an ostrich.
The men used to call it
the Store Where Anything Goes.

Although it's fair that the man who's selling
should bite off a bit for himself,
705   he stretched the point so far
that with the four bottles he had
he loaded up whole carts full
of feathers and skins and horse-hair.

He had us all noted down
710   with more reckonings[8] than a rosary,
when they announced a payment
or an advance they were going to give out—
but the Lord knows who the fox was
that ate it up at the Paymaster's.

715   Because I never saw it come . . .
and a good many days later,
in the same storehouse,
they gave out a "credit,"
which people accepted, very pleased
720   to get this small amount.

Some of them took out their clothes
which they had in pawn;
others gave up the money
for debts which were overdue. . . .
725   When the party was over, the storekeeper
was left with the whole pile.

[8] Reckonings: *Cuentas* in the original means both "accounts" and "beads."

Yo me arrecosté a un horcón
dando tiempo a que pagaran,
y poniendo güena cara
730   estuve haciéndomé el poyo,[27]
a esperar que me llamaran
para recebir mi boyo.[28]

Pero áhi me pude quedar
pegao pa siempre al horcón;
735   ya era casi la oración[29]
y ninguno me llamaba;
la cosa se me ñublaba
y me dentró comezón.

Pa sacarme el entripao[30]
740   vi al mayor, y lo fí a hablar.
Yo me le empecé a atracar
y, como con poca gana,
le dije: "Tal vez mañana
acabarán de pagar."

745   "—Qué mañana ni otro día",
al punto me contestó,
"la paga ya se acabó,
siempre has de ser animal."
Me rái y le dije: "Yo ...
750   no he recebido ni un rial".

Se le pusieron los ojos
que se le querían salir,
y áhi no más volvió a decir
comiéndomé con la vista:
755   —"¿Y qué querés recebir
si no has dentrao en la lista?"

---

[27] Hacerse el poyo (pollo): Disimular.

[28] Boyo (bollo): Plata.

[29] "Ya era casi la oración." En este caso se refiere al crepúsculo vespertino y no a que los reclutas iban a rezar la salutación del Angel a la Virgen como se acostumbra entre los fieles.

[30] Entripao (entripado): Aflicción o enojo.

I leaned back against a post
giving them time to pay,
and putting on a good face,
730   I was acting dumb
waiting for them to call me
to collect my dole.

But I might just as well have stayed there
stuck to that post forever;
735   it was almost evening-prayer time[9]
and nobody called me. . . .
Things were getting to look murky
and I started feeling anxious.

To get it off my chest
740   I saw the Major, and went to talk to him.
I started edging up to him,
and pretending to be shy
I said, "Maybe tomorrow
they'll finish paying us?"

745   "What d'you mean, tomorrow!"
he answered back on the spot,
"The payment's finished now,
trust you to be a greedy brute!"
I gave a laugh and said, " . . . I
750   haven't even had a cent."

He opened his eyes wide
so that they nearly fell out,
and straight away he said again,
staring fit to eat me up,
755   "And what do you expect to get
if you haven't got on the list!"

[9] The intent here is to indicate that twilight was approaching, not that the recruits
would be gathering for evening prayers.

"—Este sí que es amolar",[31]
dije yo pa mis adentros,
"van dos años que me encuentro[32]
760   y hasta áura he visto ni un grullo;[33]
dentro en todos los barullos
pero en las listas no dentro".[34]

Vide el plaito mal parao[35]
y no quise aguardar más ...
765   Es güeno vivir en paz
con quien nos ha de mandar,
y reculando[36] pa trás
me le empecé a retirar.

Supo todo el comendante
770   y me llamó al otro día,
diciéndomé que quería
aviriguar bien las cosas ...
que no era el tiempo de Rosas,[37]
que áura a naides se debía.

775   Llamó al cabo y al sargento
y empezó la indagación:
si había venido al cantón
en tal tiempo o en tal otro ...
Y si había venido en potro,
780   en reyuno[38] o redomón.[39]

---

[31] Amolar: Perjudicar a una persona.

[32] "Que me encuentro": En el servicio.

[33] Grullo: Moneda.

[34] "Dentro ... dentro": Martín Fierro destaca con un solo trazo ejemplar la situación del recluta que se expone diariamente a peligros sin recibir recompensa alguna.

[35] "Ví difícil o peligrosa la situación."

[36] Reculando: Retrocediendo.

[37] Rosas: Se refiere al tirano, General Juan Manuel de Rosas, Gobernador de Buenos Aires desde 1830 a 1832; regresó en 1835 al concedérsele la suma del poder público. Gobernó en un ambiente de terror que prevaleció hasta su caída, en 1852.

[38] Reyuno: Véase iv, nota 15.

[39] Redomón: Véase iii, nota 59.

"This is certainly making a mess of things,"
I said to myself privately—
"It's two years I've been here
760 and I've seen not a bean so far.
I get into all the fighting
but I don't get onto the lists."[10]

I could see it was a tricky case,
and I didn't want to wait any longer.
765 It's a good thing to live in peace
with whoever's in command of us—
and so, retreating backwards,
I started to move away.

The Commandant heard all about it
770 and called me the next day,
telling me that he wanted
to get things straightened out—
that this wasn't Rosas'[11] time
and nothing was owed anyone these days.

775 He called the corporal and the sergeant
and the inquiry began—
whether I'd come to the camp
at this time, or the other,
and whether I'd come on a colt,
780 or a government horse, or a wild one.

[10] Lines 761–62: With a single stroke, Martín Fierro summarizes the situation of the recruit who daily exposes himself to dangers without receiving any form of compensation.

[11] Reference is made to General Juan Manuel de Rosas, Governor of Buenos Aires from 1830 to 1832. He returned to power in 1835 and was granted dictatorial powers, which marked the beginning of a reign of terror that lasted until his downfall in 1852.

Y todo era alborotar
al ñudo,[40] y hacer papel;
conocí que era pastel
pa engordar con mi guayaca;[41]
785 mas si voy al coronel
me hacen bramar en la estaca.

¡Ah hijos de una ... ! ¡La codicia
ojalá les ruempa el saco![42]
Ni un pedazo[43] de tabaco
790 le dan al pobre soldao,
y lo tienen, de delgao,
más ligero que un guanaco.[44]

Pero qué iba a hacerles yo,
charabón[45] en el desierto;
795 más bien me daba por muerto
pa no verme más fundido
y me les hacía el dormido
aunque soy medio dispierto.

v

Yo andaba desesperao
800 aguardando una ocasión
que los indios un malón
nos dieran, y entre el estrago[1]
hacérmelés cimarrón[2]
y volverme pa mi pago.[3]

[40] "Al ñudo": Inútilmente.

[41] Guayaca: Bolsa.

[42] Saco: Aquí no se refiere a un recipiente para contener moneda o mercancías, como se emplea en el conocido proverbio español (el gaucho lo llamaba siempre "bolsa") sino a la prenda de vestir.

[43] Pedazo: Como el tabaco se expendía en mazos de hojas apretadas, llamados "nacos", Martín Fierro se refiere a un "pedazo de naco".

[44] Guanaco: Cuadrúpedo rumiante de América del Sur, delgado y veloz; algo parecido al venado en esbeltez y a la oveja en el pelo.

[45] Charabón o charavón: Avestruz a la edad de emplumar; de muy pequeño se llama charito; más grande charo, y de adulto ñandú. Charavón es entre charo y ñandú.

[1] Estrago: Confusión.

[2] "Hacérmelés cimarrón": Desertar o ir a vivir alejado de las poblaciones; cimarrón también se refiere al animal salvaje.

[3] Pago: Lugar de procedencia.

And it was all a lot of fuss
about nothing, and play-acting.
I could see it was a trick
for them to get fat on my purse—
785   but if I'd gone to the Colonel
they'd make me complain at the stakes.

The sons of . . . ! I hope their greed
will split them at the seams.
Not even a bit of tobacco
790   do they give to a poor soldier,
and they keep him so underfed
he's skinny as a mountain deer.

But what could I do against them,
I was like an ostrich-chick in the wilds!
795   All I could do was give up for dead
so as not to be worse off still. . . .
So I acted sleepy in front of them,
though I'm pretty wide awake.

v

I was getting hopeless,
800   waiting for an opportunity
when the Indians would raid us,
so that in the confusion
I could turn outlaw on them
and go back to my home.

805   Aquello no era servicio
ni defender la frontera:
aquello era ratonera
en que es más gato el más juerte:
era jugar a la suerte
810   con una taba culera.[4]

               Allí tuito va al revés:
los milicos se hacen piones,
y andan por las poblaciones
emprestaos[5] pa trabajar;
815   los rejuntan pa peliar
cuando entran indios ladrones.

               Yo he visto en esa milonga[6]
muchos jefes con estancia,
y piones en abundancia,
820   y majadas y rodeos;[7]
he visto negocios feos
a pesar de mi inorancia.

               Y colijo[8] que no quieren
la barunda[9] componer:
825   para esto no ha de tener
el jefe, aunque esté de estable,[10]
más que su poncho y su sable,
su caballo y su deber.[11]

---

[4] "Taba culera": Taba cargada que cae siempre "culo" para arriba. (Véase iv, nota 8.)

[5] Emprestaos (emprestados): Forma anticuada de "prestados".

[6] Milonga: Danza de movimientos enredados. También se emplea en el sentido de negocios fraudulentos.

[7] "Majadas y rodeos": Rebaños de ovejas y vacunos, respectivamente.

[8] Colijo: Deduzco.

[9] Barunda o baraúnda: Desorden.

[10] Estar de estable: Estar permanente.

[11] Se da a entender que los jefes quieren mucho más de lo que necesitan para desempeñar su oficio.

805   You couldn't call that service
       nor defending the frontier,
       it was more like a nest of rats
       where the strongest one plays the cat—
       it was like gambling
810   with a loaded dice.

       Everything there works the wrong way round,
       soldiers turn into laborers
       and go round the settlements
       out on loan for work—
815   they join them up again to fight
       when the Indian robbers break in.

       In this merry-go-round, I've seen
       many officers who owned land,
820   with plenty of work-hands
       and herds of cattle and sheep—
       I may not be educated
       but I've seen some ugly deals.

       And I take it they're not interested
       in getting things put straight—
825   if it was for that, the officer
       who's in charge of that job
       would need no more than his poncho and sword
       and his horse and his duty.[1]

---

[1] The implication is that the officers in charge have the necessary resources for eliminating corruption if only they were honest.

830
Ansina,[12] pues, conociendo
que aquel mal no tiene cura,
que tal vez mi sepultura
si me quedo iba a encontrar,
pensé en mandarme mudar
como cosa más sigura.

835
Y pa mejor, una noche
¡qué estaquiada me pegaron!
Casi me descoyuntaron
por motivo de una gresca.[13]
¡Aijuna, si me estiraron
840
lo mesmo que guasca fresca![14]

Jamás me puedo olvidar
lo que esa vez me pasó:
dentrando una noche yo
al fortín, un enganchao,[15]
845
que estaba medio mamao,[16]
allí me desconoció.

Era un gringo tan bozal,[17]
que nada se le entendía.
¡Quién sabe de ánde sería!
850
Tal vez no juera cristiano,
pues lo único que decía
es que era *papolitano.*[18]

[12] Ansina: Así.

[13] Gresca: Riña.

[14] "Guasca fresca": Cuero recién separado del animal.

[15] Enganchao (enganchado): Conscripto, generalmente inmigrante, contratado por el gobierno por tiempo determinado y al que se le concedían ventajas sobre los reclutas.

[16] Mamao (mamado): Ebrio.

[17] Bozal: Que habla o pronuncia mal el idioma español.

[18] *Papolitano:* Napolitano. Además de caracterizar la mala manera de hablar del gringo, la primera parte de la palabra lleva una noción despectiva para el gaucho.

	And so, then, when I saw
830	there was no curing that disease,
	and that if I stayed there
	I'd maybe find my grave,
	I thought the safest thing to do
	was to make a move.

	And on top of everything, one night
835	what a staking-out they gave me!
	They almost pulled me out of joint
	all because of a little quarrel—
	curse it, they stretched me out
840	just like a fresh hide.

	I never shall forget
	what happened to me that time. . . .
	One night, I was coming into the fort
	when one of the regulars—[2]
845	who was half drunk, anyhow—
	failed to recognize me.

	He was a gringo who talked so thick
	no one understood what he said.
	Lord knows where he can have come from!
850	He wasn't a Christian, probably,
	as the only thing he said was
	that he was a *Papo-litano*.[3]

---

[2] Soldiers engaged for several years, often immigrants, had advantages over recruits.

[3] *Papo-litano:* Neapolitan. Besides imitating the broken speech and bad pronunciation of the gringo, the prefix had a derogatory meaning for the gaucho.

Estaba de centinela
y, por causa del peludo,[19]
855   verme más claro no pudo
y esa jué la culpa toda.
El bruto se asustó al ñudo[20]
y fí el pavo de la boda.[21]

Cuanto me vido acercar:
860   "¿Quen vívore?",[22] preguntó;
"Que víboras", dije yo;
"¡Hagarto!"[23] me pegó el grito.
Y yo dije despacito:
"Más lagarto[24] serás vos."

865   Áhi no más ¡Cristo me valga!
rastrillar el jusil siento;
me agaché, y en el momento
el bruto me largó un chumbo;[25]
mamao, me tiró sin rumbo,
870   que si no, no cuento el cuento.

Por de contao, con el tiro
se alborotó el avispero;
los oficiales salieron
y se empezó la junción:
875   quedó en su puesto el nación[26]
y yo fí al estaquiadero.

---

[19] Peludo: Borrachera.

[20] Al ñudo (lo mismo que "al botón"): Inútilmente.

[21] "Pavo de la boda": La persona que carga con la culpa; también, la persona que se hace responsable de los gastos de una fiesta.

[22] "¿Quen vívore?": El "¿Quién vive?" militar.

[23] "¡Hagarto!": "¡Haga alto!".

[24] Lagarto: Para el gaucho significa "ladrón".

[25] Chumbo: Disparo. La palabra fue adaptada del portugués, "chumbo", que significa "plomo". El gaucho extendió el sentido a "disparo".

[26] Nación: Gringo.

He was on sentry duty
and on account of being tight,
855   he couldn't see me too well
and that was all there was to it—
the fool got a fright about nothing
and I was left to pay the bill.

When he saw me coming
860   he called out, *"Who dere!"*
"I dare," I answered—
"Ands oop!" he screamed at me—
and I said, very quietly,
"And the *soup's* what you'll end in."[4]

865   Just then—Christ save me!
I heard the gun-catch click.
I ducked, and that moment
the brute let off a shot at me—
being drunk, he fired without aiming,
870   or I wouldn't be telling the tale.

Needless to say, at the sound of the shot
the wasps' nest started buzzing.
The officers came out,
and so the fun began—
875   the gringo stayed at his post
and I went to the staking-ground.

[4] The translator cleverly captures the play on words employed in the Spanish text.

Entre cuatro bayonetas
me tendieron en el suelo.
Vino el mayor medio en pedo[27]
880   y allí se puso a gritar:
"Pícaro, te he de enseñar
a andar declamando sueldos."

De las manos y las patas
me ataron cuatro sinchones.
885   Les aguanté los tirones
sin que ni un ¡ay! se me oyera
y al gringo la noche entera
lo harté con mis maldiciones.

Yo no sé por qué el gobierno
890   nos manda aquí a la frontera
gringada que ni siquiera
se sabe atracar[28] a un pingo.
¡Si crerá al mandar un gringo
que nos manda alguna fiera!

895   No hacen más que dar trabajo
pues no saben ni ensillar;
no sirven ni pa carniar,[29]
y yo he visto muchas veces
que ni voltiadas las reses
900   se les querían arrimar.

Y lo pasan sus mercedes
lengüetiando pico a pico[30]
hasta que viene un milico[31]
a servirles el asao ...
905   Y eso sí, en lo delicaos
parecen hijos de rico.[32]

---

[27] "En pedo": Borracho.
[28] Atracar: En el sentido de "acercar".
[29] Carniar: Hacer una carnicería.
[30] "Lengüetiando ... pico": Conversando todos a la vez.
[31] Milico: Miliciano, soldado.
[32] El gaucho solía cortar un trozo de asado directamente del asador y sostenía dicha porción con las manos al comérsela, sin quemarse los dedos o dejarla caer. El gringo no tenía pericia para esto; se le servía el asado ya cortado — de áhi la referencia a "delicaos" e "hijos de rico".

They stretched me on the ground
between four bayonets.
The Major came along, fairly stinking,
880   and started screaming out,
"I'll teach you, you devil,
to go around claiming pay!"

They tied four girth straps
to my hands and my heels;
885   I put up with their hauling
without letting out a squeak,
and all through the night I cursed
that gringo, till I wore him out.

I don't know why the Government sends us,
890   out here to the frontier,
these gringos that don't even know
how to handle a colt—
from the way they send those gringos out
you'd think they were fierce as wild beasts!

895   They do nothing but make more work,
as they can't even put a saddle on;
they're no use even for cutting up carcasses,
and I've often seen
that even when the steers were down
900   they wouldn't go up to them.

And their worships spend their time
clucking away, noses together,
till one of the recruits comes along
to serve them their roast meat—
905   and then it's true, they're so dainty
they look like rich men's sons.[5]

---

[5] The gaucho would cut a piece of meat directly from the broiling pit and hold
the portion in his hands to eat it, without scorching his fingers or dropping the
meat. The gringo was not adept at this procedure; he had to be served his meat
already cut — hence the reference to "dainty" and "rich men's sons."

Si hay calor, ya no son gente,
si yela, todos tiritan;
si usté no les da, no pitan[33]

910   por no gastar en tabaco,
y cuando pescan un naco[34]
unos a otros se lo quitan.

Cuanto[35] llueve se acoquinan[36]
como el perro que oye truenos.

915   ¡Que diablos! sólo son güenos
pa vivir entre maricas,[37]
y nunca se andan con chicas[38]
para alzar ponchos ajenos.

Pa vichar[39] son como ciegos,

920   ni hay ejemplo de que entiendan;
no hay uno solo que aprienda,
al ver un bulto que cruza,
a saber si es avestruza,
o si es jinete, o hacienda.

925   Si salen a perseguir
después de mucho aparato[40]
tuitos se pelan[41] al rato
y va quedando el tendal:[42]
esto es como en un nidal

930   echarle güebos a un gato.[43]

---

[33] "No pitan": No fuman.
[34] Naco: Véase iv, nota 43.
[35] Cuanto: Cuando.
[36] Acoquinar: Acobardar, pero en este caso "agruparse encogidos".
[37] Maricas: Afeminados.
[38] "Nunca ... chicas": Andan sin escrúpulos
[39] Vichar (vichear): Espiar o avizorar. Los naturales de la pampa tenían la vista muy bien ejercitada. Podían percibir a lo lejos si una nube de polvo se debía a un animal suelto o con jinete; cuántos y de qué clase eran cómo se movían. La gente de las ciudades no tenía acostumbrada a percibir estos detalles.
[40] Aparato: Conmoción.
[41] Pelan: En este caso, se lastiman la piel de las nalgas.
[42] Tendal: Cosas tiradas en desorden.
[43] "En ... gato": Poner huevos en el nido del gato (para que los empolle).

If it's hot, they're no good for anything;
if it freezes, they're all shivering;
unless you offer it to them, they don't smoke

910 so as not to pay for tobacco—
and when they do get hold of a wad of it
they steal it off each other.

When it rains they huddle up
like a dog when it hears thunder—
915 hell! all they're good for
is to live like women—
and they've no scruples at taking ponchos
which don't belong to them.

As look-outs, they're good as blind—
920 in fact there's nothing they do know—
and there's not one of them can learn,
seeing something cross the skyline,
to tell if it's a bunch of ostriches,
or a man on a horse, or a cow.[6]

925 If they go out chasing the raiders,
after a lot of fuss
they all get riding sores in a minute
and start to scatter behind like wreckage. . . .
Dealing with them is like putting eggs
930 under a cat to hatch.

---

[6] The inhabitants of the prairie (gauchos and Indians) had well-trained eyes. They could determine, at great distance, if a cloud of dust was produced by a stray animal or a person on horseback; how many and what type of herd there was, and how it was moving. The city people could not learn to determine these details.

Vamos dentrando recién
a la parte más sentida
aunque es todita mi vida
de males una cadena:
935   a cada alma dolorida
le gusta cantar sus penas.

Se empezó en aquel entonces
a rejuntar caballada
y riunir la milicada
940   teniéndolá en el cantón,
para una despedición
a sorprender a la indiada.

Nos anunciaban que iríamos
sin carretas ni bagajes[1]
945   a golpiar a los salvajes
en sus mesmas tolderías;
que a la güelta pagarían
licendiándoló al gauchaje.

Que en esta despedición[2]
950   tuviéramos la esperanza,
que iba a venir sin tardanza,
sigún el jefe contó,
un menistro o qué sé yo ...
que lo llamaban Don Ganza.[3]

955   Que iba a riunir el ejército
y tuitos los batallones
y que traiba unos cañones
con más rayas que un cotín.[4]
¡Pucha! ... las conversaciones
960   por allá no tenían fin.

---

[1] Bagajes: Equipaje.

[2] Despedición: Expedición.

[3] Don Ganza se refiere al Coronel Martín de Gaínza, Ministro de Guerra bajo el Presidente Domingo Faustino Sarmiento (1868–1874).

[4] Cotín (cotí): Clase de género con tejido en forma de rayas, usado comúnmente para la confección de colchones. Aquí se comparan las rayas del cotí con las rayas de los cañones.

Now we're just coming to
the saddest part of the story,
even though the whole of my life
is nothing but a chain of troubles—
935   every unhappy soul
is glad to sing of its sufferings.

About that time
they started rounding up horses
and collecting the recruits
940   and keeping them in the fort
ready for an expedition
to take the Indians by surprise.

They informed us that we'd go
without taking carts or baggage
945   to attack the savages
right in their own camp—
and when we got back they'd pay us
and discharge the gaucho force.

And that for this expedition
950   we should have hopes
of the arrival before long (according
to what the Chief said),
of a Minister or Lord knows what
who they called *Don Gander*.[1]

955   He was going to join together
all the army and the regiments,
and he was bringing some cannons
with grooves in them like mattress-stripes—
pucha! . . . there was no end
960   to the talk that went on about it.

[1] Reference is made to Colonel Martín de Gaínza, Secretary of War under President Domingo Faustino Sarmiento (1868–1874). In the Spanish version the narrator calls him "Ganza" from *gansa,* goose.

Pero esas trampas no enriedan
a los zorros de mi laya;[5]
que el menistro venga o vaya,
poco le importa a un matrero.[6]
965   Yo también dejé las rayas[7] ...
en los libros del pulpero.

Nunca juí gaucho dormido,
siempre pronto, siempre listo,
yo soy un hombre ¡qué Cristo!
970   que nada me ha acobardao
y siempre salí parao[8]
en los trances que me he visto.

Dende chiquito gané
la vida con mi trabajo,
975   y aunque siempre estuve abajo
y no sé lo que es subir,
tambien el mucho sufrir
suele cansarnos ¡barajo!

En medio de mi inorancia
980   conozco que nada valgo:
soy la liebre o soy el galgo
asigún los tiempos andan;
pero también los que mandan
debieran cuidarnos algo.

985   Una noche que riunidos
estaban en la carpeta[9]
empinando una limeta[10]
el jefe y el juez de paz,
yo no quise aguardar más
990   y me hice humo[11] en un sotreta.[12]

[5] Laya: Clase, en sentido de casta.

[6] Matrero: Véase iv, nota 2.

[7] Las cuentas de los gauchos se solían apuntar con rayas, puesto que la mayoría no sabía leer ni escribir.

[8] Parao: Parado. En una rodada, salir parado es salir bien. (Las comparaciones siempre se hacen de acuerdo con asuntos camperos.)

[9] Carpeta: Mesa de juego.

[10] Limeta: Frasco de bebida.

[11] Hacerse humo: Escabullirse.

[12] Sotreta: Véase ii, nota 11.

But the kind of fox I am won't be caught
by this sort of tricks.
Whether this Gander comes or goes
doesn't matter much to an outlaw....
965 I left some stripes[2] behind me too—
drawn in the storekeeper's books.

I've never been caught sleeping,
I'm always ready, and quick to act:
I am a man, Christ save me!
970 who nothing has turned coward,
and I've always fallen on my feet[3]
from the perils I've been in.

I've earned my living by my work
ever since I was a child,
975 and though I was always at the bottom
and don't know what it means to rise high—
we can get tired out as well
by too much suffering, curse it!

For all my ignorance, I can tell
980 that I don't count in the world—
I can act like a hare or a hound
according to the times—
but the men who rule us should play their part
and care for us a bit, as well.

985 One night, when the Chief
and the Justice of the Peace
were cracking a bottle together
over a game of cards—
I wouldn't wait any longer,
990 I took a horse and faded out of sight.

[2] The gaucho's accounts usually were kept in the form of stripes, since most gauchos were unable to read or write.

[3] To land feet-first in a rodeo contest is considered commendable. (Comparisons are made always with matters dealing with country life.)

Para mí el campo son flores
dende que libre me veo;[13]
donde me lleva el deseo
allí mis pasos dirijo
995 y hasta en las sombras, de fijo
que a dondequiera rumbeo.[14]

Entro y salgo del peligro
sin que me espante el estrago;
no aflojo al primer amago[15]
1000 ni jamas fí gaucho lerdo:
soy pa rumbiar[16] como el cerdo
y pronto cái a mi pago.

Volvía al cabo de tres años
de tanto sufrir al ñudo,
1005 resertor, pobre y desnudo,
a procurar suerte nueva,
y lo mesmo que el peludo[17]
enderecé pa mi cueva.

No hallé ni rastro del rancho;
1010 ¡sólo estaba la tapera![18]
¡Por Cristo, si aquello era
pa enlutar el corazón:
yo juré en esa ocasión
ser más malo que una fiera!

1015 ¡Quién no sentirá lo mesmo
cuando ansí padece tanto!
Puedo asigurar que el llanto
como una mujer largué.
¡Ay mi Dios, si me quedé
1020 más triste que Jueves Santo!

---

[13] Nótese la suma alegría que siente el gaucho, una vez libre para vagar por la pampa sin límites.

[14] "De fijo ... rumbeo": Puedo dirigirme a cualquier parte, sin perderme.

[15] Amago: Amenaza.

[16] Rumbiar (rumbear): Tener sentido de orientación, una facultad bien desarrollada en el gaucho.

[17] Peludo: "Mamífero desdentado. Armadillo de tamaño mayor que el piche (otra clase de armadillo) . . ." Castro, p. 283.

[18] Tapera (argentinismo): Rancho en ruinas.

For me the land's all flowers
as soon as I feel I'm free:[4]
wherever my fancy takes me,
I can turn my steps right there,
995   and even in the dark I find my way
wherever I want, for sure.

I get in and out of danger
and I'm not scared by disaster,
I don't give way at the first threat,
1000   and I never was a fool. . . .
I can find my way[5] as well as a pig,
and I soon turned up at my home.

I was returning after three years
of suffering so much for nothing,
1005   a deserter, naked and penniless,
in search of a better life—
and like an armadillo
I headed straight for my den.

I found not a trace of my cabin—
1010   there was only the empty shell.
Christ! if that wasn't a sight
to bring sorrow to your heart. . . .
I swore at that moment
to be pitiless as a wild beast.

1015   Is there anyone who wouldn't feel the same
with so much to bear!
I can tell you that I burst out
into tears, like a woman—
ah God, but I was left
1020   sadder than Holy Thursday!

[4] Note the feeling of elation, once free to roam the limitless pampas.
[5] The gaucho developed an extraordinary sense of direction and would seldom become lost in the vast stretches of the pampas.

Sólo se oiban los aullidos
de un gato que se salvó;
el pobre se guareció
cerca, en una vizcachera;[19]
1025   venía como si supiera
que estaba de güelta yo.

Al dirme[20]dejé la hacienda
que era todito mi haber;
pronto debíamos volver,
1030   según el juez prometía,
y hasta entonces cuidaría
de los bienes la mujer.

Después me contó un vecino
que el campo se lo pidieron,
1035   la hacienda se la vendieron
pa pagar arrendamientos,
y qué sé yo cuántos cuentos;
pero todo lo fundieron.[21]

Los pobrecitos muchachos
1040   entre tantas afliciones
se conchabaron[22] de piones;
¡Más qué iban a trabajar,
si eran como los pichones
sin acabar de emplumar!

1045   Por áhi andarán sufriendo
de nuestra suerte el rigor:
me han contado que el mayor
nunca dejaba a su hermano;
puede ser que algún cristiano
1050   los recoja por favor.

---

[19] Vizcachera: Cueva donde habitan las vizcachas (mamíferos roedores, de color pardo y con pelambre largo). Estas cuevas consisten de túneles subterráneos que se comunican entre sí y llegan a mucha profundidad. Representan gran peligro para caballos y ganados.

[20] Dirme: Irme.

[21] Fundieron: Despilfarraron.

[22] "Se conchabaron": Trátase de ocupar un empleo de baja categoría y pequeña remuneración, como de peón o sirviente doméstico.

All there was to be heard was the mewing
of a cat that had survived—
poor thing, it had sheltered
nearby, in a viscacha-hole—[6]

1025   it came up as if it knew
that I had come back home.

When I went, I left the cattle
which were all I owned—
according to what the Judge promised

1030   we should have come back soon afterwards,
and until then, the wife
was to look after the property.

Later, a neighbor told me
the land had been claimed from them,

1035   they had sold the cattle
to pay off the rent,
and Lord knows what other stories—
but it had all gone to ruin.

The boys, poor little things,

1040   among so many troubles,
had taken service as work-hands—
but how could they work
when they were like young pigeons
not yet finished feathering!

1045   They must be wandering somewhere,
enduring our cruel fate—
they've told me that the eldest
would never leave his brother—
maybe some Christian soul

1050   will take them in out of pity.

---

[6] "Viscacha-hole": Underground dwelling of the viscacha (burrowing rodent of the pampa, brown in color and with long whiskers). These underground dwellings consisted of a connecting network of tunnels of considerable depth that represented a real danger to horses and cattle that roamed the plains, should they break through the surface crust.

Y la pobre mi mujer
¡Dios sabe cuánto sufrió!
Me dicen que se voló
con no sé qué gavilán,[23]

1055   sin duda a buscar el pan
que no podía darle yo.

No es raro que a uno le falte
lo que a algún otro le sobre;
si no le quedó ni un cobre

1060   sinó de hijos un enjambre[24]
¿qué más iba a hacer la pobre
para no morirse de hambre?

Tal vez no te vuelva a ver,
prenda de mi corazón:

1065   Dios te dé su proteción
ya que no me la dió a mí,
y a mis hijos dende aquí
les echo mi bendición.

Como hijitos de la cuna[25]

1070   andaban[26] por áhi sin madre.
Ya se quedaron sin padre
y ansí la suerte los deja,
sin naides que los proteja
y sin perro que los ladre.[27]

1075   Los pobrecitos tal vez
no tengan ande abrigarse,
ni ramada[28]ande ganarse,
ni un rincón ande meterse,
ni camisa que ponerse,

1080   ni poncho[29] con que taparse.

---

[23] Gavilán: Se usa en el sentido de enamorador de mujeres.

[24] Enjambre: Gran número (se refiere a hijos).

[25] Cuna: En este caso, una casa para niños expósitos.

[26] Andaban: En la edición de 1878: "andarán".

[27] "Sin ... ladre": Sugiere la idea de indiferencia absoluta de todo el mundo. Procede de un proverbio español: "Ni padre, ni madre, ni perro que le ladre".

[28] Ramada: Cobertizo de paja o ramas, sin paredes, que se construía próximo a las casas; construcción común delante de las pulperías.

[29] No tener poncho es llegar al mayor estado de miseria.

And my poor wife,
God knows what she must have suffered!
They tell me that she flew off
with some kind of a sparrow-hawk—[7]
1055 no doubt to find the bread
that I was not there to give her.

It often happens that someone needs
what someone else has too much of. . . .
if she hadn't a penny left
1060 but a swarm of children,
what else could she do, poor thing,
so as not to starve to death!

Maybe I'll not see you again,
love of my heart!
1065 God give you his protection
since he didn't give it to me—
and, from this place, I send out
my blessing to my sons.

They'll be wandering motherless
1070 like babes from the orphanage—
already left without a father—
that's how fate has abandoned them,
with no one to protect them,
not even a dog to bark at them.[8]

1075 Poor little things, maybe
they've got no place to shelter in,
nor a roof to stand under,
nor a corner to creep into,
nor a shirt to put on them,
1080 nor a poncho[9] to cover themselves.

[7] In Spanish, *gavilán,* which is also used to denote a man who is highly successful with women.

[8] The idea is based on a Spanish proverb: "No father, no mother, not even a dog to bark at them."

[9] Not to have a poncho is synonymous with the most abject state of poverty.

Tal vez los verán sufrir
sin tenerles compasión;
puede que alguna ocasión
aunque los vean tiritando
1085   los echen de algún jogón[30]
pa que no estén estorbando.

Y al verse ansina espantaos
como se espanta a los perros,
irán los hijos de Fierro
1090   con la cola entre las piernas,
a buscar almas más tiernas
o esconderse en algún cerro.

Mas también en este juego
voy a pedir mi bolada;[31]
1095   a naides le debo nada
ni pido cuartel ni doy,
y ninguno dende hoy
ha de llevarme en la armada.[32]

Yo he sido manso, primero,
1100   y seré gaucho matrero
en mi triste circustancia,
aunque es mi mal tan projundo;
nací y me he criao en estancia,
pero ya conozco el mundo.

1105   Ya le conozco sus mañas,
le conozco sus cucañas,[33]
sé cómo hacen la partida,
la enriedan y la manejan:
desaceré la madeja[34]
1110   aunque me cueste la vida.

---

[30] Jogón: Fogón. En la pampa la palabra "jogón" se utilizaba para indicar cualquier fuego que se enciende para preparar alimentos.

[31] Bolada: Se emplea en el sentido de turno o oportunidad de lograr alguna cosa.

[32] "Llevarme ... armada": Llevarme con fin de engañarme. Se alude a la armada del lazo.

[33] Cucañas: Tretas o artificios para lograr algo a costa ajena. Generalmente se utiliza para referirse a animales que trabajan irregularmente; en este caso el gaucho la emplea en sentido figurado.

[34] Madeja: Equivalente a nudo.

And people will see them suffer
without pitying them, maybe—
it could be that sometime,
even though they see they're shivering,
1085   they'll push them out from the fireside
to get them out of the way.

And when they find they're chased away
as you chase off a dog,
Martín Fierro's sons will go
1090   with their tails between their legs
in search of kinder souls
or to hide somewhere in the hills.

But I'll ask for my turn to throw
in this game, as well.
1095   I owe nothing to no one,
I ask no quarter nor give it—
and no one from this day on
will catch me in the noose.[10]

I acted quietly at first
1100   and now I'll live outside the law;
this is my sad situation
although I've been so deeply wronged—
I was born and grew up on the land,
but I know the world by now.

1105   I know its tricks by now,
I know its crooked ways;
I know how they fix the game
and twist and handle it—
I will undo this tangled knot
1110   even though it costs me my life.

---

[10] Reference is made to the noose of the lasso. In other words, "I'll not be led by anyone."

Y aguante el que no se anime
a meterse en tanto engorro,[35]
o si no aprétesé el gorro[36]
o para otra tierra emigre;
1115   pero yo ando como el tigre
que le roban los cachorros.

Aunque muchos cren que el gaucho
tiene un alma de reyuno,[37]
no se encontrará ninguno
1120   que no lo dueblen las penas;
mas no debe aflojar uno
mientras hay sangre en las venas.

vii

De carta de más[1] me via
sin saber adónde dirme;
1125   mas dijieron que era vago
y entraron[2] a perseguirme.

Nunca se achican los males,
van poco a poco creciendo,
y ansina me vide pronto
1130   obligao a andar juyendo.

No tenía mujer ni rancho,
y a más, era resertor;
no tenía una prenda güena
ni un peso en el tirador.

1135   A mis hijos infelices
pensé volverlos a hallar
y andaba de un lao al otro
sin tener ni qué pitar.[3]

---

[35] Engorro: Enredo.

[36] Apretarse el gorro: Huir de un lugar desagradable.

[37] "Tiene ... reyuno": No se refiere tanto al caballo como al hecho de que estos caballos no solían servir para nada. (Véase iv, nota 15.)

[1] "Carta de más": Persona que no se considera parte de un grupo; procede de ciertos juegos de naipes en que hay una carta que no tiene combinación.

[2] Entraron: En el sentido de "empezar".

[3] Pitar: Fumar.

And you'd better put up with it, if you don't care
to get mixed up in this dirty business,
or if not, clear out of it
or emigrate to another land—
1115   but I live like a wildcat
after they've stolen its young.

Though many people think that a gaucho
feels no more pain than a worn-out horse,
you won't find one of them
1120   who's not bowed down by sorrows. . . .
But a man must not weaken
while there's blood left in his veins.

vii

I found I was odd man out
and I didn't know where to go—
1125   and then they said I was a vagrant
and started hounding me.

Troubles never grow smaller,
they grow bigger, bit by bit—
and so it was, I soon found myself
1130   forced to keep running away.

I had neither a wife nor a home
and I was a deserter besides,
I had no decent clothes at all
and not a single coin on my belt.

1135   I thought that I might find
my poor sons again—
and I went round from one place to another
too poor even to smoke.

<pre>
                    Supe una vez por desgracia
1140   que había un baile por allí,
                    y medio desesperao
                    a ver la milonga⁴ fuí.

                    Riunidos al pericón⁵
                    tantos amigos hallé,
1145   que alegre de verme entre ellos
                    esa noche me apedé.⁶

                    Como nunca, en la ocasión
                    por peliar me dió la tranca,⁷
                    y la emprendí con un negro
1150   que trujo una negra en ancas.

                    Al ver llegar la morena
                    que no hacía caso de naides
                    le dije con la mamúa:⁸
                    "Va ... ca ... yendo⁹ gente al baile".

1155   La negra entendió la cosa
                    y no tardó en contestarme
                    mirándomé como a perro:
                    "más *vaca* será su madre".

                    Y dentró al baile muy tiesa
1160   con más cola que una zorra
                    haciendo blanquiar los dientes
                    lo mesmo que mazamorra.
</pre>

---

⁴ Milonga: Véase v, nota 6.

⁵ Pericón: Baile. Procede de un baile que estaba de moda en la época de Fierro. Se bailaba con un mínimo de cuatro personas y constaba de cuatro figuras: espejo, postrera, cadena y cielo. Estas figuras se bailaban al capricho del guitarrista cantor que dirigía el baile.

⁶ "Me apedé (empadirse)": Me emborraché.

⁷ La borrachera me dío ganas de pelear.

⁸ La mamúa: En estado de embriaguez.

⁹ Los gauchos encontraban sumamente divertido el combinar palabras inocentes y producir con ellas groserías.

One day, worse luck, I discovered
there was a party somewhere nearby—
and half hopelessly
I went to see the dance.

1140

I found so many friends
joining in the dancing
that from happiness at being with them
I got quite drunk, that night.

1145

That time as never before
the drink made me want a fight—
and I started it with a Negro, who'd brought
a Negro woman riding up behind him.

1150

When I saw the colored girl coming
with her nose in the air,
I said to her tipsily,
"Just look who's *moo* . . . ving[1] in!"

The negress understood what I'd meant
and she answered back in no time—
looking at me as if I was a dog—
"And your mother was a bigger *cow*."

1155

And in she went to the dance very haughty
trailing her dress like a fox's brush,
and making her teeth flash white
just the same as popcorn.

1160

[1] The gauchos delighted in combining innocent words to produce insults.

—"Negra linda" ... dije yo,
"me gusta ... pa la carona";[10]
1165   y me puse a talariar[11]
esta coplita fregona:[12]

"A los blancos hizo Dios,
a los mulatos San Pedro,
a los negros hizo el diablo
1170   para tizón del infierno."

Había estao juntando rabia
el moreno dende ajuera;[13]
en lo escuro le brillaban
los ojos como linterna.

1175   Lo conocí retobao,[14]
me acerqué y le dije presto:
"Por ... rudo ... que un hombre sea
nunca se enoja por esto."

Corcovió[15] el de los tamangos[16]
1180   y creyéndosé muy fijo:[17]
—"Más *porrudo* serás vos,
gaucho rotoso",[18] me dijo.

---

[10] Carona: Prenda del apero que también se utilizaba para tender sobre ella la cama. Aquí se alude a la cama.

[11] Talariar: Tararear.

[12] "Coplita fregona": Copla burlesca; procede de "fregar", hacer un trabajo que molesta al que lo hace.

[13] "Dende ajuera": Desde afuera.

[14] Retobao (retobado): Enojado.

[15] Corcovió (corcovear): Reaccionó rápidamente.

[16] Tamangos: Zapatos. Los negros solían llevar un calzado hecho de cuero crudo que ataban sobre el tobillo.

[17] Fijo: Seguro.

[18] Rotoso: Un pobre con vestimenta raída y miserable; procede de "roto".

"Pretty black girl," said I,
"you'd make me a nice . . . mattress,"
1165   and I started humming
this catchy little rhyme:

"God made the white men,
Saint Peter made the brown,
and the Devil made the black ones for coal
1170   to keep the hell-fires goin'."

The darky had been getting his temper up
ever since we were outside—
his eyes were blazing
like lamps in the dark.

1175   I could see that he was sore—
I went up and said to him quick,
"You may be a bit *fuzzy* in the head
but there's no need to get annoyed."

He danced about in his big boots,[2]
1180   and feeling very sure of himself,
"It's you who's the *fuzzy* one,
you dirty gaucho," he said.

[2] Negroes used to wear shoes made of raw leather tied over the ankles.

Y ya se me vino al humo[19]
como a buscarme la hebra,[20]
1185 y un golpe le acomodé
con el porrón[21] de giñebra.

Áhi no más pegó[22] el de hollín
más gruñidos que un chanchito,
y pelando el envenao[23]
1190 me atropelló dando gritos.

Pegué un brinco y abrí cancha
diciéndolés:—"Caballeros,
dejen venir ese toro;
solo nací ... solo muero."[24]

1195 El negro después del golpe
se había el poncho refalao[25]
y dijo:—"Vas a saber
si es solo o acompañao."

Y mientras se arremangó
1200 yo me saqué las espuelas,[26]
pues malicié[27] que aquel tío
no era de arriar con las riendas.

---

[19] "Se ... al humo": Me atacó. Procede de la época cuando un ataque de caballería solía realizarse bajo la protección del humo de los cañones y fusiles.

[20] "Buscarme la hebra": Buscar el punto más vulnerable. Procede de partir madera siguiendo la dirección de la fibra (hebra).

[21] Porrón: Envase de barro cocido, de un litro de capacidad, en que se vende ginebra.

[22] Pegó (pegar): Se emplea en el sentido de ejecutar un acto; en este caso "dar gruñidos".

[23] "Pelando el envenao": Sacando el cuchillo. "Envenao" procede de la manera en que se forraba el mango del cuchillo, con tiras de cuero de toro llamadas "venas".

[24] "Solo muero": Aquí la palabra "solo" se refiere evidentemente a morir sin el acompañamiento del cuchillo del negro; véase la respuesta del negro en la línea 1198. Pero la palabra "solo" también puede interpretarse como un insulto o provocación que se refiere a la incapacidad del negro de usar el cuchillo. Sobre ésto, ver Castro, pp. 336 y 400.

[25] Refalao (resbalado): Deslizado. En este caso se lo deslizó sobre su antebrazo, con el fin de utilizarlo como defensa contra su agresor. Así se acostumbraba utilizar el poncho en combates.

[26] El gaucho solía llevar calzoncillos largos y anchos; debido a ésto se quitaba las espuelas para no correr el riesgo de engancharlas en ellos o de tropezar.

[27] Malicié: Sospeché.

And he went for me like a shot, as if
he was looking for the best place to split me—
1185   and I obliged him with
a crack from the pot of gin.

Right away Sooty started squealing
louder than a little pig—
and pulling out his knife
1190   he rushed at me yelling.

I gave a jump and cleared a space,
saying to all around,
"Let me deal with this bull, please, gentlemen—
I was born alone, that's how I'll die."

1195   After he'd been hit, the Negro
had wrapped his poncho[3] round his arm,
and he said, "You'll soon find out
if it's alone or in company."[4]

And while he was tucking up his clothes
1200   I took off my spurs,[5]
because I guessed this character
might not be led too easily.

---

[3] The poncho acted as a shield in man-to-man contests.

[4] The obvious implication here is that Fierro will die "in company" of the Negro's knife. However, an alternate interpretation is that the knife will not have to fight alone; it is being accompanied by a person who knows how to use it.

[5] The gaucho's trousers hang loosely below the waist, with wide, baggy legs. The spurs had to be removed to eliminate the risk of tripping on them, or hooking them in the loose trouser legs.

No hay cosa como el peligro
pa refrescar[28] un mamao;
1205 hasta la vista se aclara
por mucho que haiga chupao.[29]

El negro me atropelló
como a quererme comer;
me hizo dos tiros seguidos
1210 y los dos le abarajé.[30]

Yo tenía un facón con S[31]
que era de lima de acero;
le hice un tiro, lo quitó
y vino ciego el moreno.

1215 Y en el medio de las aspas[32]
un planaso[33] le asenté
que le largué[34] culebriando[35]
lo mesmo que buscapié.[36]

Le coloriaron las motas[37]
1220 con la sangre de la herida,
y volvió a venir furioso
como una tigra parida.

Y ya me hizo relumbrar
por los ojos el cuchillo,
1225 alcansando con la punta
a cortarme en un carrillo.[38]

---

[28] Refrescar: En el sentido de disipar los efectos del alcohol.

[29] "Haiga chupao": Haya tomado.

[30] Abarajé (abarajar): Detuve. En peleas a cuchillo, se trata de parar los ataques con el brazo izquierdo protegido por el poncho.

[31] Facón con S: Arma de dimensiones mayores que el cuchillo, de unos 50 o 70 centímetros, con pieza intermedia junto al mango, llamada gavilán, en este caso en forma de S. Había también gavilanes en forma de U.

[32] Aspas (astas): Forma familiar para indicar la región frontal.

[33] Planaso (planazo): Golpe.

[34] Largué: Mandé.

[35] Culebriando: En el sentido de imitar los movimientos de una culebra.

[36] Buscapié: Cohete.

[37] Motas: Cabello de rizos apretados.

[38] El marcarle la cara era una afrenta muy seria para el gaucho.

1205

There's nothing like danger
to sober you up if you're drunk—
even your sight gets clear
however much you've swallowed.

1210

The Negro rushed at me
as if he wanted to eat me up—
he aimed two strokes at me straight off
and I fended them off,[6] both.

I had a knife with an S-guard[7]
with a blade of pure steel—
I struck at him—he dodged it—
and the darky came on blind.

1215

And I dealt him one with the flat of my knife
right between the horns,
and sent him squirming along the ground
just like a squib.

1220

The fuzz on his head turned red
with the blood from the wound—
and he went for me again, furious
as a wildcat with cubs.

1225

He sent his knife flashing
right past my eyes—
and with the point of it he managed
to cut me on one cheek.[8]

[6] Knife strokes are fended with the poncho over the left arm.
[7] A knife with an S-guard, generally fashioned from worn saber blades, was a combination dagger-like knife about two feet long, with an intermediate S-shaped crossguard attached to the handle of the dagger. U-shaped guards also were used.
[8] The gaucho considered a facial cut a serious affront.

Me hirvió la sangre en las venas
y me le afirmé[39] al moreno,
dándolé de punta y hacha
1230   pa dejar un diablo menos.

Por fin en una topada
en el cuchillo lo alcé
y como un saco de güesos[40]
contra el cerco lo largué.

1235   Tiró unas cuantas patadas
y ya cantó pa el carnero.
Nunca me puedo olvidar
de la agonía de aquel negro.

En esto la negra vino,
1240   con los ojos como ají,[41]
y empesó la pobre allí
a bramar como una loba.
Yo quise darle una soba[42]
a ver si la hacía callar;
1245   mas pude reflesionar
que era malo en aquel punto,
y por respeto al dijunto
no la quise castigar.

Limpié el facón en los pastos,
1250   desaté mi redomón,[43]
monté despacio y salí
al tranco[44] pa el cañadón.[45]

[39] "Me ... afirmé": Me dediqué a él con empeño.
[40] "Saco de güesos (huesos)": Aquí la frase sugiere la idea de algo sin valor.
[41] "Con ... ají": Con expresión de furia.
[42] Soba: Golpes con la lonja del rebenque.
[43] Redomón: Véase iii, nota 59.
[44] Tranco: Paso largo y firme del caballo; más largo y regular que el paso natural.
[45] Estos versos (1240–52) destacan la seguridad que tenía Martín Fierro de haber matado con justicia.

The blood boiled in my veins
and I closed in on the darky—
letting him have it cut and thrust

1230   so as to leave one devil the less.

Finally in one attack
I lifted him on my knife,
and I threw him up against a fence
like a sack of old bones.

1235   He kicked a few times
and then he gave his last gasp. . . .
The death throes of that Negro
is something I'll never forget.

At this point, up came the negress
1240   with her eyes red as chili—
and, poor thing, there she started
howling like a she-wolf.
I'd have liked to give her a whack
to see if it would make her shut up—
1245   but on second thought I realized
it wouldn't do just then,
and I decided not to beat her
out of respect for the deceased.

I cleaned my knife on the grass,
1250   I untied my colt,
I mounted slowly, and went off
at a jog trot, towards the lowlands.[9]

---

[9] This stanza reflects the confidence Martín Fierro felt after having done what he considered his duty.

Después supe que al finao[46]
ni siquiera lo velaron[47]
1255   y retobao[48] en un cuero
sin resarle lo enterraron.

Y dicen que dende entonces
cuando es la noche serena
suele verse una luz mala[49]
1260   como de alma que anda en pena.

Yo tengo intención a veces,
para que no pene tanto,
de sacar de allí los güesos
y echarlos al camposanto.

viii

1265   Otra vez en un boliche[1]
estaba haciendo la tarde;[2]
cayó un gaucho que hacía alarde
de guapo y de peliador;
a la llegada metió
1270   el pingo hasta la ramada,[3]
y yo sin decirle nada
me quedé en el mostrador.

[46] Finao: Muerto.

[47] Para el gaucho, sepultar a un difunto sin velarle ni rezarle significaba condenar su alma a pena perpetua.

[48] Retobao: Envuelto.

[49] Se alude aquí a las fosforescencias que a veces se ven en el campo, bajo condiciones apropiadas, que los gauchos llamaban "luz mala".

[1] Boliche: Véase iv, nota 18.

[2] "Hacer la tarde" o "la mañana" siempre lleva implícita la idea de beber a esas horas.

[3] Se consideraba un acto de insolencia llegar a la ramada con el caballo: debía asegurarse en el palenque, ya que la ramada se reservaba para las personas.

Later I heard that in the end
they didn't even give him a wake—
1255 and they buried him wrapped up in a hide
without even saying a prayer.[10]

And ever since that time they say,
in the still of the night,
there appears a ghostly light[11]
1260 as if from a suffering soul.

And sometimes I think what I'll do
so that he won't suffer so long,
is take his bones out from that place
and stick them into the burying-ground.

viii

1265 Another time, I was in an eating-house
having an afternoon drink,
when a gaucho turned up, who boasted of being
a fighter and of acting tough.
When he got there, he rode his horse
1270 right up under the porch—[1]
and I stayed by the counter
without saying anything.

[10] Lines 1254–56: For the gaucho, to bury a deceased person without a wake or prayers meant to condemn him to perpetual suffering.

[11] Reference is made to a phosphorescent glow (swamp gas) that appears under certain conditions, over the plains. This was called "bad light" (*luz mala*) by the gauchos.

[1] To bring a horse under a porch was considered insolent. Horses were to be tied at the hitching post, some distance away; the porch was reserved for people.

Era un terne[4] de aquel pago
que naides lo reprendía,
1275   que sus enriedos tenía
con el señor comendante;
y como era protegido[5]
andaba muy entonao[6]
y a cualquiera desgraciao
1280   lo llevaba por delante.[7]

¡Ah pobre, si él mismo creiba
que la vida le sobraba!
Ninguno diría que andaba
aguaitándoló[8] la muerte;
1285   pero ansí pasa en el mundo,
es ansí la triste vida:
pa todos está escondida
la güena o la mala suerte.[9]

Se tiró al suelo; al dentrar
1290   le dió un empeyón a un vasco
y me alargó un medio frasco
diciendo: "Beba, cuñao."[10]
"Por su hermana", contesté,
"que por la mía no hay cuidao."

1295   "¡Ah, gaucho!", me respondió,
¿de qué pago será criollo?
Lo andará buscando el hoyo,[11]
deberá tener güen cuero;
pero ande bala este toro[12]
1300   no bala mingún ternero."

[4] Terne: Provocador.
[5] Protegido: Personas que quedaban a la orden de los oficiales locales. Se consideraban como el "azote del pago" y cometían hasta atrocidades, con el fin de asegurar las elecciones para sus patrocinadores.
[6] Entonao: Engreído, vanidoso.
[7] Hacía apartar a otro del camino (para que no le estorbara el paso).
[8] Aguaitándoló: Esperándolo.
[9] Se destaca aquí el espíritu fatalista del gaucho.
[10] Sugiere relaciones ilícitas con la hermana de la persona a quien se dirige.
[11] El hoyo: Sepultura.
[12] "Ande bala este toro": "Donde este toro muge".

He was the bully of that neighborhood
and no one stood up to him
1275 because he had influence
with his worship the Commandant.
And as he was protected[2]
he went around full of airs,
and anyone who was badly off
1280 he swept out of his way.

Poor man—he must have thought to himself
that he'd got life and to spare—
no one would have said that death
was lying in wait for him.
1285 But that's what happens in the world,
that's how this sad life is—
both the good luck and the bad
are hidden for all of us.

He threw himself off, and as he came in
1290 he gave a shove to a Basque who was there,
and pushed a half-bottle at me
saying, "Have a drink, brother-in-law"—[3]
"It's on *your* sister's side, then," I answered,
"as I'm not worried about mine."

1295 "Ha, gaucho," he replied,
"whereabouts can you be from—
maybe there's a grave looking out for you—
you must have a tough skin—
but there's no calf going to bleat
1300 anywhere this bull roars!"[4]

[2] A person who enjoyed the protection of the local government officials and acted as a "party whip" for the district. He was not above committing acts of violence to assure the election of his sponsors.

[3] "Brother-in-law": In this case, it implies an intimate relationship with the sister of the person addressed.

[4] Lines 1299–1300: The insult intended here is evident, in that the bull-calf (Martín Fierro) is no match for the bull (the intruder), noblest exponent of courage.

Y ya salimos trensaos,
Porque el hombre no era lerdo;
mas como el tino no pierdo
y soy medio ligerón,
1305   lo dejé mostrando el sebo[13]
de un revés con el facón.

Y como con la justicia
no andaba bien por allí,
cuanto pataliar lo vi,
1310   y el pulpero pegó el grito,
ya pa el palanque salí
como haciéndomé el chiquito.

Monté y me encomendé a Dios,
rumbiando para otro pago;
1315   que el gaucho que llaman vago
no puede tener querencia,[14]
y ansí de estrago en estrago[15]
vive yorando la ausencia.

Él anda siempre juyendo,
1320   siempre pobre y perseguido;
no tiene cueva ni nido,
como si juera maldito;
porque el ser gaucho ... ¡barajo!
el ser gaucho es un delito.

1325   Es como el patrio de posta:[16]
lo larga éste, aquél lo toma,
nunca se acaba la broma;
dende chico se parece
al arbolito que crece
1330   desamparao en la loma.

[13] Sebo: Procede del delantal célulo-grasoso que cubre los intestinos. Es lo primero que aparece cuando se produce una herida que abre la pared abdominal.
[14] Querencia: Apego de personas o animales al lugar donde viven o nacieron.
[15] "De estrago en estrago": Ir de mal en peor.
[16] "Patrio de posta": Caballos del gobierno (véase iv, nota 15.)

And we were at each other already,
because the man wasn't slow to act—
but as I don't lose my head
and I'm pretty quick off the mark,
1305   I left him showing his innards
from a back-stroke with my knife.

And as I wasn't in favor
with the law thereabouts,
as soon as I saw him kicking
1310   and the storekeeper started yelling,
I went straight out to the hitching-rail
trying to look innocent.

I mounted, and trusting to God,
I made for another district—
1315   because a gaucho they call a vagrant
can have no place of his own,
and so he lives from one trouble to the next
lamenting what he has lost.

He's always on the run,
1320   always poor and hounded,
he has neither a hole nor a nest
as if there were a curse on him,
because being a gaucho . . . curse it,
being a gaucho is a crime.

1325   He's like the Government post-horses,
one leaves him, another takes him on—
there's no end to this sport—
from his childhood he's like
a young tree growing
1330   without shelter on a hill.

Le echan la agua del bautismo
aquel que nació en la selva,
"buscá madre que te envuelva",[17]
le dice el flaire[18] y lo larga,
1335   y dentra a crusar el mundo
como burro con la carga.

Y se cría viviendo al viento
como oveja sin trasquila[19]
mientras su padre en las filas
1340   anda sirviendo al gobierno;
aunque tirite en invierno,
naides lo ampara ni asila.

Le llaman "gaucho mamao"[20]
si lo pillan[21] divertido,
1345   y que es mal entretenido[22]
si en un baile lo sorprienden;
hace mal si se defiende
y si no, se ve ... fundido.

No tiene hijos, ni mujer,
1350   ni amigos, ni protetores,
pues todos son sus señores
sin que ninguno lo ampare;
tiene la suerte del güey[23]
¿y dónde irá el güey que no are?

[17] "Buscá ... envuelva": "Busca madre que te cuide."
[18] Flaire: Fraile o cura.
[19] Trasquila (esquila): Se refiere a cortar la lana de las ovejas.
[20] "Gaucho mamao": Véase v, nota 16.
[21] Pillan: Para el gaucho "pillar" lleva la idea de sorprender a alguien en un acto inaceptable para los representantes de la ley.
[22] "Mal entretenido": Trátase de una persona que no se ocupa en actividades útiles o productivas.
[23] Güey: Buey. Se sugiere aquí que la suerte del gaucho no cambia; el buey tiene un solo destino: el de trabajar como animal de tiro, y cuando no sirve es considerado animal inútil y matado.

They splash the christening-water
on a child born in the wilds—
"Find yourself a mother to look after you!"
says the priest, and turns him loose,
1335   and he starts out to cross the world
like a donkey with its burden.

And he grows up like an unshorn sheep
living out in the cold winds,
while his father's in the ranks
1340   serving the government—
even though he's shivering in winter
no one helps nor shelters him.

If they catch him enjoying himself
they call him a drunk,
1345   and he's a "bad character"
if they find him at a dance—
if he puts up a fight, he's doing wrong,
and if he doesn't, he's . . . done for.

He has no children and no wife,
1350   no friends, and no one to protect him;
since everyone is his master
and no one's on his side
he lives the same way as an ox—and what happens
to an ox that doesn't plough?[5]

---

[5] It is implied here that the destiny of the gaucho will not change. When he can no longer discharge his duties, he is as useless as an ox who is unable to pull a plough and whose final stop is the slaughterhouse.

1355	Su casa es el pajonal,[24]
	su guarida es el desierto;
	y si de hambre medio muerto
	le echa el lazo a algún mamón,[25]
	lo persiguen como a plaito,
1360	porque es un "gaucho ladrón".
	Y si de un golpe por áhi
	lo dan güelta panza arriba,
	no hay una alma compasiva
	que le rese una oración:
1365	tal vez como cimarrón[26]
	en una cueva lo tiran.
	Él nada gana en la paz
	y es el primero en la guerra;
	no le perdonan si yerra,
1370	que no saben perdonar,
	porque el gaucho en esta tierra
	sólo sirve pa votar.[27]
	Para él son los calabozos,
	para él las duras prisiones;
1375	en su boca no hay razones
	aunque la razón le sobre;
	que son campanas de palo[28]
	las razones de los pobres.

[24] Pajonal: Se emplea aquí en el sentido de que la pampa es refugio de toda clase de "bichos".

[25] Mamón: Ternero o animal chico que todavía se alimenta a leche. Se consideraba de poco valor; el gaucho lo mataba para satisfacer su hambre y no por malicia.

[26] Cimarrón: En este caso, animal salvaje.

[27] Es un hecho histórico que la única ocasión en que se consideraba al gaucho como "ciudadano" era durante el período de agitación electoral, con tal que apoyara a los candidatos que convenían al "oficialismo" del distrito.

[28] Los poderosos tienen "campanas de metal" que se escuchan, pues suenan con claridad, pero el sonido de las campanas de los pobres es tan sordo que no se escucha.

1355	His home is the wild grassland,
	his shelter is the desert plain;
	and when he's half starving,
	if he lassos a yearling calf[6]
	they hound him to the end
1360	because he's a "gaucho thief."

And if one day they strike him
and turn him belly-up,
there's not a pitying soul
who'll say a prayer for him—
1365 maybe they'll throw him
into a hole, like a stray dog.

He earns nothing in peace-time
and he's the first to go to war;
if he goes wrong, they don't forgive him
1370 as they don't know how to forgive—
because the only use a gaucho is
in this land, is to vote.[7]

It's for him there are prison cells,
the cruel jails are made for him—
1375 nothing's right if it comes from his mouth
even though he's more than right,
because the rights of poor men
are like bells made of wood.[8]

---

[6] Yearling calves at the time of this poem were plentiful and thus of very little value.

[7] Historically true to fact; the only time the gaucho was considered a "citizen" was during an election period, provided he voted in accordance with the district's officialdom.

[8] The obvious comparison here is that the rich have "metal bells" that can be heard; the "wooden bells" of the poor cannot be heard.

Si uno aguanta, es gaucho bruto;
1380 si no aguanta, es gaucho malo.
¡Déle azote, déle palo,
porque es lo que él necesita!
De todo el que nació gaucho
esta es la suerte maldita.

1385 Vamos, suerte, vamos juntos
dende que juntos nacimos,
y ya que juntos vivimos
sin podernos dividir,
yo abriré con mi cuchillo
1390 el camino pa seguir.

ix

Matreriando[1] lo pasaba
y a las casas no venía;
solía arrimarme de día,
mas, lo mesmo que el carancho,[2]
1395 siempre estaba sobre el rancho
espiando a la polecía.

Viva el gaucho que ande mal[3]
como zorro perseguido,
hasta que al menor descuido,
1400 se lo atarasquen[4] los perros,
pues nunca le falta un yerro
al hombre más alvertido.[5]

[1] Matreriando: Haciendo vida de matrero.

[2] Carancho: Ave de rapiña de pico corvo y uñas fuertes; suele posarse en sitios elevados donde puede dominar una vista amplia. Ataca corderos y aún terneros recién nacidos, empezando por destruirles los ojos.

[3] Un individuo que "anda mal" es uno que es perseguido por la autoridad. Si él se siente responsable o no es otra cosa.

[4] Atarasquen: De tarascar o herir con los dientes. (Nótese la alusión del autor: identifica los "perros" con las "autoridades". A veces, el juez tenía que nombrar a criminales al cuerpo de policía, puesto que el oficio no era popular.)

[5] Alvertido: Persona que sabe evitar riesgos.

If you put up with it, you're an ignorant fool—
1380   if you don't, you're a hard case.
Go on—beat him, lash him!
that's all he's good for. . . .
For anyone born a gaucho
this is his cursed fate.

1385   So come on fate—let's go together
since together we were born:
and as we live together
and can never separate,
I'll use my knife to clear
1390   the path we have to take.

ix

I lived the life of an outlaw
and never went where people lived;
I used to approach in the daytime—
but I was always up on the roof
1395   like a *carancho*,[1]
spying out for the police.

A gaucho who's in trouble[2]
lives like a hunted fox—
until he makes the slightest slip
1400   and the dogs[3] tear him to bits,
as even the man who's most careful
always makes some mistake.

---

[1] *Carancho:* A ravenous bird with a hooked bill and strong claws; its perch is elevated so as to command a good view; it attacks lambs and newly-born calves. The bird always begins by destroying the eyes of its prey.

[2] A gaucho "in trouble" refers to one pursued by the police. Whether or not he feels responsible is another matter.

[3] Dogs and police are considered in the same category by Martín Fierro. Often, a judge had to appoint criminals to the police force, as the job was unpopular.

Y en esa hora de la tarde
en que tuito se adormese,
1405   que el mundo dentrar parece
a vivir en pura calma,
con las tristezas de su alma
al pajonal enderiese.[6]

Bala el tierno corderito
1410   al lao de la blanca oveja
y a la vaca que se aleja
llama el ternero amarrao;[7]
pero el gaucho desgraciao
no tiene a quién dar su queja.

1415   Ansí es que al venir la noche
iba a buscar mi guarida,[8]
pues ande el tigre se anida
también el hombre lo pasa,
y no quería que en las casas
1420   me rodiara la partida.[9]

Pues aun cuando vengan ellos
cumpliendo con sus deberes
yo tengo otros pareceres,
y en esa conduta vivo:
1425   que no debe un gaucho altivo
peliar entre las mujeres.[10]

Y al campo me iba solito,
más matrero que el venao,
como perro abandonao,
1430   a buscar una tapera,
o en alguna biscachera[11]
pasar la noche tirao.

[6] Enderiese: Diríjase.

[7] Amarrao: Amarrado o atado a un palo.

[8] Guarida: Refugio de animales; en este caso, donde Fierro se esconde de la policía.

[9] A Fierro le resultaba más fácil defenderse de la partida en campo abierto que en el poblado.

[10] Un gaucho valiente, además del respeto que pudiera tener por las mujeres y familiares, quiere encontrarse solo en una pelea para evitar la posibilidad de testigos e interferencias.

[11] Biscachera (vizcachera): Véase vi, nota 19.

And at that hour of the evening
when everything is falling asleep,
1405 and the world seems to enter into
a life of pure calm,
he makes his way to the grasslands
with sorrow in his soul.

The little lamb bleats
1410 by the side of the white ewe,
and the tethered calf calls out
to the cow as she moves away—
but a gaucho in his misfortune
has no one to hear him cry.

1415 And so, when night came
I would go and seek my lair—
because where the wildcat makes its den
a man can live as well,
and I didn't want the police-troop
1420 to surround me in a house.[4]

Because even though when they come
they're only doing their duty,
I see things another way
and that's a rule I live by—
1425 that no gaucho with any pride
should fight where there are women.[5]

And I'd go off to the plain
all alone, wild as a deer,
to look for a ruined cabin
1430 to shelter in, like a stray dog,
or to spend the night stretched out
in a viscacha-warren.

[4] Martín Fierro would be able to defend himself better from the police in open country than in populated areas.

[5] A proud gaucho, in addition to the respect he may have for women and members of his family, prefers to be alone in a fight in order to avoid the possibility of witnesses and interference by others.

Sin punto ni rumbo fijo
en aquella inmensidá,
1435   entre tanta escuridá[12]
anda el gaucho como duende;
allí jamás lo sorpriende
dormido, la autoridá.

Su esperanza es el coraje,
1440   su guardia es la precaución,
su pingo es la salvasión,
y pasa uno en su desvelo
sin más amparo que el cielo
ni otro amigo que el facón.

. . . .

1445   Ansí me hallaba una noche
contemplando las estrellas,
que le parecen más bellas
cuanto uno es más desgraciao
y que Dios las haiga criao
1450   para consolarse en ellas.

Les tiene el hombre cariño
y siempre con alegría
ve salir las Tres Marías,
que, si llueve, cuanto escampa
1455   las estrellas[13] son la guía
que el gaucho tiene en la pampa.

Aquí no valen dotores:[14]
sólo vale la esperencia;
aquí verían su inocencia
1460   esos que todo lo saben,[15]
porque esto tiene otra llave
y el gaucho tiene su cencia.

[12] Escuridá: Oscuridad.
[13] El gaucho, además de orientarse por las estrellas, también se servía de ellas para saber la hora, como se servía del sol durante el día.
[14] Dotores: Cualquier persona que al gaucho le parecía educada.
[15] El gaucho despreciaba al hombre culto.

With no aim or fixed course
in that immensity,
1435   with that great darkness round him,
a gaucho roams like a ghost—
out there, the authorities
will never catch him asleep.

Courage is his hope—
1440   caution is his protection—
his horse means safety . . .
and you live in watchfulness
with no help except from heaven
and no friend except your knife.

. . . .

1445   And so one night, I was out there
gazing at the stars,
which it seems are more beautiful
the more unhappy you are,
and that God must have created them
1450   for us to find comfort in them.

A man feels love for them,
and it's always with joy
that he sees the Three Marys coming out—
because when there's rain,
1455   as soon as it clears, on the pampa,
the stars are a gaucho's guide.[6]

Your Professors are no good here,
experience is all that counts;
here, those people who know everything
1460   would see how little they know—[7]
because this has another key
and a gaucho knows what it is.

[6] The gaucho, besides orienting himself by the stars at night, also used them to tell time, as he did the sun in the daytime.
[7] The gaucho was scornful of an educated person.

Es triste en medio del campo
pasarse noches enteras
1465   contemplando en sus carreras
las estrellas que Dios cría,
sin tener más compañía
que su soledá y las fieras.

Me encontraba, como digo,
1470   en aquella soledá,
entre tanta escuridá,
echando al viento mis quejas
cuando el grito del chajá[16]
me hizo parar las orejas.[17]

1475   Como lumbriz me pegué
al suelo para escuchar;[18]
pronto sentí retumbar
las pisadas de los fletes,
y que eran muchos jinetes
1480   conocí sin vasilar.

Cuando el hombre está en peligro
no debe tener confianza;
ansí, tendido de panza,
puse toda mi atención
1485   y ya escuché sin tardanza
como el ruido de un latón.[19]

[16] El "chajá" se considera el centinela del campo; produce el sonido *yajá* al escuchar el menor ruido. Se aproxima al tamaño del pavo y tiene una variedad de colores y marcas; una capa esponjosa debajo de la piel le permite volar a pesar de tener alas cortas.

[17] Parar las orejas": Otro ejemplo de comparar hechos a costumbres que se observan en el ambiente; en este caso, la manera de parar las orejas los animales al percibir un sonido.

[18] Para poder percibir un ruido desde mayor distancia, el gaucho solía aplicar el oído al suelo. A veces clavaba un cuchillo en la tierra y ponía el oído contra el mango de metal. Éste era el teléfono del gaucho en la pampa. (Véase Castro, p. 407.)

[19] Latón (también lata): La vaina del sable. "Lata" procede del ruido metálico que la vaina del sable producía cuando la persona que lo usaba caminaba o cabalgaba. Por extensión, se llamó "lata" al conjunto de vaina y sable o al sable solo.

It's a sad thing to spend whole nights
out in the midst of the plain,
1465   gazing at the stars
that God created, in their course,
without any company except
the wild beasts, and your loneliness.

As I was saying—there I was
1470   in that solitary place
with that great darkness round me,
letting the wind hear my complaints—
when the cry of a *chajá*-bird[8]
made me prick up my ears.

1475   I flattened myself like a worm
on the ground to listen;[9]
soon I heard the beating
of horses' hoofs—
and I could tell straight off
1480   there were riders—a good many of them.

When a man's in danger
he shouldn't be too confident—
so I fixed all my attention
stretched there belly-down,
1485   and before long I'd heard a sound
like the clank of a sword.

[8] The *chajá* bird is considered the watchdog of the pampa; it produces a "yajá" cry at the least sound. The chajá approximates the size of a turkey and has a variety of colors and markings; its wings are short, but a sponge-like cellular layer under the skin renders it flight-worthy.

[9] When the gaucho wanted to perceive a sound from great distances, he would put his ear to the ground. At times he would insert a steel-handled knife into the ground and put his ear to the handle. This was the gaucho telephone in the plains.

Se venían tan calladitos
que yo me puse en cuidao;
tal vez me hubieran bombiao[20]
1490 y me venían a buscar;
mas no quise disparar[21]
que eso es de gaucho morao.[22]

Al punto me santigüé
y eché de giñebra un taco,[23]
1495 lo mesmito que el mataco[24]
me arroyé con el porrón:[25]
"Si han de darme pa tabaco,[26]
dije, esta es güena ocasión".

Me refalé[27] las espuelas,
1500 para no peliar con grillos;[28]
me arremangué el calzoncillo
y me ajusté bien la faja
y en una mata de paja
probé el filo del cuchillo.

1505 Para tenerlo a la mano
el flete en el pasto até,
la cincha le acomodé,
y en un trance como aquel,
haciendo espaldas en él
1510 quietito los aguardé.

[20] Bombiado: Espiado.

[21] Disparar: Huir.

[22] Morao (morado): Cobarde.

[23] Taco: Un trago.

[24] Mataco: Armadillo.

[25] "Me ... porrón": Me hice un ovillo con el envase, (hacerse un ovillo como lo hace el armadillo cuando se ve en peligro).

[26] "Darme pa tabaco": En este caso, "matarme". La frase ha sido empleada en forma irónica, ya que generalmente "dar para tabaco" significa "dar propina" o "dar algo insignificante".

[27] "Me refalé (resbalé)": Me quité.

[28] Grillos: Pulseras de hierro que dificultan los movimientos. Trátase en este caso de las espuelas.

They were coming so stealthily
it put me on my guard:
maybe they'd spotted me
1490   and were coming to pick me up—
but I wouldn't run off
because that's the coward's way out.

Straight away, I crossed myself
and took a swig of gin;
1495   I bent over the bottle
curled up like an armadillo. . . .
"If they're going to pay my wages," I said,
"it might as well be now."

I slipped off my spurs
1500   so as not to be fighting in shackles;
I rolled up my pants
and fixed my belt good and tight—
and on a tuft of grass
I tried the edge of my knife.

1505   I tied my horse to a clump of grass
to have him ready at hand,
I fixed his girth—
and with my back against him
in that hour of danger,
1510   I waited for them, quite calm.

Cuanto cerca los sentí,
y que áhi no más se pararon,
los pelos se me erizaron,
y aunque nada vían mis ojos,
1515 "No se han de morir de antojo"[29]
les dije, cuanto llegaron.

Yo quise harcerles saber
que allí se hallaba un varón;
les conocí la intención
1520 y solamente por eso
es que les gané el tirón,[30]
sin aguardar voz de preso.[31]

—"Vos sos un gaucho matrero",
dijo uno, haciéndosé el güeno,[32]
1525 "Vos matastes un moreno
y otro en una pulpería,
y aquí está la polecía
que viene a justar tus cuentas;
te va a alzar por las cuarenta[33]
1530 si te resistís hoy día".

—"No me vengan, contesté,
con relación de dijuntos:
esos son otros asuntos;
vean si me pueden llevar,
1535 que yo no me he de entregar
aunque vengan todos juntos".

[29] "Morir de antojo": Aquí se alude a la creencia general entre la gente del campo que las mujeres embarazadas deben satisfacer sus antojos, o de otra manera el hijo nacerá con marcas.

[30] "Les gané el tirón": "Les gané de mano" o "me les anticipé". La frase procede de la manera en que el enlazador acostumbraba dar un tirón sorpresivo al animal enlazado, antes de que éste tuviese tiempo de hacer lo propio. De otra manera, el animal termina por arrastrar al enlazador.

[31] Antes de detener a una persona, era costumbre ordenarle: "Dése preso."

[32] "Haciéndosé el güeno (bueno)": Se emplea en el sentido de "dárselas de valiente".

[33] "Alzar por las cuarenta": Vencer con facilidad. Procede del punto más alto que se acusa en el juego del tute.

When I heard them near me
and that they'd stopped right there,
my hair stood on end—
and though my eyes couldn't see anything,
1515   "Don't worry, you'll get what you want,"
I said to them as they came up.

I wanted to let them know
they'd got a man to deal with.
I knew what they'd come for,
1520   and just because of that
I beat them to the draw,
and didn't wait for their "give yourself up."

"You're an outlaw,"
said one of them, acting bold,
1525   "you've killed a colored man
and another one in a store,
and this is the police here
come to settle what you owe—
they'll deal you a good one
1530   if you resist them today."

"Don't you come to me," I answered,
"with stories about dead men,
this is another matter,
see if you can come and get me—
1535   because I'm not going to give myself up
even if you all come at once."

Pero no aguardaron más
y se apiaron en montón;
como a perro cimarrón
1540   me rodiaron entre tantos;
yo me encomendé a los santos
y eché mano a mi facón.[34]

Y ya vide el fogonazo
de un tiro de garabina,[35]
1545   mas quiso la suerte indina[36]
de aquel maula,[37] que me errase
y áhi no más lo levantase
lo mesmo que una sardina.[38]

A otro que estaba apurao
1550   acomodando una bola
le hice una dentrada sola
y le hice sentir el fierro,
y ya salió como el perro
cuando le pisan la cola.

1555   Era tanta la aflición[39]
y la angurria[40] que tenían,
que tuitos se me venían
donde yo los esperaba:
uno al otro se estorbaba[41]
1560   y con las ganas no vían.

[34] Facón: Véase vii, nota 31.

[35] Garabina: Carabina. Arma usada por los soldados destacados en la frontera.

[36] Indina: Indigna.

[37] Maula: Cobarde. (Era cobarde porque utilizó el fusil en vez del cuchillo).

[38] El gaucho solía comer sardinas con la punta de su cuchillo; no usaba tenedor.

[39] Aflición (aflicción): Desesperación.

[40] Angurria: Desesperación por comer continuamente, pero en este caso desear algo frenéticamente.

[41] "Se estorbaba": Se atropellaba.

But they didn't wait any longer
and dismounted in a crowd;
with so many of them, they surrounded me
1540   like a wild dog—
I called on the saints to help me
and got a hold on my knife.

And just then I saw the flash
of a shot from a gun—
1545   but that bastard's feeble luck
decided to make him miss me,
and right there I lifted him
on my knife, like a sardine.[10]

Another one was in a hurry
1550   getting his bolas out—
I went for him just once
and let him have a touch of steel,
and he bolted straight off, like a dog
when someone treads on his tail.

1555   They were getting so worried
and into such a frenzy
that the whole lot came at me
just where I was expecting them—
they fell over each other
1560   and couldn't see for trying.

[10] The gaucho ate sardines with the tip of his knife; he did not use forks.

Dos de ellos, que traiban sables,
más garifos[42] y resueltos,
en las hilachas[43] envueltos
enfrente se me pararon,

1565 y a un tiempo me atropellaron
lo mesmo que perros sueltos.[44]

Me fuí reculando en falso[45]
y el poncho adelante eché,
y en cuanto le puso el pie

1570 uno medio chapetón,[46]
de pronto le dí el tirón
y de espaldas lo largué.[47]

Al verse sin compañero
el otro se sofrenó;[48]

1575 entonces le dentré yo,
sin dejarlo resollar,[49]
pero ya empezó a aflojar
y a la pun ... ta disparó.[50]

---

[42] Garifos: Seguros de sí mismos.

[43] "Hilachas envueltos": Los flecos o bordes del poncho con que se habían envuelto el brazo.

[44] La idea aquí es que avanzaron de distintos lados y desordenadamente.

[45] "Reculando en falso": Retrocediendo con intención de engañar.

[46] Chapetón: Inexperto.

[47] Este era el propósito de Martín Fierro al arrastrar una parte del poncho en el suelo.

[48] "Se sofrenó": Detenerse bruscamente. Procede de detener el caballo con el freno.

[49] Resollar: Respirar.

[50] "A la pun ... ta disparó": Huyó corriendo. (Otro ejemplo del juego de palabras que caracteriza la manera de hablar del gaucho.)

Two of them who had swords
and were more bold and daring
stopped there, facing me,
with their ponchos wrapped round their arms—
1565   and they rushed at me both at once
like dogs let off the leash.

I moved backwards, as a trick,
and threw my poncho in front of me—
and when one clumsy fool
1570   put his foot on it
I gave it a sudden pull
and flung him onto his back.[11]

When he found he was on his own
the other one stopped short,
1575   so then I went for him
without giving him time to breathe—
but he'd begun to give way already
and shot off like a . . . flash.

[11] This was Martín Fierro's intention in allowing part of his poncho to drag along the ground.

Uno que en una tacuara[51]
1580 había atao una tijera,[52]
se vino como si fuera
palenque[53] de atar terneros,
pero en dos tiros certeros
salió aullando[54] campo ajuera.

1585 Por suerte en aquel momento
venía coloriando[55] el alba
y yo dije: "Si me salva
la Virgen en este apuro,
en adelante le juro
1590 ser más güeno que una malba".[56]

Pegué un brinco y entre todos
sin miedo me entreveré;[57]
hecho ovillo me quedé
y ya me cargó una yunta,[58]
1595 y por el suelo la punta
de mi facón les jugué.[59]

El más engolosinao[60]
se me apió[61] con un hachazo;
se lo quité con el brazo,
1600 de no, me mata los piojos;[62]
y antes de que diera un paso
le eché tierra en los dos ojos.

---

[51] Tacuara: Caña de gran desarrollo, flexible y resistente, que abunda en las islas del Paraná. Los gauchos solían construir el asta de sus lanzas con estas cañas.

[52] Tijera: Se refiere aquí a tijeras de tusar. Los gauchos dividían en dos estas tijeras y sujetaban las puntas en las cañas de tacuara.

[53] "Palenque de atar terneros": Estos palenques solían tener poca resistencia, por lo tanto esta frase equivale a decir que el agresor avanzó confiado de vencer en la contienda.

[54] Aullando: Gritando de dolor.

[55] "Coloriando (colorear) el alba": Amanecer o aclarar el día.

[56] Malba (malva): Planta que se estima por su valor medicinal.

[57] "Me entreveré" (de entreverarse): En el sentido de mezclarse con los demás.

[58] Yunta: En este caso, una pareja.

[59] Aquí Martín Fierro se permite el lujo de jugar con sus adversarios, con el propósito de demostrar su superioridad sobre ellos.

[60] Engolosinao (engolosinado): Glotón.

[61] "Se me apió" (apeó): "Se me vino encima".

[62] "Me ... piojos": "Me hubiera dado una herida en la cabeza".

One of them had tied the blade of some shears
1580   on to a long cane:[12]
he came on as if I was
like a hitching-rail for calves—[13]
but with two well-aimed strokes
he went off howling into the distance.

1585   By good luck, at that moment
the dawn came turning red—
and I said, "If the Virgin
saves me in this danger,
I swear from now onwards
1590   to be gentle as a mallow-flower."[14]

I gave a jump, and fearlessly
I got in amongst them all—
I stayed there, crouched on guard,
and a pair of them went for me,
1595   and I led them on, feinting
with the point of my knife along the ground.[15]

The greediest one of them
lit on me with a slash—
I fended it with my arm—
1600   he'd have killed some of my lice if I hadn't—
and before he could take a step
I threw dirt in both his eyes.

[12] The type of cane mentioned here is the *tacuara,* of considerable length, flexibility, and durability. This cane is plentiful on islets of the Paraná River and the gaucho often used it as a shaft for his spear. The spear points usually were fashioned from sheep shears.

[13] "A hitching rail for calves" was often a construction of little resistance, thus the aggressor approached with confidence of winning.

[14] Mallow-flower: Highly regarded as a medicinal plant.

[15] Here Martín Fierro permits himself the luxury of teasing his adversaries for the purpose of demonstrating his superiority as a fighter.

Y mientras se sacudía
refregándosé la vista,[63]

1605   yo me le fuí como lista[64]
y áhi no más me le afirmé[65]
diciéndolé: "Dios te asista"
y de un revés lo voltié.

Pero en ese punto mesmo

1610   sentí que por las costillas
un sable me hacía cosquillas
y la sangre se me heló.
Desde ese momento yo
me salí de mis casillas.[66]

1615   Di para atrás unos pasos
hasta que pude hacer pie,
por delante me lo eché
de punta y tajos a un criollo;
metió la pata en un oyo

1620   y yo al oyo[67] lo mandé.

Tal vez en el corazón
lo tocó un santo bendito
a un gaucho, que pegó el grito
y dijo: "¡Cruz no consiente

1625   que se cometa el delito
de matar ansí un valiente!"

Y áhi no más se me aparió,[68]
dentrándolé[69] a la partida;
yo les hice otra embestida

1630   pues entre dos era robo;
y el Cruz era como lobo
que defiende su guarida.[70]

[63] "Refregándosé la vista": Frotándose los ojos.

[64] "Como lista": Lleva implícita la idea de ir directamente, sin vacilar. Procede de las listas del poncho, que se extienden de un extremo a otro.

[65] Me le afirmé: Véase vii, nota 39.

[66] "Me salí de mis casillas": "Eché al viento toda precaución y prudencia."

[67] Oyo (hoyo): Aquí el sentido es "sepultura"; en el verso anterior es "depresión de tierra" o "cavidad".

[68] "Se me aparió" (apareó): Se puso a mi lado.

[69] Dentrándolé (entrándole): Se usa aquí en el sentido de "atacar".

[70] Guarida: Cueva.

And while he was shaking his head
and rubbing his eyes,
1605 I was at him like a streak
and right there I closed with him—
I said, "God help you,"
and had him down with a backhand stroke.

But at that very instant,
1610 I felt the point of a sword
tickling me in the ribs,
and my blood ran cold . . .
from that moment onwards
there was no holding me.

1615 I took a few steps backwards
till I could get a footing;
cutting and thrusting
I threw one man down in front of me—
he put his foot in a hole in the ground,
1620 and under the ground I sent him.

Maybe it was a blessed saint
who touched the heart
of one gaucho there who shouted out
and said, "This is Cruz—
1625 and I'll have no part in the crime
of killing a brave man this way!"

And then and there he joined me
and attacked the troop of police.
I rushed at them again,
1630 since between two of us, it was a pushover,
and this man Cruz was like
a wolf defending its lair.

Uno despachó al infierno
de dos que lo atropellaron,
1635   los demás remoliniaron,[71]
pues íbamos a la fija,[72]
y a poco andar dispararon
lo mesmo que sabandija.[73]

Áhi quedaban largo a largo
1640   los que estiraron la jeta,[74]
otro iba como maleta,[75]
y Cruz, de atrás, les decía:
"Que venga otra polecía
a llevarlos en carreta".

1645   Yo junté las osamentas,[76]
me hinqué y les recé un bendito;
hice una cruz de un palito
y pedí a mi Dios clemente[77]
me perdonara el delito
1650   de haber muerto tanta gente.

Dejamos amontonaos
a los pobres que murieron;
no sé si los recogieron,
porque nos fimos a un rancho,
1655   o si tal vez los caranchos[78]
áhi no más se los comieron.

---

[71] Remoliniaron (remolinearon): En el sentido de moverse desordenadamente.

[72] "Íbamos a la fija": Íbamos a lo seguro.

[73] Sabandija: Toda clase de animalillos o insectos asquerosos.

[74] jeta: Se alude en forma familiar al hocico del cerdo. Se emplea aquí de modo despectivo.

[75] "Iba como maleta": Iba balanceándose de un lado a otro. Hace referencia a la manera en que va balanceando una bolsa atravesada sobre el caballo.

[76] Osamentas: Procede de "huesos". En este caso: "Yo junté los muertos".

[77] Los gauchos eran por lo general buenos creyentes, aunque supersticiosos.

[78] Caranchos: Véase ix, nota 2.

He sent one of them off to hell
out of two that attacked him—
1635   the rest crowded backwards
because there was no stopping us—
and before long they scuttled off
like a pack of vermin.

The ones who were stretched out cold
1640   stayed there side by side,
another went off slung like a saddlebag,
and Cruz called after them,
"Get some more police to come
with a cart to take them away."

1645   I heaped up the corpses,
I knelt and said a prayer for them.[16]
I made a cross from a little stick
and asked my God in his mercy
to forgive me for the crime
1650   of killing so many men.

We left the ones who'd died, poor guys,
piled up in a heap;
we went off to a nearby cabin,
so I don't know if they collected them
1655   or if maybe the *caranchos* ate them
right there where they were.

[16] The gauchos provided the burial ritual more out of superstition than religious belief. (See lines 1254–56.)

Lo agarramos mano a mano
entre los dos al porrón;
en semejante ocasión
1660   un trago a cualquiera encanta,
y Cruz no era remolón[79]
ni pijotiaba[80] garganta.

Calentamos los gargueros[81]
y nos largamos muy tiesos,
1665   siguiendo siempre los besos
al pichel[82] y, por más señas,
ibamos como sigüeñas
estirando los pescuesos.

—"Yo me voy—le dije—, amigo,
1670   donde la suerte me lleve,
y si es que alguno se atreve
a ponerse en mi camino,
yo seguiré mi destino,
que el hombre hace lo que debe.

1675   "Soy un gaucho desgraciado,
no tengo dónde ampararme,
ni un palo donde rascarme,
ni un árbol que me cubije;
pero ni aun esto me aflige,
1680   porque yo sé manejarme.

"Antes de cáir al servicio,
tenía familia y hacienda,
cuando volví, ni la prenda[83]
me la habían dejao ya:
1685   Dios sabe en lo que vendrá
a parar esta contienda".

---

[79] Remolón: Véase iii, nota 9.

[80] Pijotiaba (pijoteaba): En el sentido de cohibir o restringir.

[81] Gargueros: Tragaderos, o desde la boca hasta el estómago.

[82] Pichel: Se entiende por "pichel" un vaso de estaño, pero aquí se refiere al porrón, o recipiente de barro cocido para bebidas. El pichel, propriamente dicho, no se usaba en la pampa. (Véase Castro, p. 288.)

[83] Prenda: Mujer o "china"

The two of us grabbed the bottle
from hand to hand between us—
at a time like that
1660   anyone's glad of a drink,
and Cruz was never a slow one,
he didn't stint his throat.

We warmed up our gullets, and we rode off
holding ourselves very stiff,
1665   always keeping on kissing the spout—
and by the look of us
we must have gone along like storks
when they're stretching out their necks.

"My friend," I said, "I'm going
1670   wherever fate may take me,
and if there's anyone
who dares to get in my way,
I'll follow my destiny—
because a man does what he must.

1675   "I'm a gaucho who's out of luck—
I have no place to shelter in,
nor a post to scratch myself on,
nor a tree to shade me—
but even these things don't worry me
1680   because I can look after myself.

"Before I got caught for the army
I had a family and cattle—
when I got back, they hadn't
even left my woman to me. . . .
1685   What will be the end of this struggle
only God can tell."

CRUZ[1]

X

Amigazo, pa sufrir
han nacido los varones;
estas son las ocasiones
1690   de mostrarse un hombre juerte,
hasta que venga la muerte
y lo agarre a coscorrones.[2]

El andar tan despilchao[3]
ningún mérito me quita.
1695   Sin ser una alma bendita
me duelo del mal ajeno:
soy un pastel con relleno
que parece torta frita.[4]

Tampoco me faltan males
1700   y desgracias, le prevengo;
también mis desdichas tengo,
aunque esto poco me aflige:
yo sé hacerme el chancho rengo[5]
cuando la cosa lo esige.

---

[1] Cruz es ahora la persona que habla. Eleuterio F. Tiscornia, en su obra, *La Vida de Hernández y la Elaboración del Martín Fierro,* en Pedro Henriquez Ureña, *Martín Fierro,* Editorial Losada, 1939, p. 16, dice: "... solo sé decir que el modelo real (Cruz), en cuanto a la designación (Cruz era sargento de policia cuando se encontró con M.F.), estaba también en el servicio de fronteras: en un legajo militar de 1867, existente en los archivos ministeriales, figura un sargento Cruz."

[2] Coscorrones: Repetidas desgracias; también golpes en la cabeza.

[3] Despilchao: Andar mal vestido o con apero en malas condiciones.

[4] "Soy ... frita": Se interpreta aquí que Cruz es "bueno por dentro", aunque parace "malo por fuera". Pasteles con relleno era un plato de lujo entre los gauchos; en cambio, la torta frita era de lo más ordinario y comida de pobres.

[5] "Sé ... rengo": Hacerse el chancho rengo (cerdo cojo): "sé aparentar inocencia o disimular".

CRUZ[1]

X

I'll tell you, friend, that to suffer
is what men were born to do.
It's at times like these

1690   you show you're a man of strength—
until death comes and grabs you
and knocks you on the head.

It's no discredit to me
going around so poorly dressed.

1695   I may not be a saint,
but I can feel for someone else's troubles—
I may look a poor flat sort of pancake,
but I'm a good fat pie at heart.

I warn you, I've no lack myself

1700   of troubles and misfortunes—
I've got my sorrows too, even though
that doesn't worry me too much—
I can act like a lame pig
when the situation needs it.

[1] Cruz speaks now. Translating Tiscornia, from his work, *La Vida de Hernández y la Elaboración del Martín Fierro* in Pedro Henriquez Ureña, *Martín Fierro*, Editorial Losada, 1939, p. 16: ". . . I can say only that the true model (Cruz), insofar as his rank (Cruz was a police sergeant when he met Martín Fierro), also served at the frontier. In a military file of 1867, now in the military archives of the Ministry, mention is made of a Sergeant Cruz."

1705
  Y con algunos ardiles[6]
voy viviendo, aunque rotoso;
a veces me hago el sarnoso[7]
y no tengo ni un granito,
pero al chifle[8] voy ganoso
1710
como panzón al máiz frito.

  A mí no me matan penas
mientras tenga el cuero sano,
venga el sol en el verano
y la escarcha en el invierno.
1715
Si este mundo es un infierno
¿por qué afligirse el cristiano?

  Hagámoslé cara fiera
a los males, compañero,
porque el zorro más matrero
1720
suele cáir como un chorlito:[9]
viene por un corderito
y en la estaca deja el cuero.

  Hoy tenemos que sufrir
males que no tienen nombre,
1725
pero esto a naides lo asombre
porque ansina es el pastel,
y tiene que dar el hombre
más vueltas que un carretel.[10]

  Yo nunca me he de entregar
1730
a los brazos de la muerte;
arrastro mi triste suerte
paso a paso y como pueda,
que dónde el débil se queda
se suele escapar el juerte.

---

[6] Ardiles (de ardid): Lleva implícita la idea de ser sagaz.

[7] "Me ... sarnoso": Hacer el papel apropiado ante una situación determinada. "Sarnoso" procede de "sarna".

[8] Chifle: Recipiente de cuerno para llevar bebidas; resultaban más fáciles de llevar a caballo que los de metal o barro cocido.

[9] Chorlito: Ave mansa que habita en las lagunas y que se deja cazar fácilmente; por extensión se aplica a personas dóciles.

[10] Carretel: Bobina.

1705   And with a few tricks I know
                 I keep alive, even though it's in rags.
                 Sometimes I act as if I'd got the plague
                 and there's not a spot on my skin—
                 but I'm keen to get at the liquor horn[2]
1710   as a fat man is for popcorn.

                 Sorrows don't kill me
                 so long as my skin's whole.
                 Let the sun come in summer
                 and the frost in winter time—
1715   if this world is a hell, what's that
                 to worry a Christian man?

                 Let's face squarely
                 our troubles, brother,
                 because even the most cunning fox
1720   often falls in a trap like a bird—
                 he'll come to steal a lamb
                 and leave his skin stretched on the stakes.

                 These days, we have to suffer
                 crimes worse than you can say,
1725   but no one need be surprised at that
                 because that's the way the pudding's cooked—
                 and a man has to go spinning
                 round and round like a reel.

                 I'll never give myself up
1730   into the arms of death:
                 I drag my sad fate along with me
                 step by step and as best I can—
                 because where a weak man gets stuck
                 a strong one can pull through.

---

[2] Liquor horn: Liquor containers made of horn (generally cow) were easier to manage while traveling on horseback.

1735	Y ricuerde cada cual
	lo que cada cual sufrió,
	que lo que es, amigo, yo,
	hago ansí la cuenta mía:
	ya lo pasado pasó,
1740	mañana será otro día.

	Yo también tuve una pilcha[11]
	que me enllenó el corazón,
	y si en aquella ocasión
	alguien me hubiera buscao,
1745	siguro que me había hallao
	más prendido que un botón.[12]

	En la güella[13] del querer
	no hay animal que se pierda;
	las mujeres no son lerdas[14]
1750	y todo gaucho es dotor
	si pa cantarle al amor
	tiene que templar las cuerdas.[15]

	¡Quién es de una alma tan dura
	que no quiera una mujer!
1755	Lo alivia en su padecer:
	si no sale calavera[16]
	es la mejor compañera
	que el hombre puede tener.

	Si es güena, no lo abandona
1760	cuando lo ve desgraciao,
	lo asiste con su cuidao
	y con afán cariñoso,
	y usté tal vez ni un rebozo
	ni una pollera le ha dao.

---

[11] Pilcha: Mujer.

[12] "Me ... botón": El sentido aquí es que estaba dedicado a su mujer.

[13] Güella: En este caso trátase de huella o impresión dejada en el ánimo de una persona.

[14] Lerdas. Véase iv, nota 11.

[15] "Y ... cuerdas": Se alude aquí a la habilidad del gaucho para cautivar a la mujer.

[16] Calavera: De poco juicio; también de baja moral.

1735	And let everyone keep in mind,
	each one, what he's had to suffer.
	As for me, friend, that's the way
	I do my own accounts—
	what's past is past now,
1740	tomorrow's another day.
	I, too, used to have a woman
	who filled up my heart—
	and at that time, if anyone
	had come looking for me
1745	they'd be sure to find me
	stuck close to her as a button.
	There's no beast that'll lose its way
	along the trail of love—
	women don't miss chances,
1750	and any gaucho's a scholar
	when he's singing to his love
	if it's done by tuning the strings.
	Is there anyone so hard of soul
	that he doesn't love a woman!
1755	She'll help him in his troubles—
	unless he's one who treats them light,
	she's the best companion
	that a man can have.
	If she's a good one, she won't leave him
1760	when she sees he's out of luck,
	she'll help him with tender care
	and with her eager love—
	and maybe you've never given her
	even a shawl or a skirt.

1765   Grandemente lo pasaba
con aquella prenda mía
viviendo con alegría
como la mosca en la miel.
¡Amigo, qué tiempo aquél!
1770   ¡La pucha que la quería!

     Era la águila que a un árbol
dende las nubes bajó,
era más linda que el alba
cuando va rayando el sol,
1775   era la flor deliciosa
que entre el trebolar creció.

     Pero, amigo, el comendante
que mandaba la milicia,
como que no desperdicia[17]
1780   se fue refalando[18] a casa:
yo le conocí en la traza[19]
que el hombre traiba malicia.

     Él me daba voz de amigo,
pero no le tenía fe.
1785   Era el jefe y, ya se ve,
no podía competir yo;
en mi rancho se pegó
lo mesmo que saguaipé.[20]

     A poco andar conocí
1790   que ya me había desbancao,
y él siempre muy entonao,[21]
aunque sin darme ni un cobre,
me tenía de lao a lao
como encomienda de pobre.[22]

[17] "No desperdicia": En el sentido de no perder oportunidades.
[18] "Se fué refalando (resbalando)": Se fué introduciendo poco a poco.
[19] Traza: Apariencia.
[20] Saguaipé: Procede de sanguijuela.
[21] Entonao (entonado): Envalentonado.
[22] "Me ... pobre": Lo mandaba a todos lados a hacer encargos, sin pagarle.

1765   It was a grand life I had
with that girl of mine,
living in happiness
like a fly in honey. . . .
What a time that was, friend!
1770   *La pucha,* but I loved her!

She was an eagle, flying down
from the clouds to a tree—
she was prettier than the dawn
when the sun comes streaking up—
1775   she was a lovely flower
growing amidst the clover.

However, my friend, the Commandant
in charge of the militia,
wasn't one to lose chances,
1780   and he came sneaking into my house—
I could tell from the look of him
that he was up to no good.

He pretended to be my friend,
but I didn't trust him.
1785   He was the Chief, and naturally
I couldn't compete with him—
he stuck to my cabin
just as fast as a leech.

Before long, I could tell
1790   he'd pushed me off my seat.
He was always full of fancy talk
though he never gave me a cent—
and he had me sent all over the country
like a cheap-rate letter.

1795

A cada rato, de chasque[23]
me hacía dir a gran distancia;
ya me mandaba a una estancia,
ya al pueblo, ya a la frontera;
pero él en la comendancia[24]

1800

no ponía los pies siquiera.

Es triste a no poder más
el hombre en su padecer,
si no tiene una mujer
que lo ampare y lo consuele:

1805

mas pa que otro se la pele[25]
lo mejor es no tener.

No me gusta que otro gallo
le cacaree a mi gallina.
Yo andaba ya con la espina,[26]

1810

hasta que en una ocasión
lo solprendí en el jogón
abrazándomé a la china.

Tenía el viejito una cara
de ternero mal lamido,[27]

1815

y al verlo tan atrevido
le dije: "Que le aproveche;
que había sido pa el amor
como guacho[28] pa la leche".

---

[23] "De chasque": Procede del quichua, *chasqui,* correos de a pié.

[24] Comendancia (comandancia): Oficina del comandante.

[25] Pele: Aproveche.

[26] "Andaba ... espina": "Andaba con sospechas".

[27] "Una ... lamido": Se alude a las barbas sin peinar. La alusión procede de los terneros que quedan con el pelo lamido a trechos por la madre.

[28] Guacho: Animal que se cría sin madre, y por ello toma leche de cualquier origen con avidez.

1795	He was always sending me
	long distances, as a special post:
	now it would be to a big ranch,
	now to the town, now the frontier—
	but he never so much as set foot
1800	inside the Commandant's office.

A man going through his hard life
is the saddest thing there can be
if he doesn't have a woman
to help and comfort him—
1805 but for someone else to steal her from you,
better not to have one at all.

I don't like it when another cock
comes cackling round my hen—
I'd already got my suspicions,
1810 and then one day
I caught him beside the fire
with his arms round my girl.

The old fellow had a face on him
like a calf licked the wrong way,[3]
1815 and seeing him being so daring
I said, "Better make the most of it—
you must have been bleating for a bit of love
like a stray lamb for milk."

---

[3] Cruz's reference here is to the uncombed or unkempt beard of the commandant, rather than to a deformed face.

Peló[29] la espada y se vino
1820   como a quererme ensartar,[30]
pero yo sin tutubiar
le volví al punto a decir:
—"Cuidao no te vas a pér ... tigo,[31]
poné cuarta[32] pa salir".

1825   Un puntaso me largó
pero el cuerpo le saqué
y en cuanto se lo quité,
para no matar un viejo,
con cuidao, medio de lejo,
1830   un planaso le asenté.

Y como nunca al que manda
le falta algún adulón,
uno que en esa ocasión
se encontraba allí presente
1835   vino apretando los dientes
como perrito mamón.

Me hizo un tiro de revuélver
que el hombre creyó siguro,
era confiao y le juro
1840   que cerquita se arrimaba,[33]
pero siempre en un apuro
se desentumen mis tabas.[34]

---

[29] Peló: Desenvainó.

[30] Ensartar: Atravesar (con la espada). Procede de la manera en que se penetra la carne con el asador para asarlo.

[31] "Pér ... tigo": Una separación (mal intencionada) de la palabra *pértigo,* vara de hasta siete metros de largo que se colocaba en el centro de la carreta a la cual se uncían los bueyes. Ir "a pértigo" es viajar con una sola yunta de bueyes. (Véase Castro, p. 414; también, véase Lugones, p. 112 para otra interpretación.)

[32] Poner cuarta: Agregar otra yunta de bueyes. Cruz indica que el comandante no es capaz de salir por sí solo de la situación.

[33] Se refiere a la bala del revólver.

[34] Desentumen (de desentumecerse): Las tabas; ponerse ágil.

He pulled out his sword and went for me
1820   as if he wanted to spit me through,
        but I didn't hesitate,
        I went right on and said,
        "Careful you don't get yourself . . . messed up—
        you'll need some help to get out of this."

1825   He aimed a thrust at me
        but I got out of the way,
        and as I dodged it—carefully,
        so as not to kill an old man—
        I gave him a whack with the flat of my sword
1830   from a little way off.

        But as the one who's in command
        always has some hanger-on,
        on this occasion one of these
        who was standing there nearby
1835   came up, gritting his teeth
        like a milk-fed puppy.

        He sent a revolver-shot at me
        which he thought couldn't fail.
        He was sure of himself, and I'll swear to you
1840   it did come pretty near me—
        but when I'm in a tight spot
        my joints always loosen up.

Él me siguió menudiando[35]
mas sin poderme acertar,
1845   y yo, déle culebriar,[36]
hasta que al fin le dentré
y áhi no más lo despaché
sin dejarlo resollar.

Dentré a campiar[37] en seguida
1850   al viejito enamorao.
El pobre se había ganao[38]
en un noque de lejía.[39]
¡Quién sabe cómo estaría
del susto que había llevao!

1855   ¡Es sonso[40] el cristiano[41] macho
cuando el amor lo domina!
Él la miraba a la indina,
y una cosa tan jedionda[42]
sentí yo, que ni en la fonda[43]
1860   he visto tal jedentina.

[35] Menudiando (menudeando): Repitiendo la misma cosa; en este caso, descargando tiros.

[36] "Déle culebriar": Ejecutar movimientos rápidos repetidamente.

[37] Campiar (campear): Buscar. Se aplica, por lo general, a buscar animales o personas en campo abierto.

[38] "Se había ganao (ganado)": Se emplea en el sentido de esconderse.

[39] "Noque de lejía": Aquí se refiere a una bolsa de cenizas. (No podía ser una bolsa de lejía ya preparada.) La lejía que utilizaba el gaucho consistía de una solución de agua y cenizas obtenidas de plantas que crecen en terrenos salitrosos. De la lejía se hacía jabón y también se utilizaba para sazonar la mazamorra.

[40] Sonso (zonzo): Tonto.

[41] Cristiano: Es muy probable que Cruz empleara la palabra en el mismo sentido que la empleaba el indio. (Véase iii, nota 69.)

[42] Jedionda (hedionda): De olor ofensivo.

[43] Fonda: Casa de comida humilde.

1845
He kept on shooting at me
but he couldn't manage to hit me—
and I went snaking round him
till in the end I closed in,
and there and then I finished him off
without giving him time to breathe.

1850
Next, I started in
to round up the old love-bird.
Poor fellow, he'd hidden himself
inside a tub of bleach—
Lord knows the state he was in
after the fright he'd had!

1855
A Christian man[4] goes off his head
when love gets a hold over him.
He kept gazing at the wretched woman,
and then I smelt such a stench—
I've never known a stink like it
1860
not even in a town eating-house.

---

[4] Christian: Cruz probably used the term in the same sense as the Indians, to refer to members of the white race.

Y le dije:—"Pa su agüela[44]
han de ser esas perdices".[45]
Yo me tapé las narices,
y me salí estornudando,
1865 y el viejo quedó olfatiando
como chico con lumbrices.[46]

Cuando la mula recula,[47]
señal que quiere cosiar;[48]
ansí se suele portar
1870 aunque ella lo disimula:
recula como la mula
la mujer, para olvidar.

Alcé mi poncho y mis prendas
y me largué a padecer
1875 por culpa de una mujer
que quiso engañar a dos.
Al rancho le dije adiós,
para nunca más volver.

Las mujeres dende entonces
1880 conocí a todas en una.
Ya no he de probar fortuna
con carta tan conocida:[49]
mujer y perra parida,[50]
no se me acerca ninguna.

---

[44] "Pa su agüela (abuela)": Manera despectiva para indicar que la persona rechaza algo de otra y se lo destina a la abuela. (Véase ii, nota 8.)

[45] Perdices: En este caso se refiere a los malos olores.

[46] Niños con parásitos intestinales, también suelen tener prurito nasal que les hace mover las alas de la nariz. Esta es la alusión aquí.

[47] Recula: Se hace atrás, retrocede.

[48] Cosiar (cocear): Dar patadas para atrás.

[49] "Carta tan conocida": Procede del juego de naipes. En este caso, persona a la que se le conocen las mañas.

[50] Perras con crías se conocen por su tendencia belicosa.

So I said to him, "Your grandma[5]
had better clean up what you've dropped"—
I started choking,
and I went out holding my nose,

1865 and the old boy stayed there sniffing
like a baby that's got the worms.[6]

When a mule starts backing
it's a sign it's going to kick—
it always acts that way

1870 even though it tries to hide it—
and a woman backs like a mule
when she wants to forget.

I took my poncho and my gear
and I went off to suffer wrongs

1875 through the fault of a woman
who tried to cheat two men at once—
I said goodbye to my cabin
never to return again.

Women—I've known them all

1880 since then, from that one.
I won't try my luck again
with a card that's marked so clear—
women and bitches with litters
are things I don't go near.

---

[5] Grandma: When a gaucho possessed or was offered what he considered despicable, he would often say: "for your grandmother."

[6] Itchy nostrils normally accompany a case of intestinal parasites, hence the allusion: "sniffing . . ."

1885
    A otros les brotan las coplas
como agua de manantial;
pues a mí me pasa igual,
aunque las mías nada valen:
de la boca se me salen
1890
como ovejas del corral.[1]

    Que en puertiando[2] la primera,
ya la siguen las demás,
y en montones las de atrás
contra los palos se estrellan,
1895
y saltan y se atropellan,
sin que se corten jamás.

    Y aunque yo por mi inorancia
con gran trabajo me esplico,
cuando llego a abrir el pico
1900
téngaló por cosa cierta:
sale un verso y en la puerta
ya asoma el otro el hocico.

    Y empréstemé su atención,
me oirá relatar las penas
1905
de que traigo la alma llena,
porque en toda circustancia
paga el gaucho su inorancia
con la sangre de las venas.

    Después de aquella desgracia
1910
me guarecí en los pajales,[3]
anduve entre los cardales[4]
como bicho sin guarida;
pero, amigo, es esa vida
como vida de animales.

---

[1] "De ... corral": La interpretación aquí es que las coplas le salen atropelladamente. Las ovejas, al salir del corral, quieren pasar todas al mismo tiempo, produciéndose el caos.

[2] Puertiando (puerteando): Tomando la puerta, en el sentido de salir.

[3] Pajales: Terreno bajo cubierto de pajas altas.

[4] Cardales: Terreno cubierto de plantas de cardo.

1885   Other people can spout verses
                  like water from a spring,
                  and the same thing happens with me
                  although mine aren't worth anything—
                  they come out from my mouth
1890   like sheep out of a corral.[1]

                  Because when the first one comes through the gate
                  the others follow it,
                  and the ones at the back come crowding
                  and hustle against the bars,
1895   and jump and trample each other
                  without a single gap.

                  I'm ignorant, so it's hard work
                  for me to make myself clear,
                  but when I finally open my trap
1900   you can take this for certain—
                  out comes one verse, and the next one
                  will be poking its nose round the gate.

                  So pay attention to me,
                  you'll hear me tell about the sorrows
1905   that fill the soul I carry—
                  because no matter how things are
                  a gaucho pays for his ignorance
                  with the blood from his veins.

                  After that misfortune
1910   I escaped to the wild grasslands.
                  I roamed through the thistles
                  like a beast without a lair—
                  but I tell you, friend, living like that
                  means to live like an animal.

---

[1] The interpretation here is that his verses come out in a disorganized fashion. Sheep coming out of a corral have a tendency to want to leave all at once, thus producing a chaotic exit.

1915	Y son tantas las miserias
	en que me he sabido ver,
	que con tanto padecer
	y sufrir tanta aflición
	malicio que he de tener
1920	un callo en el corazón.
	Ansí andaba como guacho
	cuando pasa el temporal.[5]
	Supe una vez, pa mi mal,
	de una milonga[6] que había,
1925	y ya pa la pulpería
	enderecé mi bagual.[7]
	Era la casa del baile
	un rancho de mala muerte,[8]
	y se enllenó de tal suerte
1930	que andábamos a empujones:
	nunca faltan encontrones
	cuando el pobre se divierte.
	Yo tenía unas medias botas
	con tamaños verdugones;[9]
1935	me pusieron los talones[10]
	con crestas como los gallos;
	¡si viera mis afliciones
	pensando yo que eran callos!

[5] "Ansí ... temporal": La idea aquí es que el gaucho pasa el temporal sin protección de nadie. El ternero pasa el temporal amparado por su madre.
[6] Milonga: Véase v, nota 6.
[7] Bagual: Caballo.
[8] "Rancho ... muerte": "Rancho de ínfima categoría."
[9] "Con ... verdugones": "Con enormes ribetes o arrugas".
[10] Talones: De los pies, no de las botas.

1915   And I've found myself going through
so many wretched times,
that with all I've had to bear
and all the pain I've suffered,
I should think that my heart
1920   must have grown a callus on it.

So I roamed about like an orphan calf
that's lost after a storm. . . .
One day for my sins I heard about
a dance that was being held,
1925   and I headed my colt directly
towards the local store.

The place the dance was held in
was a run-down little shack,
and it got so crowded
1930   we had to shove our way through. . . .
There'll always be collisions
when a poor man starts having fun.

I had on some half-boots
which were pretty badly creased,
1935   they wore my heels in ridges
till they were like cocks' combs—
you should have seen how worried I was
thinking that I'd got corns!

Con gato[11] y con fandanguillo[12]
1940 había empezao el changango[13]
y para ver el fandango
me colé haciéndomé bola;[14]
mas metió el diablo la cola
y todo se volvió pango.[15]

1945 Había sido el guitarrero
un gaucho duro de boca.[16]
Yo tengo pacencia poca
pa aguantar cuando no debo:
a ninguno me le atrevo
1950 pero me halla el que me toca.[17]

A bailar un pericón[18]
con una moza salí,
y cuanto me vido allí
sin duda me conoció[19]
1955 y estas coplitas cantó
como por ráirse de mí:

"Las mujeres son todas
como las mulas;
yo no digo que todas,
1960 pero hay algunas
que a las aves que vuelan
les sacan plumas".[20]

---

[11] Gato: Baile de paso ligero. Se bailaba comúnmente el *gato con relación,* en que el compañero recitaba una relación picante a la compañera; ésta le contestaba con otra relación del mismo tenor.

[12] Fandanguillo: Baile cantado.

[13] Changango: Fiesta de gente humilde animada por músicos empíricos, con instrumentos malos.

[14] "Me ... bola": Aquí la idea es que entró sin invitación, quizás furtivamente.

[15] Pango: Indica desorden.

[16] "Duro de boca": Procede de los caballos que no obedecen a su jinete. Aquí, una persona que usa lenguaje insolente.

[17] "A ... toca": La interpretación es que "a ninguno provoco, ni soy cobarde ante quien me provoque."

[18] Pericón: Véase vii, nota 5.

[19] Me conoció: El guitarrista.

[20] "Hay ... plumas": La alusión es que cuando "se voló" Cruz de su nido, su mujer le "desplumaba" su honor durante su ausencia.

	The dancing had started
1940	with *gatos*[2] and fandangos,[3]
	and so as to see the fun
	I squeezed myself up and slipped in—
	but the Devil stuck his tail in
	and messed up everything.

1945	The man who was playing the guitar
	turned out to be a big-mouth. . . .
	I haven't much patience
	to put up with things, when there's no call to—
	I don't go provoking people,
1950	but if they touch me I'll be there.

	I took a girl out
	to dance a *pericón*,[4]
	and as soon as he saw me there
	he recognized me, no doubt,
1955	and he sang his little rhyme
	trying to make a fool of me:

	"Women are, all of them,
	just like mules,
	not quite all, I'd say—
1960	but some of them
	pull the feathers from
	birds who fly away.[5]

[2] *Gatos:* A dance with slow movements. This dance commonly included a provocative recitation by the male to his partner. She responded in like vein.

[3] Fandangos: This dance was accompanied by a vocalist who improvised his own songs.

[4] *Pericón:* A dance very much in vogue at that time, in which dance sets were formed by two couples, and all dancers followed the calls of the guitarist.

[5] The reference here is that when Cruz "flew away from his nest," his wife "plucked" his honor by being unfaithful.

"Hay gauchos que presumen
de tener damas:
1965   no digo que presumen,
pero se alaban,
y a lo mejor los dejan
tocando tablas".[21]

Se secretiaron[22] las hembras
1970   y yo ya me encocoré;[23]
volié la anca[24] y le grité:
"dejá de cantar ... chicharra"[25]
y de un tajo a la guitarra
tuitas las cuerdas corté.

1975   Al grito salió de adentro
un gringo con un jusil;
pero nunca he sido vil,[26]
poco el peligro me espanta:
ya me refalé la manta[27]
1980   y la eché sobre el candil.

Gané en seguida la puerta
gritando: "Naides me ataje";[28]
y alborotao el hembraje[29]
lo que todo quedó escuro,
1985   empezó a verse en apuro
mesturao[30] con el gauchaje.[31]

---

[21] "Los ... tablas": Dejarle sin nada. Procede de perder todo en un juego de suerte.

[22] Se secretiaron (secretearon): Se hablaron al oído.

[23] "Me encocoré" (de encocorarse): Me enojé.

[24] "Volié la anca (voleé el anca)": Dí vuelta.

[25] Chicharra (cigarra): Insecto común en muchas partes del mundo; su manera de cantar es estridente y desagradable. "Dejá de cantar chicharra" dice una copla popular.

[26] Vil: Cobarde, flojo.

[27] Manta: Como el gaucho no solía usar la manta como poncho, es evidente que aquí se emplea "manta" para acomodar la rima.

[28] Ataje: Detenga.

[29] Hembraje: En este caso, conjunto de mujeres. También se usa para animales hembras

[30] Mesturao (mesturado): Mezclado.

[31] Gauchaje: Conjunto de gauchos. Las mujeres empezaron a verse en apuros entre ese conjunto de hombres.

152

"Some gauchos think they know
how to keep a lady,
1965 I won't say they think they can
but that's what they boast about—
and then most likely
they'll find they're left down and out."

The women started whispering
1970 and I'd got my temper up.
I swung round and shouted at him,
"Stop your chirping, grasshopper"—
and with one slash I cut through
all the strings of his guitar.

1975 In a flash, out from a back room
came a gringo with a gun.
But I've never been a coward—
danger doesn't scare me much—
I slipped off my poncho
1980 and threw it over the lamp.

I got to the door at once
shouting, "No one try to stop me"—
the women were in a commotion
because it was all dark
1985 and they started getting nervous
mixed up in that crowd of men.

El primero que salió
fué el cantor y se me vino,
pero yo no pierdo el tino

1990   aunque haiga tomao un trago
y hay algunos por mi pago
que me tienen por ladino.[32]

No ha de haber achocao[33] otro;
le salió cara la broma;

1995   a su amigo cuando toma
se le despeja el sentido,
y el pobrecito había sido
como carne de paloma.

Para prestar sus socorros

2000   las mujeres no son lerdas:
antes que la sangre pierda
lo arrimaron a unas pipas.[34]
Áhi lo dejé con las tripas
como pa que hiciera cuerdas.

2005   Monté y me largué a los campos
más libre que el pensamiento,
como las nubes al viento,
a vivir sin paradero;
que no tiene el que es matrero

2010   nido, ni rancho, ni asiento.

No hay fuerza contra el destino
que le ha señalao el cielo
y aunque no tenga consuelo
aguante el que está en trabajo:

2015   ¡naides se rasca pa abajo
ni se lonjea contra el pelo![35]

[32] Ladino: Astuto o experto.
[33] Achocao (chocado): Provocado.
[34] Pipas: Toneles para transportar o guardar vino u otros líquidos.
[35] "¡Naides ... pelo!": La noción aquí es que cada cual hace lo que le sea de más utilidad y conveniencia. Procede de "rascar" de acuerdo con la disposición anatómica de la piel, y lonjear (despojar el cuero de su pelo) en la dirección en que se encuentran los pelos.

The first one who came out
was the singer, and he went for me,
but I don't lose my head
1990   even if I've had a drink or two—
and some people where I come from
consider I'm pretty smart.

He won't pick a fight with anyone else,
because his joke cost him dear—
1995   when your friend here has had a drink
it makes his wits sharper,
and the poor fool turned out to be
soft as pigeon's meat.

When it comes to bringing help
2000   women aren't slow to act—
they propped him against some barrels
before he'd lost blood—
and I left him there with his guts hanging out
to make himself some new strings out of.

2005   I got on my horse, and free as thought
I headed for open country
to live without a settling-place
like the clouds in the wind—
because an outlaw has no nesting-place,
2010   nor a house, nor a safe home.

There's no power against the fate
that Heaven has marked out for you,
and even though it's no comfort
if hardship's your lot, put up with it—
2015   no one scratches himself downward,
nor do you strip hide against the grain.

Con el gaucho desgraciao
no hay uno que no se entone;[36]
la mesma[37] falta lo espone
2020   a andar con los avestruces:[38]
faltan[39] otros con más luces[40]
y siempre hay quien los perdone.

xii

Yo no sé qué tantos meses
esta vida me duró;
2025   a veces nos obligó
la miseria a comer potro;[1]
me había acompañao con otros
tan desgraciaos como yo.

Mas ¿para qué platicar
2030   sobre esos males, canejo?[2]
Nace el gaucho y se hace viejo
sin que mejore su suerte,
hasta que por áhi la muerte
sale a cobrarle el pellejo.

2035   Pero como no hay desgracia
que no acabe alguna vez,
me aconteció que despúes
de sufrir tanto rigor
un amigo por favor
2040   me compuso con el juez.

[36] "No se entone": En el sentido de "ponerse en contra".
[37] Mesma: Debe ser "menor", como en la edición de 1878.
[38] "Andar ... avestruces": Vivir a campo abierto.
[39] Faltan: En el sentido de "cometer faltas".
[40] Luces: Instrucción o también pudiera emplearse como "dinero", por extensión de "ver la luz". (Véase iv, nota 19.)
[1] "Comer potro": Comer carne de caballo.
[2] Canejo: Eufemismo usado para sustituir a una interjección más fuerte.

There's no one who won't hold forth
against a gaucho who's in trouble:
the least mistake lets him in for a life
2020   out there among the ostriches . . .
People who know more make mistakes too,
and there's always someone to excuse them.

xii

I don't know how many months
that life of mine went on. . . .
2025   Sometimes we were so poor
we had to eat horse meat—
I'd joined up with some others
out of luck like myself.

But curse it, what's the use
2030   of chattering about these troubles?
A gaucho's born and he grows old
and his luck never gets any better,
until one day, out comes death
to claim his hide off him.

2035   But as there's no misfortune
that doesn't end sometime,
so it happened to me
that after bearing all these hardships
a friend did me the favor
2040   of putting me right with the Judge.

Le alvertiré que en mi pago
ya no va quedando un criollo:[3]
se los ha tragao el hoyo
o juido o muerto en la guerra,[4]
2045   porque, amigo, en esta tierra
nunca se acaba el embrollo.

Colijo que jué para eso
que me llamó el juez un día
y me dijo que quería
2050   hacerme a su lao venir,
pa que dentrase a servir
de soldao de polecía.

Y me largó una ploclama
tratándomé de valiente,
2055   que yo era un hombre decente,
y que dende aquel momento
me nombraba de sargento
pa que mandara la gente.

Ansí estuve en la partida
2060   pero ¡qué había de mandar!
Anoche al irlo a tomar
vide güena coyontura[5]
y a mí no me gusta andar
con la lata[6] a la cintura.

2065   Ya conoce, pues, quién soy;
tenga confianza conmigo;
Cruz le dió mano de amigo
y no lo ha de abandonar.
Juntos podemos buscar
2070   pa los dos un mesmo abrigo.

[3] Criollo: Se emplea aquí en sentido de habitante del campo, en contraste del "pueblero" que habita la ciudad.

[4] La guerra con El Paraguay (1865–9); también las guerras civiles entre Buenos Aires y las provincias (los 1850 y 1860).

[5] "Vi una buena oportunidad".

[6] Lata: Despectivamente, el sable.

I can tell you that in my part of the land
there's hardly a real *criollo* left—
they've been swallowed by the grave,
or run off, or been killed in the war—[1]
2045   because in this country, friend,
there's no end to the struggle.

So I take it that's why it was
the Judge sent for me one day
and told me that he wanted
2050   to have me on his side,
so that I could serve
as a soldier in the Police.

And he launched a long speech at me
calling me a hero,
2055   saying I was a decent man
and from that moment on
he was appointing me Sergeant
in command of the troop.

That's how I came to be in the force—
2060   but how was I going to give them orders?
Last night when we came to get you
I saw a good opportunity. . . .
Anyway, I don't like going around
with a sword clanking on my belt.

2065   So now you know who I am—
you can trust me.
Cruz gave you his hand as a friend
and he's not going to leave you—
together, we can go looking for
2070   one shelter for the two of us.

[1] The War between Paraguay and Argentina, Brazil and Uruguay, 1865–9; also Civil War between Buenos Aires and the Federalist Provinces during the 1850's and 1860's.

Andaremos de matreros
si es preciso pa salvar;
nunca nos ha de faltar
ni un güen pingo para juir,
2075 ni un pajal ande dormir,
ni un matambre[7] que ensartar.

Y cuando sin trapo alguno
nos haiga el tiempo dejao
yo le pediré emprestao
2080 el cuero a cualquiera lobo
y hago un poncho, si lo sobo,[8]
mejor que poncho engomao.[9]

Para mí la cola es pecho
y el espinaso es cadera;[10]
2085 hago mi nido ande quiera
y de lo que encuentre como;
me hecho tierra sobre el lomo[11]
y me apeo en cualquier tranquera.[12]

Y dejo rodar la bola
2090 que algún día se ha 'e[13] parar;
tiene el gaucho que aguantar
hasta que lo trague el hoyo
o hasta que venga algún criollo
en esta tierra a mandar.[14]

[7] Matambre: Músculo de carne en la región costal del animal; considerado muy sabroso si es de animal nuevo y gordo.

[8] Sobo (de sobar): El acto de trabajar un cuero para ablandarlo y suavizarlo.

[9] "Poncho engomao" (engomado): Poncho que resiste agua.

[10] "Para ... cadera": Cruz implica que lo importante es satisfacer su apetito, y no la clase de comida que le toque.

[11] "Me ... lomo": Lleva implícita la idea de ser humilde; no es actitud de desafío, como en el caso del toro.

[12] Tranquera: Puerta ancha de entrada al corral. Aquí, más bien, la idea es que Cruz, viéndose necesitado, llegará a pedir a cualquier puerta.

[13] Ha'e: ha de.

[14] "Hasta ... mandar": Aquí Cruz hace hincapié en el mensaje real del poema, es decir, que hace falta un gobierno que simpatice más con el gaucho y sus problemas. (Véase el Prólogo.)

We'll live like outlaws
as we have to, to save our lives—
we never need to go short of
a good horse to get away on,
2075   nor a stretch of high grass to sleep in,
nor good meat to put on the spit.

And when time has left us
without a single rag to wear,
I'll ask the loan of a skin
2080   from any kind of a wolf—
if I work it soft, I'll make a poncho
better than waterproof.

Tail meat's the same as breast for me
and spine is as good as haunch,
2085   I make my nest wherever I may be
and I eat whatever I find—
I'll get down in the dust if need be,
and I'll stop off at any gate.

And I let the ball roll on,
2090   because one day it'll stop.
A gaucho has to put up with it
until he's swallowed by the grave. . . .
Or else till there comes a real *criollo*
to take charge of things in this land.[2]

---

[2] Lines 2093–94: Cruz gets to the core of the poem's message, namely, the need for a government that is more sympathetic to the gaucho and his problems. (See Introduction.)

2095   Lo miran al pobre gaucho
    como carne de cogote:[15]
    lo tratan al estricote,[16]
    y si ansí las cosas andan
    porque quieren los que mandan
2100   aguantemos los azotes.

    ¡Pucha, si usté los oyera
    como yo en una ocasión
    tuita la conversación
    que con otro tuvo el juez!
2105   Le asiguro que esa vez
    se me achicó el corazón.[17]

    Hablaban de hacerse ricos
    con campos en la frontera;
    de sacarla más ajuera[18]
2110   donde había campos baldidos[19]
    y llevar de los partidos
    gente que la defendiera.

    Todo se güelven[20] proyetos
    de colonias y carriles
2115   y tirar la plata a miles[21]
    en los gringos enganchaos,[22]
    mientras al pobre soldao
    le pelan la chaucha[23] ¡ah viles!

---

[15] "Carne de cogote": Carne del pescuezo, la menos estimada del vacuno.
[16] "Al estricote": Con dureza o desprecio.
[17] Achicarse el corazón: Sentirse deprimido.
[18] "De ... ajuera" (afuera): Extender la frontera.
[19] Baldidos (baldíos): Sin cultivar.
[20] Güelven: Vuelven.
[21] "Y ... miles": Gastar un dineral.
[22] Enganchaos (enganchados): Véase v, nota 15.
[23] Pelar la chaucha: Quitarle a uno su dinero y hasta la ropa, o dejarlo "pelado".

2095 They look at a wretched gaucho
 as if he was scrag meat.
 They treat him like dirt . . .
 but since things go this way
 because that's what the ones who rule us want,
2100 we'd best put up with being beaten.

 Pucha—if you were to hear them
 as I did one time—
 a nice little conversation
 the Judge had with a friend. . . .
2105 I swear to you, when I heard that,
 it made my heart shrink up.

 They were talking about getting rich
 with lands on the frontier,
 and moving the frontier further out
2110 to where there was unclaimed land,
 and taking men from all over the province
 to go and defend it for them.

 They turn everything into schemes
 for railways and settlements,
2115 and chucking money away
 in thousands, on hiring gringos—
 while as for the poor soldier,
 they strip him bare, the swine.

	Pero si siguen las cosas
2120	como van hasta el presente
	puede ser que redepente[24]
	véamos el campo disierto,
	y blanquiando solamente
	los güesos de los que han muerto.

2125	Hace mucho que sufrimos
	la suerte reculativa:[25]
	trabaja el gaucho y no arriba,
	pues a lo mejor del caso
	lo levantan de un sogaso[26]
2130	sin dejarle ni saliva.[27]

	De los males que sufrimos
	hablan mucho los puebleros,
	pero hacen como los teros[28]
	para esconder sus niditos:
2135	en un lao pegan los gritos
	y en otro tienen los güevos.

	Y se hacen los que no aciertan
	a dar con la coyontura;[29]
	mientras al gaucho lo apura
2140	con rigor la autoridá
	ellos a la enfermedá
	le están errando la cura.

[24] Redepente: De repente.

[25] Reculativa: Adversa.

[26] Sogaso (sogazo): Golpe con una tira de cuero crudo o *soga;* también, cualquier trastorno o pérdida.

[27] "Sin ... saliva": Dejarle arruinado o pelado.

[28] Teros: Aves con espolones en sus alas que se conocen como grandes defensoras de sus crías; habitan las orillas pantanosas de arroyos y lagunas y cuando se aproxima un adversario, suelen dar gritos desesperados lejos del nido para engañar.

[29] Coyontura (coyuntura): Articulación de huesos entre sí. En este caso se emplea en el sentido de "no poder dar con el lugar donde radica la dificultad".

But if things go on
2120   the way they're going up to now,
it could be that suddenly we'll find
the country turned to a desert,
and see nothing but the whitening bones
of the people who have died.

2125   For a long time now we've borne
our fortunes running backwards.
A gaucho works and gets nowhere—
because the best that happens is
that they whip you out of the place
2130   without leaving you time to spit.

Folk in the town talk a lot about
the wrongs that we endure,
but they're acting like the *teros*[3] do
when they want to hide their nests—
2135   they make a noise in one place
and they've got the eggs somewhere else.

And they pretend it's impossible
to find a way out of the mess,
and meanwhile the authorities
2140   treat the gauchos cruel. . . .
The way they're doing things,
the cure gets nowhere near the disease.

---

[3] *Teros:* Marsh birds with spur-tipped wings known for courageous defense of their young. They produced loud cries at some distance from their nests in order to deceive intruders.

xiii

Ya veo que somos los dos
astilla del mesmo palo:[1]
2145   yo paso por gaucho malo
y usté anda del mesmo modo,
y yo, pa acabarlo todo,
a los indios me refalo.[2]

Pido perdón a mi Dios,
2150   que tantos bienes me hizo;
pero dende que es preciso
que viva entre los infieles,
yo seré cruel con los crueles:
ansí mi suerte lo quiso.

2155   Dios formó lindas las flores,
delicadas como son,
les dió toda perfeción
y cuanto él era capaz,
pero al hombre le dió más
2160   cuando le dió el corazón.

Le dió claridá a la luz,
juerza en su carrera al viento,
le dió vida y movimiento
dende la águila al gusano,
2165   pero más le dió al cristiano[3]
al darle el entendimiento.

---

[1] "Astilla . . . palo": Somos iguales. Procede del refrán "De tal palo tal astilla". El lector notará aquí que Martín Fierro responde a Cruz.

[2] "Me refalo (resbalo)": Marcharse sigilosamente.

[3] Cristiano: No se trata de una referencia religiosa, sino al hombre en general. "Cristiano" se emplea principalmente para conservar la rima.

Martín Fierro[1]

xiii

I can see we're both of us
chips off the same block.
2145   I'm known as an outlaw
and you're in the same situation—
And as for me, to make an end of it all
I'm off to the Indians.

I ask my God to forgive me
2150   as he's been so good to me,
but since it has to be
that I go and live with heathens,
I'll be cruel where others are cruel—
that's how my fate has willed it.

2155   God created the flowers, as pretty
and delicate as they are,
he made them perfect in every way
as much as he knew how—
but he gave something more to man
2160   when he gave him a heart.

He gave light its clearness
and strength to the wind in its course,
he gave out life and motion
from the eagle to the worm—
2165   but he gave more to Christian[2] men
when he gave them intelligence.

[1] Martín Fierro now answers Cruz.
[2] Christians. (Cf. x, note 4.)

Y aunque a las aves les dió,
con otras cosas que inoro,
esos piquitos como oro[4]
2170   y un plumaje como tabla,[5]
le dió al hombre más tesoro
al darle una lengua que habla.

Y dende que dió a las fieras
esa juria tan inmensa,
2175   que no hay poder que las vensa
ni nada que las asombre
¿qué menos le daría al hombre
que el valor pa su defensa?

Pero tantos bienes juntos
2180   al darle, malicio[6] yo
que en sus adentros pensó
que el hombre los precisaba,
que los bienes igualaban
con las penas que le dió.

2185   Y yo empujao por las mías[7]
quiero salir de este infierno;
ya no soy pichón muy tierno
y sé manejar la lanza
y hasta los indios no alcanza
2190   la facultá del gobierno.[8]

Yo sé que allá los caciques
amparan a los cristianos,[9]
y que los tratan de "hermanos"
cuando se van por su gusto.
2195   ¿A qué andar pasando sustos?
Alcemos el poncho[10] y vamos.

---

[4] "Piquitos como oro": Procede de "pico de oro", un hombre elocuente. Aquí se refiere al canto hermoso de las aves.

[5] Tabla: En este caso se refiere a algo uniformemente hermoso.

[6] Malicio: Sospecho.

[7] Las mías: "Mis penas".

[8] La jurisdicción del gobierno no llegaba hasta los indios.

[9] Cristianos: Se emplea desde el punto de vista del indio (Véase iii, nota 69).

[10] Alzar el poncho: Se refiere al acto de abandonar un lugar; también, rebelarse contra la autoridad.

And even though he gave the birds
(besides other things I don't know of)
their little golden beaks[3]

2170   and feathers bright as paint—
he gave a greater treasure to man
when he gave him a speaking tongue.

And since he gave to the wild beasts
such great fierce strength

2175   that no power can overcome them
and nothing can frighten them—
what less could he give to man
than courage to defend himself?

But I suspect that when he gave him

2180   so many good things at once,
he was thinking to himself
that man was going to need them—
because he balanced the good things
with the sorrows he gave him.

2185   And it's forced by my sorrows
that I want to leave this hell.
I'm no longer a young fledgling,
and I know how to handle a spear—
and the powers of the Government

2190   don't reach to the Indians.

I know that the chiefs over there
will give shelter to Christians
and they treat them as "brothers"
when they go of their own accord. . . .

2195   Why keep on going through these alarms?
Let's clear out of here and go.

---

[3] "Golden beaks": Used in reference to the birds' capacity for beautiful song.
The expression stems from a Spanish idiom: *pico de oro* (silver-tongued orator).

En la cruzada hay peligros
pero ni aun esto me aterra;
yo ruedo sobre la tierra
2200 arrastrao por mi destino
y si erramos el camino ...
no es el primero que lo erra.

Si hemos de salvar o no
de esto naides nos responde.
2205 Derecho ande el sol se esconde
tierra adentro hay que tirar;
algún día hemos de llegar ...
después sabremos adónde.

No hemos de perder el rumbo,
2210 los dos somos güena yunta;[11]
el que es gaucho va ande apunta,[12]
aunque inore ande se encuentra;
pa el lao en que el sol se dentra
dueblan los pastos la punta.

2215 De hambre no pereceremos,
pues según otros me han dicho
en los campos se hallan bichos
de lo que uno necesita ...
gamas, matacos, mulitas,
2220 avestruces y quirquinchos.[13]

Cuando se anda en el disierto
se come uno hasta las colas;
lo han cruzao mujeres solas
llegando al fin con salú,
2225 y ha de ser gaucho el ñandú[14]
que se escape de mis bolas.

[11] Yunta: Pareja.

[12] "El ... apunta": El gaucho llega al lugar que se ha propuesto, sin perderse. Se vale de detalles que escapan a la vista del inexperto. (Nótense versos 2213–14.)

[13] Quirquinchos: Armadillo peludo.

[14] "Y ... el ñandú": El ñandú (avestruz) goza fama de ser "el más gaucho de los pájaros", por la manera astuta de defenderse. Tiene la capacidad de detenerse rápidamente y tomar dirección contraria; hace giros y vueltas con rapidez y corre a gran velocidad.

There are dangers in the crossing
but even this doesn't scare me;
I go roaming over the land
2200   dragged along by my destiny—
and if we lose the way, well . . .
we won't be the first to lose it.

No one can answer for us
whether we'll survive or not.
2205   We have to strike straight inland
towards where the sun goes down—
one day we'll get there, we'll
find out where afterwards.

We won't get off our course,
2210   we're a good team, the two of us:
a gaucho goes where he aims for,
even though he can't tell where he is—
the grass-blades turn their points
towards the setting sun.[4]

2215   We won't die of hunger,
because according to what I've been told
in the wild lands there are animals
of the kinds you need—
wild does, all breeds of
2220   armadillos and ostriches.

When you're travelling in the desert
you eat everything, even the tails—
women have crossed it on their own
and arrived safe the other side—
2225   and an ostrich'll[5] be a real gaucho
if it escapes the bolas I throw.

[4] The gaucho permitted no details to escape his attention when traveling in the open plains.

[5] The ostrich has the reputation of being the "most gaucho among the birds," because of its cunning. It can come to a sudden stop and take off in the opposite direction; it can circle and turn rapidly and is a swift runner.

Tampoco a la sé[15] le temo,
yo la aguanto muy contento,
busco agua olfatiando al viento,
2230   y dende que no soy manco
ande hay duraznillo blanco
cabo[16] y la saco al momento.

Allá habrá siguridá
ya que aquí no la tenemos,
2235   menos males pasaremos
y ha de haber grande alegría
el día que nos descolguemos
en alguna toldería.[17]

Fabricaremos un toldo,
2240   como lo hacen tantos otros,
con unos cueros de potro,
que sea sala y sea cocina.
¡Tal vez no falte una china
que se apiade de nosotros!

2245   Allá no hay que trabajar,
vive uno como un señor;
de cuando en cuando un malón,[18]
y si de él sale con vida
lo pasa echao panza arriba
2250   mirando dar güelta el sol.[19]

Y ya que a juerza de golpes
la suerte nos dejó aflús,[20]
puede que allá véamos luz
y se acaben nuestras penas.
2255   Todas las tierras son güenas:
vámosnós, amigo Cruz.

---

[15] Sé: Sed.
[16] Cabo: Cavo.
[17] Toldería: Agrupación de toldos donde vivían los indios.
[18] Malón: Véase iii, nota 56.
[19] El indio dejaba todos los quehaceres a la mujer, tanto los domésticos como los del campo; ella sembraba, cuidaba el ganado, carneaba y domaba potros. (Una vez más nos remitimos a Castro, p. 420.)
[20] Aflús (a flux): Desamparados, sin dinero y sin cosa alguna.

I'm not afraid of thirst, either,
I can bear it quite cheerfully—
I can find water sniffing the wind,
2230 and while I'm still sound of limb
I can dig and reach it right away
anywhere there's a white-peach tree.

We'll find safety over there
since we can't have it here—
2235 we'll have less troubles to bear,
and there'll be a happy time to come
the day we light upon
one of the Indians' camps.

We'll fashion ourselves a tent
2240 out of a few horse-hides
as so many others do—
it'll be our kitchen and living-room—
maybe there'll be an Indian girl
who'll come and be kind to us.

2245 Over there, there's no need to work,
you live like a lord—
going on a raid from time to time,
and if you get out alive from that
you live lying belly-up[6]
2250 watching the sun go round.

And now that Fate has beaten us
and left us high and dry,
maybe we'll see light, over there,
and our sorrows will come to an end. . . .
2255 Any land will do for us—
let's go, Cruz, my friend.

---

[6] The Indians left all domestic and field chores to the women; the latter would cook, sow and harvest crops, butcher livestock, and even tame colts.

El que maneja las bolas,
el que sabe echar un pial,[21]
o sentarse en un bagual[22]
2260 sin miedo de que lo baje,
entre los mesmos salvajes
no puede pasarlo mal.

El amor como la guerra
lo hace el criollo con canciones;
2265 a más de eso, en los malones
podemos aviarnos de algo;
en fin, amigo, yo salgo
de estas pelegrinaciones.

En[23] este punto el cantor
2270 buscó un porrón pa consuelo,
echó un trago como un cielo,
dando fin a su argumento,
y de un golpe al istrumento
lo hizo astillas contra el suelo.

2275 "Ruempo,[24] —dijo—, la guitarra,
pa no volverla a templar
ninguno la ha de tocar,
por siguro ténganló;
pues naides ha de cantar
2280 cuando este gaucho cantó".

Y daré fin a mis coplas
con aire de relación;[25]
nunca falta un preguntón
más curioso que mujer,
2285 · y tal vez quiera saber
cómo fué la conclusión.

---

[21] Pial: Un tiro de lazo dirigido a las patas del animal para voltearlo en la carrera.

[22] Bagual: En este caso, potro.

[23] "Desde aquí hasta el final de esta primera parte del poema habla el autor". (Nota del autor.)

[24] "Ruempo": "Rompo".

[25] Relación: Se trata del intercambio de coplas realizado entre las parejas en ciertos bailes gauchescos. (Véase *gato de relación,* xi, nota 11).

If you can handle the bolas
and know how to throw a lasso,
and sit an unbroken colt
2260   with no fear he'll get you off—
even among savages
you won't have too bad a time.

A *criollo* can make love
by singing, as he does war;
2265   besides, we might pick up something
for ourselves, in one of the raids. . . .
Anyhow, friend, I've had enough
of this life of wandering.

At[7] this point, the singer
2270   reached for a bottle to comfort him.
He took a drink deep as the sky
and brought his story to an end—
and with one blow, he smashed his guitar
into splinters on the floor.

2275   "I've broken it," he said,
"so that it never tempts me again.
No one else will play on it
you can be sure of that—
because no one else is going to sing
2280   once this gaucho here has sung."

And I'll finish off my poem
by taking up the story. . . .
There'll always be someone who's curious
and inquisitive like a woman,
2285   and maybe he'd like to know
what happened in the end.

---

7 "From here to the end of the first part of the poem the author speaks." (Author's note.)

Cruz y Fierro, de una estancia
una tropilla se arriaron;[26]
por delante se la echaron
2290   como criollos entendidos
y pronto, sin ser sentidos,
por la frontera cruzaron.

Y cuando la habían pasao,
una madrugada clara
2295   le dijo Cruz que mirara
las últimas poblaciones;[27]
y a Fierro dos lagrimones
le rodaron por la cara.

Y siguiendo el fiel del rumbo[28]
2300   se entraron en el desierto.
No sé si los habrán muerto
en alguna correría,
pero espero que algún día
sabré de ellos algo cierto.

2305   Y ya con estas noticias
mi relación acabé;
por ser ciertas las conté,
todas las desgracias dichas:
es un telar de desdichas
2310   cada gaucho que usté ve.

Pero ponga su esperanza
en el Dios que lo formó;
y aquí me despido yo,
que referí ansí a mi modo
2315   MALES QUE CONOCEN TODOS
PERO QUE NAIDES CONTÓ.

---

[26] Arriaron (arrearon): El acto de conducir una tropa de ganado.

[27] "Últimas poblaciones": La manera de indicar donde termina la civilización y empieza la barbarie.

[28] "Fiel del rumbo": No apartarse de la orientación establecida previamente.

                    Cruz and Fierro rounded up
                    a string of horses from a ranch;
                    they drove them in front of them
2290   as wise *criollos* know how,
                    and soon, without being noticed,
                    they crossed over the frontier.

                    And after they had passed it
                    one clear early morning,
2295   Cruz told him to look back
                    at the last of the settlements—[8]
                    and two big tears went rolling
                    down Martín Fierro's face.

                    And following the true course
2300   they entered into the desert. . . .
                    I don't know whether they were killed
                    in one of the Indian raids—
                    but I hope, some day,
                    I'll hear certain news of them.

2305   And now with this report
                    I've come to the end of my story.
                    All the sad things you've heard about
                    I've told because they are true—
                    the life of every gaucho you see . .
2310   is woven thick with misfortunes.

                    But he must fix his hope
                    in the God who created him. . . .
                    And with that I'll take my leave—
                    I've related in my own way
2315   EVILS THAT EVERYONE KNOWS ABOUT
                    BUT NO ONE TOLD BEFORE.

---

[8] "Last . . . settlements": A way of expressing where civilization ends and law-lessness begins.

LA VUELTA DE MARTÍN FIERRO

THE RETURN OF MARTÍN FIERRO

LA VUELTA DE MARTÍN FIERRO[1]

i

1   Atención pido al silencio
    y silencio a la atención,
    que voy en esta ocasión,
    si me ayuda la memoria,
5   a mostrarles que a mi historia
    le faltaba lo mejor.

    Viene uno como dormido
    cuando vuelve del desierto;
    veré si a esplicarme acierto
10   entre gente tan bizarra,
    y si al sentir la guitarra
    de mi sueño me dispierto.

    Siento que mi pecho tiembla,
    que se turba mi razón,
15   y de la vigüela[2] al son
    imploro a la alma de un sabio,
    que venga a mover mi labio
    y alentar mi corazón.

    Si no llego a treinta y una,[3]
20   de fijo en treinta me planto,[4]
    y esta confianza adelanto
    porque recebí en mí mismo,
    con el agua del bautismo
    la facultá para el canto.

---

[1] Empieza a hablar Martín Fierro.

[2] Vigüela: Véase I, i, nota 3.

[3] "Treinta y una": Juego de naipes en que el que se aproxime más a los treinta y un puntos gana. Pasarse de los 31 puntos es perder.

[4] "De fijo": no hay duda que . . .
"me planto": me detengo.

THE RETURN OF MARTÍN FIERRO

i

1   Listen to me—you who are silent,
        and if you're listening—silence please,
        as what I'm going to do this time
        if my memory helps me out
5   is show you that my story
        was missing its best part.

        When you come out from the desert
        you're in a kind of dream:
        I'll see if I manage to make sense
10   in such grand company,
        and if I can wake out of my sleep
        at the sound of the guitar.

        I can feel a trembling in my breast
        and my mind growing confused,
15   and, as I'm playing now,
        I pray for some wise spirit
        to come and move my lips
        and breathe courage into my heart.

        If I don't reach thirty-one,[1]
20   I'll reach thirty for certain:
        and I can show this confidence
        because the gift of song
        was received in me at the same time
        as the water of my baptism.

[1] Thirty-one: A card game in which the player who comes closest to thirty-one points wins. Similar to blackjack or twenty-one.

25   Tanto el pobre como el rico
           la razón me la han de dar;
           y si llegan a escuchar
           lo que esplicaré a mi modo,
           digo que no han de réir todos,
30   algunos han de llorar.

           Mucho tiene que contar
           el que tuvo que sufrir,
           y empezaré por pedir
           no duden de cuanto digo,
35   pues debe crerse al testigo
           si no pagan por mentir.

           Gracias le doy a la Virgen
           gracias le doy al Señor,
           porque entre tanto rigor,
40   y habiendo perdido tanto,
           no perdí mi amor al canto
           ni mi voz como cantor.

           Que cante todo viviente
            otorgó el Eterno Padre;
45   cante todo el que le cuadre
           como lo hacemos los dos,[5]
           pues sólo no tiene voz
           el ser que no tiene sangre.

           Canta el pueblero[6] ... y es pueta;
50   canta el gaucho ... y ¡ay Jesús!
           lo miran como avestruz,[7]
           su inorancia los asombra;
           mas siempre sirven las sombras
           para distinguir la luz.

[5] Fierro está cantando, como el payador, en contrapunto, es decir, en competencia con otro payador.

[6] Pueblero: Hombre de la ciudad.

[7] Lo toman por tonto y lo ven como bicho raro. Otra interpretación: la gente que ve al gaucho estira el pescuezo como el avestruz.

25   Poor men as well as rich
      will grant I'm in the right;
      and if they get to listen
      to what I'm saying in my own way,
      I tell you they won't all be laughing—
30   some of them will cry.

      A man who has had to suffer
      has a lot to tell,
      and I'll begin by asking you
      not to doubt whatever I say—
35   because a witness should be believed
      if he's not paid to lie.

      I give thanks to the Virgin
      and I give thanks to the Lord
      that through so many hardships
40   and having lost so much
      I did not lose my love of singing
      nor the voice with which I sing.

      The Eternal Father granted
      that all who live should sing.
45   Let everyone sing who has it in him,
      as we're doing now—²
      the only creatures with no voice
      are the ones that have no blood.

      A city man sings . . . and he's a poet!
50   a gaucho sings . . . and good Lord!
      They stare at him as if he were an ostrich—³
      his ignorance amazes them. . . .
      But shadows are always useful
      to show how much light there is.

---

² "As we're doing now . . .": Martín Fierro is singing, as the *payador*, in counter-point, that is, in competition with another singer.

³ Ostrich: they look upon the gaucho as no more than just a rare bird. The word for ostrich also meant dumb, stupid, in gaucho vocabulary.

55   El campo es del inorante;
              el pueblo del hombre estruido;
              yo que en el campo he nacido,
              digo que mis cantos son
              para los unos ... sonidos,
60   y para otros ... intención.[8]

              Yo he conocido cantores
              que era un gusto el escuchar,
              mas no quieren opinar
              y se divierten cantando;
65   pero yo canto opinando,
              que es mi modo de cantar.

              El que va por esta senda
              cuanto sabe desembucha,[9]
              y aunque mi cencia no es mucha,
70   esto en mi favor previene;
              yo sé el corazón que tiene
              el que con gusto me escucha.

              Lo que pinta este pincel
              ni el tiempo lo ha de borrar;
75   ninguno se ha de animar
              a corregirme la plana;[10]
              no pinta quien tiene gana
              sinó quien sabe pintar.

              Y no piensen los oyentes
80   que del saber hago alarde;
              he conocido, aunque tarde,
              sin haberme arrepentido,
              que es pecado cometido
              el decir ciertas verdades.

---

[8] Algunos oyen lo que se canta pero no entienden; otros sabrán interpretar las palabras del cantor.

[9] Desembuchar: Soltar uno lo que sabe, divulgar lo que se callaba.

[10] Corregir la plana: Corregir lo que otro hace.

55 The country's for the ignorant
and the town for the educated;
I was born out on the plain
and, I tell you, my songs are
for some people—just sounds,
60 and for other people—sense.[4]

I have known singers
it was a pleasure to listen to;
they amuse themselves singing
and don't care to give opinions;
65 but I sing giving opinions
and that's my kind of song.

Whoever goes by that path
has to give all he knows—[5]
and though what I know is not much
70 there's this in my favor:
I know what kind of heart the man has
who listens to me with pleasure.

Even time will not erase
what's painted by this brush:
75 no one will take it on himself
to correct the design I make—
not everyone paints who feels like it
but one who knows how to paint.

And don't think, you who hear me,
80 that I'm boasting of my wisdom:
I've learned—though late in life,
and without repenting of it—
that to tell certain kinds of truth
is committing a kind of sin.

---

[4] Some will hear nothing but sounds, while others will understand fully the meaning of the songs.

[5] "To give . . .": the Spanish text reads *desembucha* which literally means "disgorge."

85   Pero voy en mi camino
        y nada me ladiará,[11]
        he de decir la verdá,
        de naides soy adulón;
        aquí no hay imitación
90   ésta es pura realidá.[12]

        Y el que me quiera enmendar
        mucho tiene que saber;
        tiene mucho que aprender
        el que me sepa escuchar;
95   tiene mucho que rumiar
        el que me quiera entender.

        Más que yo y cuantos me oigan,
        más que las cosas que tratan,
        más que lo que ellos relatan,
100   mis cantos han de durar:
        mucho ha habido que mascar
        para echar esta bravata.[13]

        Brotan quejas de mi pecho,
        brota un lamento sentido;
105   y es tanto lo que he sufrido
        y males de tal tamaño,
        que reto a todos los años
        a que traigan el olvido.

        Ya verán si me dispierto
110   cómo se compone el baile;[14]
        y no se sorprenda naides
        si mayor fuego me anima;
        porque quiero alzar la prima[15]
        como pa tocar al aire.[16]

---

[11] Nada me ladiará" (ladeará): Nada me hará cambiar de camino o de intención.
[12] Canto la pura verdad.
[13] Bravata: Amenaza arrogante.
[14] "Cómo se compone el baile": Cómo se arregla o se mejora el asunto.
[15] "Alzar la prima": Afinar una guitarra subiéndole el tono a la primera cuerda.
[16] "Tocar al aire": Después de "alzar la prima", tocarla sin apertar la cuerda contra los trastes de la guitarra.

85   But I go on along my road
            and nothing sidetracks me:[6]
            I'm going to tell the truth—
            I'm no one's flatterer—
            there's nothing imitated here,
90   this is pure reality.[7]

            And anyone who wants to correct me
            will have to know a lot:
            he's going to learn a lot
            if he knows how to listen to me:
95   he'll have a lot to think over
            if he wants to understand me.

            Longer than I and all who hear me,
            longer than the things they describe,
            longer than the story they tell,
100   my verses will endure . . . .
            There's been a lot chewed over
            to put this challenge out.

            Sad complaints spring from my heart,
            a sore lament springs there;
105   and I have suffered so greatly
            and been so deeply wronged
            that I defy each year to come
            to bring forgetfulness.

            You'll see now if I wake up
110   how things will straighten out;[8]
            and nobody need be surprised
            if I'm lit by a stronger fire,
            because I want to tune the top string so tight[9]
            that I am playing it on air.[10]

[6] Martín Fierro is determined to tell everything he feels he must.

[7] What I am singing is truth itself.

[8] The Spanish text literally: "how the dance will get better."

[9] "Tune . . . tight": In Spanish, *alzar la prima:* to tune the first or top string up one or more tones.

[10] "To play on air": after tuning up the top string, the guitar is played without pressing the string down on the frets.

115   Y con la cuerda tirante,
dende que ese tono elija,
yo no he de aflojar manija[17]
mientras que la voz no pierda,
si no se corta la cuerda
120   o no cede la clavija.

        Aunque rompí el estrumento
por no volverme a tentar,
tengo tanto que contar
y cosas de tal calibre,
125   que Dios quiera que se libre
el que me enseñó a templar.

        De naides sigo el ejemplo,
naide a dirigirme viene,
yo digo cuanto conviene
130   y el que en tal güeya[18] se planta,
debe cantar, cuando canta,
con toda la voz que tiene.[19]

        He visto rodar la bola
y no se quiere parar;
135   al fin de tanto rodar
me he decidido a venir
a ver si puedo vivir
y me dejan trabajar.

        Sé dirigir la mansera[20]
140   y también echar un pial;[21]
sé correr en un rodeo,
trabajar en un corral;[22]
me sé sentar en un pértigo[23]
lo mesmo que en un bagual.[24]

---

[17] "Aflojar manija": Rendirse.

[18] Güeya: Huella.

[19] "Con ... tiene": Cantar haciendo lo posible por decir toda la verdad.

[20] "Dirigir la mansera": Manejar el arado.

[21] Pial: Tiro de lazo.

[22] Sabe hacer su trabajo a caballo (correr en un rodeo) y también a pie (en un corral).

[23] Véase I, x, nota 31.

[24] Véase I, ii, nota 9.

115   And with the strings at their highest pitch,
           since that's the key I choose,
           my hand won't slacken[11]
           so long as my voice does not fail,
           unless the string breaks
120   or the peg cracks from the strain.

           Although I broke my guitar before[12]
           so it wouldn't tempt me again,
           I have so much to tell of
           and things of such importance
125   that God have mercy on the man
           who taught me to tune the strings.

           I follow no one's example,
           no one's showing me the way.
           I say what needs to be said—
130   and anyone who's set on that track
           when he's singing, ought to sing
           with all the voice he's got.[13]

           I've watched the ball go rolling
           and there's no stopping it;
135   and after all my rolling around
           I've made up my mind to come here
           to see if I can make a living
           and if they'll let me work.

           I can guide a ploughshaft
140   and use a lasso as well;
           I can ride in a round-up
           and work in a corral;[14]
           I can keep my seat on a wagon-shaft
           easy as on a bucking colt.

[11] The Spanish suggests: "I won't give up the struggle."
[12] "Broke my guitar": In Part I, 2275, Martín Fierro says he is breaking his guitar.
[13] Martín Fierro means the singer must not hold back anything.
[14] He can perform his chores both on horseback (in a round-up) and on foot (in a corral).

145   Y empriéstenmé[25] su atención
    si ansí me quieren honrar,
    de no,[26] tendré que callar,
    pues el pájaro cantor
    jamás se pára a cantar,
150   en árbol que no da flor.

    Hay trapitos que golpiar,[27]
    y de aquí no me levanto.
    Escúchenmé cuando canto
    si quieren que desembuche:
155   tengo que decirles tanto
    que les mando que me escuchen.

    Déjenmé tomar un trago,
    estas son otras cuarenta:[28]
    mi garganta está sedienta,
160   y de esto no me abochorno,
    pues el viejo, como el horno,
    por la boca se calienta.[29]

      ii

    Triste suena mi guitarra
    y el asunto lo requiere;
165   ninguno alegrías espere
    sinó sentidos lamentos,
    de aquel que en duros tormentos
    nace, crece, vive y muere.

[25] Empriéstenmé: Préstenme.

[26] "De no": Si no.

[27] "Hay trapitos que golpiar": Hay ropa sucia que lavar, es decir, hay males que denunciar.

[28] "Éstas son otras cuarenta": Éste es otro asunto.

[29] El refrán español: El viejo y el horno por la boca se calientan: el uno con vino y el otro con leña.

145	So let me have your attention
	if you'll do me that honor.
	If not, I'll keep my mouth shut—
	because a singing bird
	will never settle himself to sing
150	on a tree that bears no flowers.
	There's some dirty linen here to be washed[15]
	and I won't get up till it's done.
	Listen to me as I'm singing
	if you want me to give what I know. . . .
155	There's so much I have to say to you,
	I command you to listen to me.
	Now let me have a drink—
	for this is another matter.[16]
	My throat's getting dry
160	and I'm not holding back—
	because an old man's like an oven,
	he warms himself through the mouth.[17]

ii

	Sad notes come from my guitar
	but the subject warrants it:
165	there's no use looking for cheerfulness
	but only sore lamenting
	from a man who's born and lives and dies
	in the midst of cruel afflictions.

[15] There are social ills which must be denounced.

[16] The Spanish text: "these are another forty." The Spanish expression comes from the card game *tute*.

[17] The Spanish saying is: "An old man and an oven warm up through their mouths: one with wine and the other with wood."

Es triste dejar sus pagos[1]
170 y largarse a tierra agena
llevándosé la alma llena
de tormentos y dolores,
mas nos llevan los rigores
como el pampero[2] a la arena.

175 ¡Irse a cruzar el desierto
lo mesmo que un forajido,
dejando aquí en el olvido,
como dejamos nosotros,
su mujer en brazos de otro
180 y sus hijitos perdidos!

¡Cuántas veces al cruzar
en esa inmensa llanura,
al verse en tal desventura
y tan lejos de los suyos,
185 se tira uno entre los yuyos[3]
a llorar con amargura!

En la orilla de un arroyo
solitario lo pasaba;
en mil cosas cavilaba
190 y, a una güelta[4] repentina,
se me hacía ver a mi china
o escuchar que me llamaba.

Y las aguas serenitas
bebe el pingo,[5] trago a trago,
195 mientras sin ningún halago
pasa uno hasta sin comer
por pensar en su mujer,
en sus hijos y en su pago.

---

[1] Pago: La región donde uno nació o vive.
[2] Pampero: El viento de la Pampa, que corre del sudoeste al nordeste.
[3] Yuyos: Maleza.
[4] Güelta: Vuelta.
[5] Pingo: Caballo brioso y corredor.

It's a sad thing to leave your home
170   and launch out to a strange land
taking with you your heart filled
with misery and pain. . . .
But we're borne along by misfortunes
as the pampa wind[1] blows the sand.

175   Setting out to cross the desert
as if you were a criminal,[2]
and leaving behind you here
forsaken—as we did then—
your wife in someone else's arms
180   and your young children gone.

How many times during the crossing
of that vast plain—
remembering your unhappy state
so far from those you love—
185   you lie down among the desert weeds
and give way to bitter tears.

I'd be standing, lonely,
on the bank of a stream
brooding over a thousand things—
190   and as I turned, suddenly
I'd think that I saw my girl
or hear her calling me.

And the horse is drinking
the smooth water, sip by sip,
195   while with no comfort anywhere
you even forget to eat
for thinking of your wife
and your children and your home.

---

[1] "Pampa wind": *Pampero:* a strong cold wind from the south-east.
[2] "As if you were a criminal": fugitives from justice often went over to the Indians.

200   Recordarán que con Cruz
para el desierto tiramos;[6]
en la pampa nos entramos,
cayendo por fin del viaje
a unos toldos de salvajes,
los primeros que encontramos.

205   La desgracia nos seguía,
llegamos en mal momento:
estaban en parlamento[7]
tratando de una invasión,
y el indio en tal ocasión
210 recela hasta de su aliento.

        Se armó un tremendo alboroto
cuando nos vieron llegar;
no podíamos aplacar
tan peligroso hervidero;
215 nos tomaron por bomberos[8]
y nos quisieron lanciar.

        Nos quitaron los caballos
a los muy pocos minutos;
estaban irresolutos,
220 quién sabe qué pretendían;
por los ojos nos metían
las lanzas aquellos brutos.

        Y déle en su lengüeteo[9]
hacer gestos y cabriolas;
225 uno desató las bolas
y se nos vino en seguida:
ya no créiamos con vida
salvar ni por carambola.[10]

[6] Tiramos: Nos dirigimos.
[7] Parlamento: Junta de caciques.
[8] Bombero: Espía.
[9] Lengüeteo: Algarabía.
[10] Carambola: Casualidad.

You'll recall that Cruz and I
200   cast out into the desert.
We entered the pampa land
and turned up at the end of the trail
at a camp of the Indians—
the first we'd come across.

205   Bad luck was haunting us,
we arrived at an unlucky time.
They were holding a council
making plans for a raid—
and at times like those, the Indians
210   don't even trust their own breath.

A tremendous uproar started
when they saw us coming:
we weren't able to pacify
a dangerous swarm like that—
215   they took us for spies[3]
and they'd have run us through with their spears.

They took away our horses
in next to no time;
then they weren't sure what to do—
220   Lord knows what they had in mind—
the brutes were thrusting their lances
a hair's breadth from our eyes.

And they were jabbering away
waving their arms and dancing about:
225   one of them loosed his bolas
and made straight for us. . . .
We never thought we'd escape alive—
not even by a lucky fluke.

[3] For obvious reasons, the Indians were suspicious of all white men.

                    Allá no hay misericordia
230   ni esperanza que tener;
                    el indio es de parecer
                    que siempre matarse debe,
                    pues la sangre que no bebe[11]
                    le gusta verla correr.

235   Cruz se dispuso a morir
                    peliando y me convidó;
                    aguantemos, dije yo,
                    el fuego hasta que nos queme:
                    menos los peligros teme
240   quien más veces los venció.

                    Se debe ser más prudente
                    cuanto el peligro es mayor;
                    siempre se salva mejor
                    andando con alvertencia,[12]
245   porque no está la prudencia
                    reñida con el valor.

                    Vino al fin el lenguaraz[13]
                    como á tráirnos el perdón;
                    nos dijo: "La salvación
250   "se la deben a un cacique,
                    "me manda que les esplique
                    "que se trata de un malón.[14]

                    "Les ha dicho a los demás
                    "que ustedes queden cautivos
255   "por si cain algunos vivos
                    "en poder de los cristianos,
                    "rescatar a sus hermanos
                    "con estos dos fugitivos".

[11] "La degollación de la res engendraba el antiguo movimiento de precipitarse a beber la sangre, que, en el nómade carecido, es una forma de economía." Leopoldo Lugones, "El payador," en *Obras En Prosa* (Madrid, 1962), pp. 1116–1117.

[12] Alvertencia (advertencia): Precaución.

[13] Lenguaraz: Intérprete.

[14] Malón: Ataque inesperado de indios.

<pre>
        Out there, there's no mercy
230   nor any kind of hope:
        the Indian's opinion is
        that it's always right to kill—
        since whatever blood he doesn't drink[4]
        he likes to watch run out.

235   Cruz was for fighting to the death
        and asked me to join with him.
        But I said, "Let's hold out until
        the fire's near enough to burn. . . ."
        You've less to fear from danger
240   the more of it you've known.

        The greater a danger is
        the more cautious you need to be:
        you've more chance of surviving, always,
        by treading carefully—
245   because caution and courage
        have no call to disagree.

        At last the interpreter came up
        seeming to bring us a reprieve.
        He told us, "Your lives are spared
250   by order of one of our chiefs.
        He sends me to tell you the reason is
        that we have a raid on hand.

        "He has told the others
        that you remain as hostages:
255   so in case any of them fall alive
        into the Christians' hands
        they'll ransom their brothers
        with these two fugitives."
</pre>

[4] Indians are supposed to have drunk the blood of slaughtered cattle.

260　　　　　Volvieron al parlamento
　　　　　　a tratar de sus alianzas,
　　　　　　o tal vez de las matanzas;
　　　　　　y conforme les detallo,
　　　　　　hicieron cerco a caballo
　　　　　　recostándosé en las lanzas.

265　　　　　Dentra al centro un indio viejo
　　　　　　y allí a lengüetiar se larga;
　　　　　　quién sabe qué les encarga;
　　　　　　pero toda la riunión
　　　　　　lo escuchó con atención
270　　　　　lo menos tres horas largas.

　　　　　　Pegó al fin tres alaridos,
　　　　　　y ya principia otra danza;
　　　　　　para mostrar su pujanza
　　　　　　y dar pruebas de jinete
275　　　　　dió riendas rayando el flete[15]
　　　　　　y revoliando la lanza.

　　　　　　Recorre luego la fila,
　　　　　　frente a cada indio se pára,
　　　　　　lo amenaza cara a cara,
280　　　　　y en su juria aquel maldito
　　　　　　acompaña con su grito
　　　　　　el cimbrar de la tacuara.[16]

　　　　　　Se vuelve aquello un incendio
　　　　　　más feo que la mesma guerra;
285　　　　　entre una nube de tierra
　　　　　　se hizo allí una mescolanza,
　　　　　　de potros, indios y lanzas,
　　　　　　con alaridos que aterran.

[15] Rayar el flete: Hacer que el caballo pare de golpe.
[16] "Cimbrar de la tacuara": Sacudir la lanza con movimiento vibratorio.

260	They went back to the council
	to discuss their alliances
	or their massacres, maybe—
	and it happened as I'll describe.
	They formed a circle on horseback
	leaning on their spears.
265	An old Indian goes to the center
	and starts jabbering in there.
	Lord knows what he's telling them to do—
	but the whole gathering
	listened to him closely
270	for no less than three long hours.
	Finally he howled three times
	and another dance starts up,
	showing off his strength and skill,
	giving proofs of horsemanship,
275	racing his horse to a skidding halt,[5]
	and whirling his spear round and round.
	Then he goes down the line of Indians
	stopping before each one,
	shouting threats into his face—
280	and raving, the old fiend
	gives a whoop each time as he brandishes
	the cane-shaft of his spear.[6]
	The whole place bursts into an uproar
	uglier than war itself . . . .
285	In the thick of a cloud of dust
	it turned into a confusion
	of horses and Indians and spears
	and terrifying howls.

[5] "To a skidding halt": literally, "making skid-tracks" (*rayando*).

[6] The *tacuara* actually is the caneshaft of the lance, but in this case the entire lance is meant.

Parece un baile de fieras,
290 sigún yo me lo imagino:
era inmenso el remolino,
las voces aterradoras,
hasta que al fin de dos horas
se aplacó aquel torbellino.

295 De noche formaban cerco
y en el centro nos ponían;
para mostrar que querían
quitarnos toda esperanza,
ocho o diez filas de lanzas
300 al rededor nos hacían.

Allí estaban vigilantes
cuidándonós a porfía;
cuando roncar parecían
"Huincá"[17] gritaba cualquiera,
305 y toda la fila entera
"Huincá" "Huincá" repetía.

Pero el indio es dormilón
y tiene un sueño projundo;
es roncador sin segundo
310 y en tal confianza es su vida,
que ronca a pata tendida[18]
aunque se dé güelta el mundo.

Nos aviriguaban todo,
como aquel que se previene,
315 porque siempre les conviene
saber las juerzas que andan,
dónde están, quiénes las mandan,
qué caballos y armas tienen.

A cada respuesta nuestra
320 uno hace una esclamación,
y luego, en continuación,
aquellos indios feroces,
cientos y cientos de voces
repiten al mesmo son.

[17] *Huincá:* Extranjero, hombre blanco.
[18] "A pata tendida": A pierna suelta, es decir, sin cuidado, tranquilamente.

It's like a dance of wild animals
290   as I'd imagine it.
It was a colossal whirlwind—
the screams were bloodcurdling—
till, after two hours of it
that hurricane died down.

295   At night, they formed into a ring
and put us in the middle of it,
and to let us know they wanted
to leave us no room for hope,
they ranged us round about
300   with eight or ten rows of warriors.

There they stayed on the alert
guarding us relentlessly.
When it looked as if they were snoring—
*Huincá!*⁷ one of them would shout—
305   and *Huincá, Huincá,* they echoed
all the way down the line.

Indians are great ones for sleeping, though,
and they sleep very soundly too:
no one can beat them for snoring—
310   and their life's so unconcerned
they'd snore stretched out at their ease
even if the world turned upside down.

They found out all they could from us
as if to prepare themselves,
315   because it's always to their advantage
to know what troops there are around—
where they are and who's in command of them
and what horses and arms they hold.

Each time we answer
320   one of them gives a cry,
and then, one after the other—
savage brutes that they are—
hundreds and hundreds of voices
all echo the same sound.

⁷ *Huincá:* Foreigner, white man or also Christian.

325 Y aquella voz de uno solo,
que empieza por un gruñido,
llega hasta ser alarido
de toda la muchedumbre,
y ansí alquieren la costumbre
330 de pegar esos bramidos

iii

De ese modo nos hallamos
empeñaos en la partida:[1]
no hay que darla por perdida
por dura que sea la suerte,
335 ni que pensar en la muerte
sinó en soportar la vida.

Se endurece el corazón,
no teme peligro alguno;
por encontrarlo oportuno
340 allí juramos los dos
respetar tan sólo a Dios:
de Dios abajo, a ninguno.

El mal es árbol que crece
y que cortado retoña;
345 la gente esperta o bisoña
sufre de infinitos modos:
la tierra es madre de todos,
pero también da ponzoña.

Mas todo varón prudente
350 sufre tranquilo sus males;
yo siempre los hallo iguales
en cualquier senda que elijo:
la desgracia tiene hijos
aunque ella no tiene madre.

[1] Partida: Juego, es decir, en una situación precaria de lucha.

And that cry, from just one of them,
starting as a groan,
grows till it gets to be a howl
coming from the entire horde—
and that's how they get the custom
of bellowing the way they do.

iii

So we found we were in for it
with no backing out. . . .
But it's no good giving up for lost
however hard your fate,
nor in thinking about death
but how to keep on living, instead.

Your heart grows tougher all the time—
no danger makes you scared. . . .
Feeling the time was right for it
we two swore there and then
to respect God's will only
and no one else from God down.

Evil is a tree that grows
and that sprouts again when it's cut.
People suffer in countless ways
whether they're shrewd or slow:
the Earth is mother to us all
but she gives us poisons too.

But any man of common-sense
bears his troubles quietly.
I find they're just as many
whatever the path I choose:
although misfortune's born from no mother
she has plenty of children.

355   Y al que le toca la herencia,
             donde quiera halla su ruina;
             lo que la suerte destina
             no puede el hombre evitar:
             porque el cardo ha de pinchar
360   es que nace con espina.

             Es el destino del pobre
             un continuo safarrancho,[2]
             y pasa como el carancho,
             porque el mal nunca se sacia
365   si el viento de la desgracia
             vuela las pajas del rancho.

             Mas quien manda los pesares
             manda también el consuelo;
             la luz que baja del cielo
370   alumbra al más encumbrao,
             y hasta el pelo más delgao
             hace su sombra en el suelo.[3]

             Pero por más que uno sufra
             un rigor que lo atormente,
375   no debe bajar la frente
             nunca, por ningún motivo:
             el álamo es más altivo
             y gime constantemente.
             . . . .

             El indio pasa la vida
380   robando o echao de panza;
             la única ley es la lanza
             a que se ha de someter;
             lo que le falta en saber
             lo suple con desconfianza.

[2] Safarrancho (zafarrancho): Lucha, riña.
[3] Quiere decir: Aun lo más insignificante tiene importancia.

355   And if you're born to her inheritance
                you'll come to ruin, anywhere.
                There's no way a man can avoid
                what fate has decided on:
                the reason a thistle pricks you
360   is because it's born with thorns.

                The destiny of a poor man is
                a tug-of-war that never stops,
                and he lives on the watch like a carrion bird—
                because trouble won't be satisfied
365   once the winds of misfortune come
                and tear the thatch off your roof.

                But He who sends us troubles
                sends us comfort for them as well.
                The light that comes down from heaven
370   shines on the mightiest men—
                but even the thinnest hair
                casts its shadow on the ground.[1]

                And even though you're suffering
                a life of bitterest pain,
375   never let your head hang down—
                never, for whatever cause—
                the poplar tree is proudest of all
                and it's the one that always sighs.

        . . . .

                The Indians spend their life
380   stealing or lying on their bellies.
                The law of the spear's point
                is the only one they'll respect—
                and what they're lacking in knowledge
                they make up with suspicion.

[1] That is: Even the most insignificant thing has some importance.

385   Fuera cosa de engarzarlo
a un indio caritativo;[4]
es duro con el cautivo,
le dan un trato horroroso,
es astuto y receloso,
390   es audaz y vengativo.

       No hay que pedirle favor
ni que aguardar tolerancia;
movidos por su inorancia
y de puro desconfiaos,
395   nos pusieron separaos
bajo sutil vigilancia.

       No pude tener con Cruz
ninguna conversación;
no nos daban ocasión,
400   nos trataban como agenos:[5]
como dos años lo menos
duró esta separación.

       Relatar nuestras penurias
fuera alargar el asunto;
405   les diré sobre este punto
que a los dos años recién
nos hizo el cacique el bien
de dejarnos vivir juntos.

       Nos retiramos con Cruz
410   a la orilla de un pajal:
por no pasarlo tan mal
en el desierto infinito,
hicimos como un bendito[6]
con dos cueros de bagual.

---

[4] Por raro lo engarzara como piedra preciosa.
[5] "Como agenos": Sin consideración alguna.
[6] Toldo que se asemeja en su forma a las manos cuando se reza.

385　　　An Indian with a kind heart would be
　　　　something to put in a frame.[2]
　　　　They're cruel with their captives
　　　　and treat them horribly;
　　　　they're sharp-witted and suspicious,
390　　　they're bold and vindictive.

　　　　You can't ask them for a favor
　　　　nor expect their confidence. . . .
　　　　Acting from ignorance
　　　　and out of pure mistrust
395　　　they kept us separated
　　　　and guarded us jealously.

　　　　I couldn't get to have
　　　　any talk with Cruz, at all:
　　　　they never gave us a chance—they cared for us
400　　　no more than for borrowed horses. . . .[3]
　　　　Something like two years, at least,
　　　　this separation lasted.

　　　　It would make too long a story
　　　　to describe all our miseries;
405　　　all I'll tell you on this point
　　　　is that only after two years
　　　　the chief did us the favor
　　　　of letting us live together.

　　　　Cruz and I moved further off
410　　　to the edge of some high-grass land;
　　　　and to make the best of our life there
　　　　on the endless desert plain,
　　　　we made a tent from two horse-hides
　　　　the shape of two hands praying.

[2] Literally: *Engarzar,* to string a diamond or another precious stone or stones on a necklace, brooch or other piece of jewelry.
[3] "They . . . horses": That is, with no consideration at all.

415 Fuimos a esconder allí
nuestra pobre situación,
aliviando con la unión
aquel duro cautiverio;
tristes como un cementerio
420 al toque de la oración.

Debe el hombre ser valiente
si a rodar se determina,
primero, cuando camina;
segundo, cuando descansa,
425 pues en aquellas andanzas
perece el que se acoquina.

Cuando es manso el ternerito
en cualquier vaca se priende;
el que es gaucho esto lo entiende
430 y ha de entender si le digo,
que andábamos con mi amigo
como pan que no se vende.

Guarecidos en el toldo
charlábamos mano a mano;
435 éramos dos veteranos
mansos pa las sabandijas,[7]
arrumbaos como cubijas
cuando calienta el verano.

El alimento no abunda
440 por más empeño que se haga;
lo pasa uno como plaga,
ejercitando la industria
y siempre, como la nutria,[8]
viviendo a orillas del agua.

---

[7] "Mansos ... sabandijas": Acostumbrados en general a la mala suerte y a una vida dura y difícil.

[8] Nutria: "Fierro no se refiere a la nutria *Lutra vulgaris,* que es el lobito de río, carnicero, sino a la *Miopotamus coipus* que abundaba en los arroyos y lagunas de la pampa, mamífero con dentadura de roedor, gran nadador. Su piel, de mucho valor, es muy conocida." Castro, p. 259.

415   And there we took refuge
        to lead our pitiful life,
        lightening the cruel captivity
        with each other's company;
        gloomy as a cemetery
420   when the evening prayer-bell rings.

        If a man chooses to roam
        he needs to be courageous:
        first, when he's on the road,
        and second, when he's at rest—
425   because in that way of life
        if you give in to fear, you perish.

        When a calf's weak and hungry
        it'll suck from any cow:
        a gaucho will understand this
430   and know what I mean when I say,
        my friend and I went round hopelessly
        like stale bread that no one will buy.

        We'd talk together side by side
        sheltered in our tent:
435   we were two old veterans
        fair game to the fleas—
        useless as blankets chucked aside
        when the summer heat comes on.

        Food's not easy to come by
440   however hard you try for it;
        you live poor as the plague
        straining all your wits—
        and like a nutria,[4] always
        keeping by the water's edge.

[4] Nutria: Otter-like animal.

445   En semejante ejercicio
se hace diestro el cazador;
cai el piche[9] engordador,
cai el pájaro que trina:
todo bicho que camina
450   va a parar al asador.

                Pues allí a los cuatro vientos
la persecución se lleva;
naide escapa de la leva,
y dende que la alba asoma
455   ya recorre uno la loma,
el bajo, el nido y la cueva.

                El que vive de la caza
a cualquier bicho se atreve
que pluma o cáscara lleve,
460   pues cuando la hambre se siente
el hombre le clava el diente
a todo lo que se mueve.

                En las sagradas alturas
está el máestro principal,[10]
465   que enseña a cada animal
a procurarse el sustento
y le brinda el alimento
a todo ser racional.

                Y aves, y vichos y pejes,
470   se mantienen de mil modos;
pero el hombre en su acomodo,
es curioso de oservar:
es el que sabe llorar
y es el que los come a todos.

[9] Piche: "Mamífero desdentado, armadillo de menor tamaño que el peludo, pero más grande que la mulita." Castro, 288.
[10] "Máestro principal": Dios.

445   A hunter grows skilful
              sharpening his wits that way:
              the tasty armadillo—
              any bird that pipes a note—
              every creature that walks the earth
450   ends up on the spit.

              Because out there, the hunt is spread
              right to the four winds:
              nothing escapes the round-up—
              and at the first glimpse of dawn
455   you're out combing the hillsides
              and valleys, and nests, and holes.

              If your life depends on hunting
              you'll go for any beast
              whether it's got feathers or a shell—
460   because when hunger stirs
              a man will get his teeth into
              any animal that moves.

              In the holy heights above
              lives the master of all[5]
465   who teaches every animal
              to find its own nourishment;
              and he offers food for all
              who are born with intelligence.

              And birds and beasts and fishes
470   find their food in a thousand ways;
              but it's interesting to observe
              the way man deals in this—
              he's the only one who knows how to cry
              and it's he who eats all the rest.

[5] "The master of all": God.

475 Antes de aclarar el día
empieza el indio a aturdir
la pampa con su rugir,
y en alguna madrugada,
sin que sintiéramos nada
480 se largaban a invadir.

Primero entierran las prendas
en cuevas, como peludos;[1]
y aquellos indios cerdudos,[2]
siempre llenos de recelos
485 en los caballos en pelos[3]
se vienen medio desnudos.

Para pegar el malón
el mejor flete[4] procuran;
y como es su arma segura,
490 vienen con la lanza sola,
y varios pares de bolas
atados a la cintura.

De ese modo anda liviano,
no fatiga el mancarrón;
495 es su espuela en el malón,
después de bien afilao,
un cuernito de venao
que se amarra en el garrón.[5]

El indio que tiene un pingo
500 que se llega a distinguir,
lo cuida hasta pa dormir;
de ese cuidado es esclavo;
se lo alquila a otro indio bravo
cuando vienen a invadir.

---

[1] Véase I, vi, nota 17.
[2] Cerdudos: "Los indios se a ajustaban una vincha alrededor de la cabeza, flotando fuera de ella su cabello, que era muy grueso y, como lo usaban largo, se asemejaba a cerda de caballo." Castro, p. 106.
[3] En pelo: Sin montura.
[4] Flete: Caballo.
[5] Garrón: Talón.

475　Before it's light, the Indians
　　　start to stir up the plain
　　　with the noise of their bellowing—
　　　and sometimes, at dawn,
　　　they'd set off on an invasion
480　without our hearing anything.

　　　First, they bury their clothes
　　　in holes, like armadillos;
　　　and distrustful as always,
　　　with their manes of black hair,
485　riding their horses bareback,
　　　they'd set off half-naked.

　　　They use the best horse they can get
　　　for going on a raid;
　　　and as it's a weapon that can't fail
490　they take only their spear
　　　and several pairs of bolas
　　　fastened at their waist.

　　　This way, they travel light
　　　and even an old horse won't tire. . . .
495　For a raid, the spur they use
　　　is the point of a deer's horn
　　　that's been well sharpened
　　　and tied on to their heel.

　　　An Indian who has a horse
500　that's really out of the ordinary
　　　cares for it even in his sleep—
　　　he works at that like a slave—
　　　and he rents it to another brave
　　　when they're going on a raid.

505 Por vigilarlo no come
y ni aun el sueño concilia;
sólo en eso no hay desidia;
de noche, les asiguro,
para tenerlo seguro
510 le hace cerco la familia.

Por eso habrán visto ustedes,
si en el caso se han hallao,
y si no lo han oservao
ténganló dende hoy presente,
515 que todo pampa[6] valiente
anda siempre bien montao.

Marcha el indio a trote largo,
paso que rinde y que dura;
viene en dirección sigura
520 y jamás a su capricho:
no se les escapa vicho
en la noche más escura.

Caminan entre tinieblas
con un cerco bien formao;
525 lo estrechan con gran cuidao
y agarran, al aclarar,
ñanduces, gamas, venaos,
cuanto ha podido dentrar.

Su señal es un humito[7]
530 que se eleva muy arriba,
y no hay quien no lo aperciba
con esa vista que tienen;
de todas partes se vienen
a engrosar la comitiva.

---

[6] Pampa: Indio de raza araucana habitante de la Pampa.
[7] Notorio es que los indios utilizaban el humo como medio de comunicación.

505   He'll go without food, to guard it;
     he'll even go without sleep;
     it's the only thing they're not slack about—
     at night, I swear to you,
     he'll put his family round it
510   in a circle, to keep it safe.

     And this is why you'll have noticed
     if you've been in such a spot—
     and if you haven't observed it
     remember it from now on—
515   that all Pampa braves[1]
     ride excellent horses.

     The Indians ride at a long trot,
     a lasting and steady pace.
     They come on a fixed route
520   and never wander off it. . . .
     There's no animal escapes them
     even on the darkest night.

     They move through the darkness
     in a curve spaced evenly;
525   they tighten the circle with great care,
     and when it gets light, they catch
     ostriches, deer[2]—all the game
     that's got inside of it.

     Their signal is a puff of smoke[3]
530   that goes up very high.
     None of them fails to spot it
     with that eyesight they have—
     they come from all directions
     to swell the gathering.

---

[1] "Pampa braves": Indians (related to the Araucanians) who inhabited the Pampas.

[2] The Spanish says: "ostriches, does, deer."

[3] Obviously, a smoke signal which calls other members of the tribe and allies to join in the raid.

535   Ansina[8] se van juntando,
     hasta hacer esas riuniones
     que cain en las invasiones
     en número tan crecido;
     para formarla han salido
540   de los últimos rincones.

     Es guerra cruel la del indio
     porque viene como fiera;
     atropella donde quiera
     y de asolar no se cansa;
545   de su pingo[9] y de su lanza
     toda salvación espera.

     Debe atarse bien la faja[10]
     quien aguardarlo se atreva;
     siempre mala intención lleva,
550   y como tiene alma grande,[11]
     no hay plegaria que lo ablande
     ni dolor que lo conmueva.

     Odia de muerte al cristiano,
     hace guerra sin cuartel;
555   para matar es sin yel,
     es fiero de condición;
     no gólpea la compasión
     en el pecho del infiel.

     Tiene la vista del águila,
560   del león la temeridá;
     en el desierto no habrá
     animal que él no lo entienda,
     ni fiera de que no aprienda
     un istinto de crueldá.

---

[8] Ansina: Así.
[9] Pingo: Caballo brioso.
[10] "Atarse bien la faja": Es decir, prepararse para el ataque.
[11] "Alma grande": Su empeño es tal que . . .

535 And so they join together
until they've formed those throngs
of such enormous numbers
that fall on us in the invasions—
to muster them, they've come out from
540 the farthest corners of the land.

The Indians' war is a fierce one—
they attack like wild beasts:
they trample anywhere they like
and never get tired of destruction—
545 they depend for safety entirely
on their horse and on their spear.

Anyone who dares stay and face them
needs to pull his belt good and tight:[4]
they're always set to do their worst—
550 and as they have such a strong will,
there's no prayer can soften them
nor any suffering touch their heart.

They've a mortal hatred for Christians
and give no quarter when they fight;
555 they murder without a qualm,
they're savage born and bred—
there's no beat of compassion
within a heathen's breast.

He gets his sight from the eagle
560 and his courage from the lion.
There's no animal in the desert
he doesn't understand,
and no savage beast he doesn't learn
some cruel instinct from.

[4] That is, to get ready for the attack.

565 Es tenaz en su barbarie,
no esperen verlo cambiar;
el deseo de mejorar
en su rudeza no cabe:
el bárbaro sólo sabe
570 emborracharse y peliar.

El indio nunca se ríe,
y el pretenderlo es en vano,
ni cuando festeja ufano
el triunfo en sus correrías;
575 la risa en sus alegrías
le pertenece al cristiano.

Se cruzan por el desierto
como un animal feroz;
dan cada alarido atroz
580 que hace erizar los cabellos;
parece que a todos ellos
los ha maldecido Dios.

Todo el peso del trabajo
lo dejan a las mujeres:
585 el indio es indio y no quiere
apiar de su condición;
ha nacido indio ladrón
y como indio ladrón muere.

El que envenenen sus armas
590 les mandan sus hechiceras;
y como ni a Dios veneran,
nada a los pampas contiene;
hasta los nombres que tienen
son de animales y fieras.

595 Y son, ¡por Cristo bendito!
lo más desasiaos del mundo;
esos indios vagabundos,
con repunancia me acuerdo,
viven lo mesmo que el cerdo
600 en esos toldos inmundos.

565   He's set fast in his brutish ways—
         don't hope to see him change;
         it doesn't enter his thick head
         to want a better life—
         all a savage knows how to do
570   is how to get drunk and fight.

         Indians can never laugh
         and it's no use expecting it,
         not even when they're full of glee
         celebrating a successful raid—
575   to laugh from happiness
         is a Christian quality.

         They sweep across the desert
         like a ferocious beast
         giving out the most hideous howling
580   that sets your hair on end—
         it's as if the whole lot of them
         were damned by God.

         They leave all their heavy work
         to be done by the women:
585   an Indian's an Indian
         and doesn't care to change his state—
         he's born an Indian robber
         and stays a robber till his death.

         Their witch women instruct them
590   to poison their weapon-tips;
         and as they don't even worship God
         nothing holds the Indians back—
         the very names they're called by
         are of animals and wild beasts.

595   And, by blessed Christ! they are
         the filthiest brutes on earth.
         It makes me sick when I remember it—
         those good for nothing Indians
         live just like pigs
600   in those stinking tents of theirs.

Naides puede imaginar
una miseria mayor;
su pobreza causa horror;
no sabe aquel indio bruto
605   que la tierra no da fruto
si no la riega el sudor.

V

Aquel desierto se agita
cuando la invasión regresa;
llevan miles de cabezas
610   de vacuno y yeguarizo;
pa no aflijirse es preciso
tener bastante firmeza.

Aquello es un hervidero
de pampas, un celemín;[1]
615   cuando riunen el botín
juntando toda la hacienda,
es cantidá tan tremenda
que no alcanza a verse el fin.

Vuelven las chinas cargadas
620   con las prendas en montón;
aflije esa destrución;
acomodaos en cargueros[2]
llevan negocios enteros
que han saquiado en la invasión.

625   Su pretensión es robar,
no quedar en el pantano;
viene a tierra de cristianos
como furia del infierno;
no se llevan al gobierno[3]
630   porque no lo hallan a mano.

[1] Celemín: Medida de capacidad para áridos; aquí, el grano que se contiene en un celemín, es decir, una gran cantidad.

[2] Cargueros: Caballos de carga.

[3] Gobierno: La persona que gobierna. Véase Walter Rela, *Martín Fierro*, p. 131.

No one could imagine
a more squalid life than that.
Their poverty shocks you . . .
those brutes of Indians haven't learned
605   that the earth gives forth no fruit
unless it's watered by our sweat.

V

That desert ground shakes
when the raiders come back in;
they bring with them thousands of head
610   of cattle and of horses. . . .
You need to be pretty tough
not to let it sadden you.

It's a seething mass of Indians
like grains in a peck of corn.
615   When they bring the booty together
joining all the herd,
it's such a tremendous quantity
you can't see where it ends.

The women come back weighted down
620   with clothes and blankets piled high.
It's painful to see the waste of it—
they bring loaded on pack-horses
whole stocks of goods from stores
which they've sacked during the raid.

625   All they care about is plundering
not staying there in the lowlands.
They come down on Christian country
like fiends out of hell—
if they don't take the government,[1] it's because
630   they don't find it readily at hand.

---

[1] Government: That is, government officials, the very people who rule. Cf. Walter
Rela, *Martín Fierro*, p. 131.

Vuelven locos de contentos
cuando han venido a la fija;[4]
antes que ninguno elija
empiezan con todo empeño,
635   como dijo un santiagueño,[5]
a hacerse *la repartija.*[6]

Se reparten el botín
con igualdá, sin malicia;
no muestra el indio codicia,
640   ninguna falta comete:
sólo en esto se somete
a una regla de justicia.

Y cada cual con lo suyo
a sus toldos enderiesa;[7]
645   luego la matanza empieza
tan sin razón ni motivo,
que no queda animal vivo
de esos miles de cabezas.

Y satisfecho el salvaje
650   de que su oficio ha cumplido,
lo pasa por áhi tendido
volviendo a su haraganiar,
y entra la china a cueriar[8]
con un afán desmedido.

655   A veces a tierra adentro
algunas puntas[9] se llevan;
pero hay pocos que se atrevan
a hacer esas incursiones,
porque otros indios ladrones
660   les suelen pelar la breva.[10]

---

[4] A la fija: Seguramente.
[5] Santiagüeño: Habitante de Santiago del Estero, ciudad y capital de la provincia del mismo nombre.
[6] *Repartija:* División del botín.
[7] Enderiesa: Endereza, se dirige.
[8] Cueriar (cuerear): Quitarle el cuero a la res.
[9] Algunas puntas: Unas cabezas de ganado.
[10] Pelar la breva: Despojar, robar. (Breva: ventaja or beneficio.)

They come back wild with joy
when they've returned safe from a raid,
and before anyone helps himself
they start off busily
635　　　divvying up the loot
(as people say in Santiago[2])!

They share the loot out equally
without any quarreling:
Indians don't act greedy,
640　　　they're quite correct about this—
it's the only time they show respect
for any form of justice.

And each one, with his share,
goes off towards his tents—
645　　　and then the slaughtering begins
beyond all rhyme or reason
so that there's not one beast left alive
out of all those thousands.

And when the Indian's satisfied
650　　　that he's done his part of the job
he goes back to his lazy life again
and lies there stretched out flat,
while the women start in frenziedly
skinning the carcasses.

655　　　Sometimes they do take a bunch
of the cattle, farther inland,[3]
but there's few of them dare undertake
this kind of expedition
because usually other Indian thieves come
660　　　and steal the lot off them.

---

[2] Santiago: The northwestern Argentine province of Santiago del Estero. Not to be confused with Santiago de Chile.

[3] Inland: (*Tierra adentro*) i.e., toward Chile.

             Pero pienso que los pampas
             deben de ser los más rudos;
             aunque andan medio desnudos
             ni su convenencia entienden;
665   por una vaca que venden
             quinientas matan al ñudo.[11]

             Estas cosas y otras piores
             las he visto muchos años;
             pero, si yo no me engaño,
670   concluyó ese bandalaje,
             y esos bárbaros salvajes
             no podrán hacer más daño.[12]

             Las tribus están desechas;
             los caciques más altivos
675   están muertos o cautivos,
             privaos de toda esperanza,
             y de la chusma y de lanza[13]
             ya muy pocos quedan vivos.

             Son salvajes por completo
680   hasta pa su diversión,
             pues hacen una junción
             que náides se la imagina;
             recién le toca a la china
             el hacer su papelón.[14]

685   Cuanto el hombre es más salvaje
             trata pior a la mujer;
             yo no sé que pueda haber
             sin ella dicha ni goce:
             ¡feliz el que la conoce
690   y logra hacerse querer!

[11] Al nudo: Inútilmente.
[12] A partir de 1879 empieza "la conquista del desierto", lucha intensa y feroz contra los indios.
[13] "De lanza": Los guerreros; "de la chusma": todos los que no eran guerreros.
[14] Hacer el papelón: Hacer el ridículo.

224

But I think the pampa tribes
must be the stupidest of all:
they're going round half naked,
but can't even see what's good for them—
665   for any one cow that they sell
they kill five hundred uselessly.

Things like these and others worse
I saw for many years—
but if I'm not mistaken
670   these crimes are at an end,
and the savage heathens
can do no harm any more.[4]

The tribes have been disbanded—
the proudest of the chiefs
675   are dead or taken captive
with no hope to rise again,
and of all the braves and their followers
there are very few now left alive.

They're savages through and through
680   even in their sports—
they get up a kind of a game
you wouldn't think possible:
that's when it's the women's turn
to act in a ridiculous way.

685   The more savage a man is
the worse he treats a woman.
I don't see what delights or joys
there could be without her—
it's a happy man who finds one
690   and can make her love him!

[4] In 1879 the Argentine government began an intensive campaign against the Indians. Its purpose was to eliminate the "Indian threat."

Todo el que entiende la vida
busca a su lao los placeres;
justo es que las considere
el hombre de corazón;
695   sólo los cobardes son
valientes con sus mujeres.

Pa servir a un desgraciao
pronta la mujer está;
cuando en su camino va
700   no hay peligro que la asuste;
ni hay una a quien no le guste
una obra de caridá.

No se hallará una mujer
a la que esto no le cuadre;
705   yo alabo al Eterno Padre,
no porque las hizo bellas,
sinó porque a todas ellas
les dió corazón de madre.

Es piadosa y diligente
710   y sufrida en los trabajos:
tal vez su valer rebajo
aunque la estimo bastante;
mas los indios inorantes
la tratan al estropajo.[15]

715   Echan la alma trabajando
bajo el más duro rigor;
el marido es su señor;
como tirano la manda
porque el indio no se ablanda
720   ni siquiera en el amor.

No tiene cariño a naides
ni sabe lo que es amar;
¡ni qué se puede esperar
de aquellos pechos de bronce!
725   yo los conocí al llegar
y los calé[16] dende entonces.

[15] "Al estropajo": Tratar como cosa despreciable.
[16] Calé (de calar): Adivinar las intenciones.

Anyone who knows how life is
looks for pleasure in her company:
it's right that a man who has a heart
should consider her feelings too—
695   it's only cowards
who act tough with women.

A woman's always ready
to help a man who's out of luck;
no kind of danger scares her
700   along her road in life,
and there's not one who'd not be pleased
to do a merciful act.

You won't find a single woman
whom what I've said won't fit.
705   I give thanks to the Eternal Father
not because he made them beautiful—
but because to all of them
he gave a mother's heart.

They're faithful and hardworking
710   and longsuffering in the work they do.
Maybe I'm not praising them enough
though I value them a lot—
but those ignorant Indians treat them
like a dirty rag.

715   They sweat their souls out, toiling
under the cruelest conditions;
the husband is her master,
he rules her like a tyrant—
because even in his love
720   an Indian never softens.

He has no tenderness for anyone—
he doesn't know what love means:
and what else could you expect
from those breasts hard as bronze? . . . .
725   I saw how they were when we arrived
and I had them pegged from then on.

Mientras tiene que comer
permanece sosegao;
yo, que en sus toldos he estao
730   y sus costumbres oservo,
digo que es como aquel cuervo
que no volvió del mandao.[17]

Es para él como juguete
escupir un crucifijo;
735   pienso que Dios los maldijo
y ansina el ñudo desato,[18]
el indio, el cerdo y el gato,
redaman[19] sangre del hijo.

Mas ya con cuentos de pampas
740   no ocuparé su atención;
debo pedirles perdón,
pues sin querer me distraje,
por hablar de los salvajes
me olvidé de la junción.[20]

    . . . .

745   Hacen un cerco de lanzas,
los indios quedan ajuera;
dentra la china ligera
como yeguada en la trilla,
y empieza allí la cuadrilla
750   a dar güeltas en la era.

A un lao están los caciques,
capitanejos y el trompa
tocando con toda pompa
como un toque de fajina;[21]
755   adentro muere la china,
sin que aquel círculo rompa.

---

[17] "Aquel cuervo/que … mandao": Alude a *Génesis viii:* Noé manda un cuervo para ver si habían bajado algo las aguas del Diluvio, pero el cuervo no vuelve.
[18] Desatar el nudo: Resolver un problema o una dificultad.
[19] Redaman: Derraman.
[20] "Me olvidé de la junción": Olvidé el asunto que estaba narrando.
[21] "Toque de fajina": Toque de clarín.

So long as he's got enough to eat
he stays peaceable.
I've been there in their tents
730 and watched their way of life
and I tell you, he's like the raven
that forgot to go back to the Ark.[5]

For him, it would be just a game
to spit on a crucifix.
735 I believe God cursed them,
and this is how I solve the mystery—[6]
it's only Indians, and pigs and cats
who'll spill the blood of their own children.

But I won't take up your time any more
740 with tales of the Indians.
I must ask your pardon,
I ran on without meaning to. . . .
Talking about the savages
I forgot that sport of theirs.

. . . .

745 They make a circle with their spears
and the Indian men stay outside.
In come the women, running
like mares on a threshing floor—
and there they start their dance
750 going round and round the ring.

The chiefs are on one side,
and the lesser chiefs, and trumpeters
blowing away at full blast
like the call to arms in a battle. . . .
755 The women can die in there
without their breaking up the circle.

[5] "Raven . . . Ark": A reference to Genesis viii. Noah sends a raven out to see if
the flood waters had receded and the raven does not return.
[6] The Spanish: "This is how I untie the knot," that is, solve the problem.

Muchas veces se les oyen
a las pobres los quejidos,
mas son lamentos perdidos;
760   al rededor del cercao,
en el suelo, están mamaos[22]
los indios, dando alaridos.

Su canto es una palabra
y de áhi no salen jamás;
765   llevan todas el compás,
iоká-iоká[23] repitiendo;
me parece estarlas viendo
más fieras que Satanás.

Al trote dentro del cerco,
770   sudando, hambrientas, juriosas,
desgreñadas y rotosas,
de sol a sol se lo llevan:
bailan, aunque truene o llueva,
cantando la mesma cosa.[24]

vi

775   El tiempo sigue en su giro
y nosotros solitarios;
de los indios sanguinarios
no teníamos qué esperar;
el que nos salvó al llegar
780   era el más hospitalario.

Mostró noble corazón,
cristiano anelaba ser;
la justicia es un deber,
y sus méritos no callo;
785   nos regaló unos caballos
y a veces nos vino a ver.

[22] Mamaos: Borrachos.
[23] *"Ioká-ioká":* Interjección, ¡Ea! Grito de combate del indio.
[24] Según Eleuterio F. Tiscornia, la descripción del baile, canto y música de los indios en la obra de Hernández estaba ya en Lucio V. Mansilla, *Una excursión a los indios ranqueles.*

Often you can hear them
groaning, the poor things;
but their cries are wasted
760   because all around the ring
the Indians are lying on the ground
blind drunk and letting out howls.

The song they sing is just one word
and they never vary that.
765   *ioká—ioká*[7]—they all repeat,
taking up the rhythm. . . .
It's as if I could see them now,
uglier than Satan.

Loping round inside the ring,
770   sweating, starving, and raging wild,
tattered and bedraggled,
on from one sunrise to the next,
in thunder or rain, they go on dancing,
chanting the same sound.[8]

vi

775   So time went on in its course,
and, alone as we were,
we had nothing to hope for
from the bloodthirsty Indians:
the one who saved us when we came
780   was the most friendly of them.

He showed he had a noble heart—
he'd have liked to be a Christian—
it's our duty to be just
and I won't hide his merits.
785   He gave us horses as a present
and sometimes he came to see us.

[7] *Ioká:* Battle cry of the Indians. Pronounced "yo-ka."
[8] According to Tiscornia (*Martín Fierro*), details of Indian dances, songs, and music which Hernández uses are from Lucio V. Mansilla, *Una excursión a los indios ranqueles.*

A la voluntá de Dios
ni con la intención resisto
él nos salvó ... pero, ¡ah Cristo!
790   muchas veces he deseado
no nos hubiera salvado
ni jamás haberlo visto.

Quien recibe beneficios
jamás los debe olvidar:
795   y al que tiene que rodar
en su vida trabajosa
le pasan a veces cosas
que son duras de pelar.[1]

Voy dentrando poco a poco
800   en lo triste del pasaje;
cuando es amargo el brebaje
el corazón no se alegra;
dentró una virgüela[2] negra
que los diezmó a los salvajes.

805   Al sentir tal mortandá
los indios desesperaos
gritaban alborotaos:
"Cristiano echando gualicho"[3]
no quedó en los toldos vicho
810   que no salió redotao.[4]

Sus remedios son secretos;
los tienen las adivinas;
no los conocen las chinas
sino alguna ya muy vieja,
815   y es la que los aconseja,
con mil embustes, la indina.

---

[1] "Duras de pelar": Difíciles de solucionar y soportar.

[2] La viruela: Desde la época de la Conquista, la viruela fue una de las peores plagas que tuvo que sufrir el indio.

[3] *Gualicho:* Palabra que los indios empleaban para designar al espíritu del mal.

[4] Redotao: Derrotado, Walter Rela (*Martín Fierro,* p. 137) interpreta este verso: "Muerto por la enfermedad."

Even if I wanted to
I can't stand against God's will. . . .
He saved our lives, but—by Christ!
790 I've wished many times
that he had never saved us
and we'd never set eyes on him.

Anyone who receives a blessing
ought never to forget it;
795 but a man who has to travel far
through the troubles of his life
has things happen to him sometimes
that are pretty tough to bear.

Little by little I'm coming to
800 the sad part of the story.
When there's a bitter draught to drink
your heart takes no joy in it. . . .
The pox[1] came into the land
and struck down the savages.

805 Seeing so many die
the Indians grew desperate:
they shouted in a riot,
"Christian make bad magic". . .[2]
There wasn't a creature left in the tents
810 that didn't run out terrified.[3]

The cures they use are secrets
kept by the witch-women.
The Indian wives don't know them
except a few very old ones,
815 it's the witch who tells them what to do,
with all kinds of tricks, the vile hag.

[1] Since the first years of the Conquest, diseases like smallpox had been a terrible calamity for the Indians.

[2] The word *gualicho* meant "devil" to the Indians.

[3] Walter Rela (*Martín Fierro,* Montevideo, 1963) interprets this verse: "Dead as a result of the illness."

Allí soporta el paciente
las terribles curaciones,
pues a golpes y estrujones
820   son los remedios aquellos;
lo agarran de los cabellos
y le arrancan los mechones.

Les hacen mil herejías
que el presenciarlas da horror;
825   brama el indio de dolor
por los tormentos que pasa,
y untándoló todo en grasa
lo ponen a hervir al sol.

Y puesto allí boca arriba,
830   al rededor le hacen fuego;
una china viene luego
y al óido le da de gritos;
hay algunos tan malditos
que sanan con este juego.

835   A otros les cuecen la boca
aunque de dolores cruja;
lo agarran y allí lo estrujan,
labios le queman y dientes
con un güevo[5] bien caliente
840   de alguna gallina bruja.

Conoce el indio el peligro
y pierde toda esperanza;
si a escapárselés alcanza
dispara[6] como una liebre;
845   le da delirios la fiebre
y ya le cain con la lanza.

Esas fiebres son terribles,
y aunque de esto no disputo
ni de saber me reputo,
850   será, decíamos nosotros,
de tanta carne de potro
como comen estos brutos.

[5] Güevo: Huevo.
[6] Dispara: Huye corriendo.

And the patient has to undergo
the terrible treatments they give,
because what they call remedies
820   means thumping and squeezing him—
they grab hold of him by the hair
and pull out tufts of it.

They do atrocious things to him
that it's horrible to see.
825   The Indian bellows with the pain
of the tortures he's going through—
and they smear him with grease all over
and put him out to cook in the sun.

And when he's lying there mouth up
830   they make a fire all round him;
one of the women comes along
and screams into his ear. . . .
Some of them are such devils
this game even cures them.

835   With others, they scorch his mouth
even though he's screeching with pain;
they grab hold of him and squeeze him
and burn his lips and teeth
with an egg that's good and hot
840   out of some witch hen.

The Indian knows what he's in for
and he gives up all hope.
If he manages to escape them
he shoots off like a hare,
845   but the fever makes him rage
and they come down on him with a spear.

It's a terrible kind of fever—
and though I won't argue this
nor lay claim to wisdom—
850   we thought it must come from
the quantity of horsemeat
that's eaten by those brutes.

Había un gringuito[7] cautivo
que siempre hablaba del barco
855 y lo augaron en un charco
por causante de la peste;
tenía los ojos celestes
como potrillito zarco.[8]

Que le dieran esa muerte
860 dispuso una china vieja;
y aunque se aflije y se queja,
es inútil que resista;
ponía el infeliz la vista
como la pone la oveja.[9]

865 Nosotros nos alejamos
para no ver tanto estrago;
Cruz sentía los amagos
de la peste que reinaba,
y la idea nos acosaba
870 de volver a nuestros pagos.

Pero contra el plan mejor
el destino se revela:
¡la sangre se me congela!
el que nos había salvado,
875 cayó también atacado
de la fiebre y la virgüela.

No podíamos dudar
al verlo en tal padecer
el fin que había de tener
880 y Cruz, que era tan humano,
"vamos"—me dijo—paisano,[10]
"a cumplir con un deber."

[7] Gringo: Extranjero, particularmente el italiano.
[8] Zarco: Ojos color azul claro.
[9] Hernández quiere decir que el cautivo pone los ojos en blanco como los pone la oveja cuando la matan.
[10] Paisano: Aquí, compañero, amigo.

There was a little gringo captive—
always talking about his ship—
855   and they drowned him in a pond
for being the cause of the plague. . . .
His eyes were pale blue
like a wall-eyed foal.

It was one of the old hags
860   who ordered them to kill him that way,
and though he cried and pleaded
there was no use resisting them—
the poor boy rolled up his eyes
like a sheep under the knife.

865   We moved further off
not to have to see such horrors.
Cruz was feeling the symptoms
of the plague that was in full force,
and the idea was nagging us
870   to get back to our own land.

But destiny can turn against
even the best of plans.
My blood runs cold to think of it! . . . .
The Indian who had saved our lives
875   was struck down too, with an attack
of fever and the plague.

When we saw how he was suffering
we could have no doubts
of what his end would be—
880   and Cruz, always such a friend,
said to me: "Come on, brother,
let's go and pay our debt."

Fuimos a estar a su lado
para ayudarlo a curar:
885   lo vinieron a buscar
y hacerle como a los otros;
lo defendimos nosotros,
no lo dejamos lanciar.

Iba creciendo la plaga
890   y la mortandá seguía;
a su lado nos tenía
cuidándoló con pacencia,
pero acabó su esistencia
al fin de unos pocos días.

895   El recuerdo me atormenta,
se renueva mi pesar;
me dan ganas de llorar,
nada a mis penas igualo;
Cruz también cayó muy malo
900   ya para no levantar.

Todos pueden figurarse
cuánto tuve que sufrir;
yo no hacía sinó gemir,
y aumentaba mi aflición
905   no saber una oración
pa ayudarlo a bien morir.

Se le pasmó[11] la virgüela,
y el pobre estaba en un grito;
me recomendó un hijito
que en su pago había dejado.
910   "Ha quedado abandonado,
"me dijo, aquel pobrecito.

---

[11] Pasmó: "Cuando se trata de cualquier enfermedad que se agrava, evolucionando en forma toxémica o septicémica en lugar de resolverse por curación, dicen que 'se pasmó'." Castro, p. 277.

We went and stayed beside him
trying to help him get well;
885   they came to fetch him
to treat him like the rest—
we protected him
and kept him from being speared.

The plague was growing worse
890   and more and more people died;
we kept beside him
doing what we could for him,
but his life came to its end
after a few days time.

895   The memory of it tortures me—
my sorrow is born again;
it brings the tears to my eyes—
there's no grief like this of mine. . . .
Cruz also was struck very bad
900   and never to rise again.

You can all figure for yourselves
what I had to go through.
I could do nothing except groan,
and it made my anguish worse
905   not to know a single prayer
to help him to a good death.

He took a turn for the worse,
poor man, he cried out with the pain.
He entrusted a young son to me
910   that he'd left back at home—
"He's been left all on his own,
poor boy," he said to me.

"Si vuelve, búsquemeló,
"me repetía a media voz,
915 "en el mundo éramos dos,
"pues él ya no tiene madre:
"que sepa el fin de su padre
"y encomiende mi alma a Dios."

Lo apretaba contra el pecho
920 dominao por el dolor,
era su pena mayor
el morir allá entre infieles;
sufriendo dolores crueles
entregó su alma al Criador.

925 De rodillas a su lado
yo lo encomendé a Jesús;
faltó a mis ojos la luz,
tube un terrible desmayo;
cái como herido del rayo
930 cuando lo ví muerto a Cruz.

vii

Aquel bravo compañero
en mis brazos espiró;
hombre que tanto sirvió,
varón que fué tan prudente,
935 por humano y por valiente
en el desierto murió.

Y yo, con mis propias manos,
yo mesmo lo sepulté;
a Dios por su alma rogué,
940 de dolor el pecho lleno,
y humedeció aquel terreno
el llanto que redamé.

Cumplí con mi obligación;
no hay falta de que me acuse,
945 ni deber de que me escuse,
aunque de dolor sucumba:
allá señala su tumba
una cruz que yo le puse.

"If you get back, find him for me,"
he said again, his voice half gone,
915 "there were just the two of us in the world
as he's already lost his mother.
Let him know how his father died
and pray God for my soul."

I held him tight against my chest
920 overcome by the grief.
What made him suffer most
was to die there in heathen land. . . .
Suffering cruel agonies
he gave up his soul to God.

925 On my knees beside him
I prayed for him to Jesus. . . .
The light went from my eyes—
I went into a terrible swoon—
I fell as if struck by lightning
930 when I saw Cruz lying dead.

vii

And so my brave companion
died in my arms.
One who was worth so much,
a man of such good sense—
935 he died there in the desert
for his noble and compassionate heart.

And I—with my own hands,
I myself, buried him.
I prayed to God for his soul
940 with my heart filled with pain;
and that patch of earth there
was wet with the tears I shed.

I did all I had to do—
there's no fault to reproach myself,
945 nor any duty I left undone
though I'd given in to grief. . . .
His grave there is marked out
by a cross I put up for him.

Andaba de toldo en toldo
950 y todo me fastidiaba;
el pesar me dominaba,
y entregao al sentimiento,
se me hacía cada momento
oir a Cruz que me llamaba.

955 Cual más, cual menos, los criollos
saben lo que es amargura;
en mi triste desventura
no encontraba otro consuelo
que ir a tirarme en el suelo
960 al lao de su sepoltura.

Allí pasaba las horas
sin haber naides conmigo,
teniendo a Dios por testigo,
y mis pensamientos fijos
965 en mi mujer y mis hijos,
en mi pago y en mi amigo.

Privado de tantos bienes
y perdido en tierra ajena
parece que se encadena
970 el tiempo y que no pasara,
como si el sol se parara
a contemplar tanta pena.

Sin saber qué hacer de mí
y entregado a mi aflición,
975 estando allí una ocasión
del lado que venía el viento
ói unos tristes lamentos
que llamaron mi atención.

No son raros los quejidos
980 en los toldos del salvage,
pues aquel es vandalage
donde no se arregla nada
sinó a lanza y puñalada,
a bolazos y a corage.

I went about from tent to tent
and everything sickened me;
sorrow had got a hold on me—
and, given over to my sad thoughts,
every minute it seemed I heard
Cruz calling out to me.

All we *criollos*—some less, some more—
know the taste of bitterness. . . .
The only comfort I could find
for the misery I was in
was to go and throw myself
on the ground beside his grave.

There I'd pass hours on end
with nobody beside me,
with only God as witness,
and my thoughts fixed on
my wife and my children,
my homeland, and my friend.

With such treasures taken from you,
and lost in a strange land,
it's as if Time was in chains
and that it won't go past:
as if the sun stopped still to gaze
at such great unhappiness.

I didn't know which way to turn—
I was given over to my grief—
when, lying there one day,
coming from the windward side
I heard sounds of pitiful crying
that caught my attention.

Groans are not unusual sounds
in the tents of the savages,
because that's a life of violence
where they only settle things
by spears or blows of the knife,
and bolas-shots, and brute force.

985   No preciso juramento,
deben crerle a Martín Fierro:
ha visto en ese destierro
a un salvaje que se irrita,
degollar una chinita
990   y tirárselá a los perros.

He presenciado martirios,
he visto muchas crueldades,
crímenes y atrocidades
que el cristiano no imagina;
995   pues ni el indio ni la china[1]
sabe lo que son piedades.

Quise curiosiar[2] los llantos
que llegaban hasta mí;
al punto me dirigí
1000   al lugar de ande venían.
¡Me horrorisa todavía
el cuadro que descubrí!

Era una infeliz mujer
que estaba de sangre llena,
1005   y como una Madalena
lloraba con toda gana;
conocí que era cristiana
y esto me dió mayor pena.

Cauteloso me acerqué
1010   a un indio que estaba al lao,
porque el pampa es desconfiao
siempre de todo cristiano,
y vi que tenía en la mano
el rebenque ensangrentao.

---

[1] China: Aquí, la india.
[2] "Quise curiosiar": Averiguar de dónde venían los llantos.

985   There's no need to swear to it—
    believe what Martín Fierro says. . . .
    In my exile there, I've seen
    a savage who got annoyed
    cut the throat of a little girl
990   and throw her out to the dogs.

    I've witnessed deaths by torture—
    I've seen plenty of brutal crimes,
    murders, and atrocities
    that wouldn't enter a Christian's mind:
995   for neither Indians nor their women know
    such a thing as mercy exists.

    I thought I'd investigate
    the cries that were reaching me.
    I started straight away towards
1000   the spot they were coming from. . . .
    The scene that I came upon
    is a horror to me still.

    It was a wretched woman
    with blood all over her,
1005   and crying with all her heart
    like a Mary Magdalen. . . .
    I saw she was a Christian
    and that made it worse for me.

    Cautiously, I crept up
1010   on the Indian standing by her—
    Indians are always suspicious
    of any white man—
    and I saw he was holding
    a lash that was wet with blood.

1015   Más tarde supe por ella,
de manera positiva,
que dentró una comitiva[1]
de pampas a su partido,[2]
mataron a su marido
1020   y la llevaron cautiva.

En tan dura servidumbre
hacían dos años que estaba;
un hijito que llevaba
a su lado lo tenía;
1025   la china la aborrecía
tratándolá como esclava.

Deseaba para escaparse
hacer una tentativa,
pues a la infeliz cautiva
1030   naides la va a redimir,
y allí tiene que sufrir
el tormento mientras viva.

Aquella china perversa,
dende el punto que llegó,
1035   crueldá y orgullo mostró
porque el indio era valiente;
usaba un collar de dientes
de cristianos que él mató.

La mandaba a trabajar,
1040   poniendo cerca a su hijito,
tiritando y dando gritos
por la mañana temprano,
atado de pies y manos
lo mesmo que un corderito.

[1] Comitiva: En este caso, conjunto de indios que ataca.
[2] Partido: División administrativa de la provincia de Buenos Aires.

1015

Later, I learned from her
just how things had been.
An Indian raiding-band had come
to her part of the country—[1]
they had killed her husband

1020

and carried her off prisoner.

Two years, she'd been there
in that cruel captivity.
She kept beside her
a little child she'd brought with her. . . .

1025

The Indian woman hated her
and used her as a slave.

She'd have liked to make
an attempt to run away—
the poor captive women

1030

have no one who'll ransom them,[2]
they have to stay and bear the torments
until the end of their days.

From the moment she got there,
the Indian woman, out of spite,

1035

treated her with cruelty and haughtiness—
the Indian man was a warrior;
he wore a necklace made of teeth
from the Christians that he'd killed.

She used to send her out to work

1040

and put her baby down nearby
shivering and crying
in the early morning air,
tied up like a young lamb
by its feet and its hands.

[1] In Spanish, *partido*. That is, the political and administrative district in which she lived.

[2] Captives were occasionally exchanged during truces, if considered of enough value.

1045
     Ansí le imponía tarea
de juntar leña y sembrar
viendo a su hijito llorar;
y hasta que no terminaba,
la china no la dejaba
1050
que le diera de mamar.

     Cuando no tenían trabajo
la emprestaban a otra china.
"Naides, decía, se imagina
ni es capaz de presumir
1055
cuánto tiene que sufrir
la infeliz que está cautiva."

     Si ven crecido a su hijito,
como de piedá no entienden,
y a súplicas nunca atienden,
1060
cuando no es éste es el otro,
se lo quitan y lo venden
o lo cambian por un potro.

     En la crianza de los suyos
son bárbaros por demás;
1065
no lo había visto jamás:
en una tabla los atan,
los crían ansí, y les achatan
la cabeza por detrás.

     Aunque esto parezca estraño,
1070
ninguno lo ponga en duda:
entre aquella gente ruda,
en su bárbara torpeza,
es gala que la cabeza
se les forme puntiaguda.

1075
     Aquella china malvada
que tanto la aborrecía,
empezó a decir un día,
porque falleció una hermana,
que sin duda la cristiana
1080
le había echado brugería.

1045	And she'd force her to toil like that, sowing, and gathering wood, while she could see her baby crying— and until she'd finished the tasks the Indian woman refused
1050	to let her suckle it.
	When they hadn't enough work they'd lend her to another squaw. "No one could imagine," she said, "nor even guess
1055	all the things a wretched woman has to bear, in captivity.
	"If they see your child has grown— as they don't know what pity is, and they never take heed of pleading—
1060	and if it's not one it's the other— they take him from you and sell him, or exchange him for a colt.
	"And they're barbarous, as well, in the way they bring up their own.
1065	I'd never seen such a thing— they bind them to a board and rear them that way, so that they make the back of their heads grow flat."
	(This may seem a strange thing
1070	but nobody need doubt it: with those brutish people in their vile ignorance it's a thing to be proud of if their head grows into a point.)
1075	The devilish Indian woman who hated her so much started saying, one day, because a sister of hers had died, it must have been the Christian woman
1080	who had placed a hex on her.

El indio la sacó al campo
y la empezó a amenazar:
que la había de confesar
si la brugería era cierta;
1085   o que la iba a castigar
hasta que quedara muerta.

Llora la pobre aflijida,
pero el indio, en su rigor,
le arrebató con furor
1090   al hijo de entre sus brazos,
y del primer rebencazo
la hizo crugir de dolor.

Que aquel salvaje tan cruel
azotándolá seguía;
1095   más y más se enfurecía
cuanto más la castigaba,
y la infeliz se atajaba,
los golpes como podía.

Que le gritó muy furioso:
1100   *"Confechando no querés"*[3]
la dió vuelta de un revés,[4]
y por colmar su amargura,
a su tierna criatura
se la degolló a los pies.

1105   "Es incréible, me decía,
que tanta fiereza esista;
no habrá madre que resista;
aquel salvaje inclemente
cometió tranquilamente
1110   aquel crimen a mi vista."

Esos horrores tremendos
no los inventa el cristiano:
"ese bárbaro inhumano,
sollozando me lo dijo,
1115   me amarró luego las manos
con las tripitas de mi hijo."

---

[3] *"Confechando no querés":* No quieres confesar.
[4] Es decir: la tumbó de un golpe.

The Indian took her out of sight
and started threatening her
saying she had got to confess
if it had been sorcery,
1085   or else he was going to punish her
by beating her to death.

She wept, poor unhappy woman,
but the ruthless Indian
in a fury, snatched the child
1090   from out of her arms,
and made her scream with pain
at the first blow of his whip.

And the cruel savage
went on lashing her—
1095   every time he hit her
he grew more and more furious,
and the wretched woman fended off
the blows, as well as she could.

And he shouted at her, raging,
1100   *"You no want confess!"*
he knocked her down with a backhand blow
and to complete her agony
he cut the throat of her little child
there, at her feet.

1105   "It's unbelievable," she said,
"such savagery could exist.
No mother could have borne it—
that merciless brute
committed the crime calmly,
1110   right in front of my eyes.

"Christian people couldn't invent
anything so horrible—"
she sobbed as she told me—
"the inhuman fiend
1115   tied my hands together then
with the entrails of my child."

De ella fueron los lamentos
que en mi soledá escuché;
en cuanto al punto llegué
1120   quedé enterado de todo;
al mirarla de aquel modo
ni un istante tutubié.

Toda cubierta de sangre
aquella infeliz cautiva,
1125   tenía dende abajo arriba
la marca de los lazazos;
sus trapos hechos pedazos
mostraban la carne viva.

Alzó los ojos al cielo,
1130   en sus lágrimas bañada;
tenía las manos atadas;
su tormento estaba claro;
y me clavó una mirada
como pidiéndomé amparo.

1135   Yo no sé lo que pasó
en mi pecho en ese istante;
estaba el indio arrogante
con una cara feroz;
para entendernos los dos
1140   la mirada fué bastante.

Pegó un brinco como gato
y me ganó la distancia;[1]
aprovechó esa ganancia
como fiera cazadora,
1145   desató las boliadoras
y aguardó con vigilancia.

---

[1] Se alejó de mí. Hay que estar a cierta distancia para arrojar las bolas o bolea-doras.

It had been her cries
I'd heard in my solitude.
The moment I got to the place
1120   I took in how things were—
and when I saw the state she was in
I didn't hesitate for a second.

There she was, the poor captive,
all covered in blood,
1125   with the marks of the lashes
on her from head to foot—
the rags she wore were torn to pieces
and showed the raw flesh through.

She lifted her eyes to Heaven
1130   streaming with her tears;
her hands were tied—it was plain to see
the agony she was in—
and she fixed a look on me
as if asking for help.

1135   I can't say what went through
my heart at that moment.
The Indian stood there haughtily
with fury in his face—
one look was enough
1140   for us to understand each other.

He gave a jump like a cat
and gained distance from me,[1]
and he used this advantage
like a beast stalking its prey—
1145   he loosened his bolas
and waited there, crouched on guard.

---

[1] To be able to use his bolas, the Indian had to be a certain distance away from his target.

Aunque yo iba de curioso
y no por buscar contienda,
al pingo le até la rienda,
1150   eché mano, dende luego,
a éste que no yerra fuego,[2]
y ya se armó la tremenda.[3]

El peligro en que me hallaba
al momento conocí;
1155   nos mantubimos ansí,
me miraba y lo miraba;
yo al indio le desconfiaba
y él me desconfiaba a mí.

Se debe ser precabido
1160   cuando el indio se agasape:
en esa postura el tape[4]
vale por cuatro o por cinco:
como el tigre es para el brinco
y fácil que a uno lo atrape.

1165   Peligro era atropellar
y era peligro el juir,
y más peligro seguir
esperando de este modo,
pues otros podían venir
1170   y carniarme[5] allí entre todos.

A juerza de precaución
muchas veces he salvado,
pues en un trance apurado
es mortal cualquier descuido;
1175   si Cruz hubiera vivido
no habría tenido cuidado.

---

[2] Se refiere al cuchillo.
[3] La tremenda: Combate terrible, a muerte.
[4] Tape: Indio, también individuo de tipo aindiado.
[5] Carniarme: Matarme.

And though I'd gone there from curiosity
and not to look for a fight,
I knotted my horse's reins

1150   and laid hold—you can be sure—
on that weapon which can't misfire[2]. . .
and the fight to the death was on.

I could see straight off
the danger I was in;

1155   we stayed like that, not moving—
he watched me and I watched him;
I didn't trust the Indian
and he didn't trust me.

You have to keep your wits about you

1160   when an Indian's crouched to spring;
in a position like that,
he counts as four or five—
he can leap like a tiger
and catch you easily.

1165   It was dangerous to go rushing in
and dangerous to escape,
and still more dangerous
to keep on waiting this way,
because some more of them might come

1170   and butcher me among the lot of them.

I've saved myself many times
on the strength of being cautious;
in a pressing danger
the least carelessness means death. . . .

1175   If only Cruz had been alive
I'd have had no need to worry.

[2] "Can't misfire": Firearms were notoriously unreliable, unlike the knife.

Un hombre junto con otro
en valor y en juerza crece;
el temor desaparece,
1180   escapa de cualquier trampa:
entre dos, no digo a un pampa,
a la tribu si se ofrece.

En tamaña incertidumbre,
en trance tan apurado,
1185   no podía, por de contado,
escaparme de otra suerte
sinó dando al indio muerte
o quedando allí estirado.[6]

Y como el tiempo pasaba
1190   y aquel asunto me urgía,
viendo que él no se movía,
me fuí medio de soslayo
como a agarrarle el caballo
a ver si se me venía.

1195   Ansí fué, no aguardó más,
y me atropelló el salvage;
es preciso que se ataje[7]
quien con el indio pelée;
el miedo de verse a pié
1200   aumentaba su corage.

En la dentrada no más
me largó un par de bolazos:
uno me tocó en un brazo;
si me da bien me lo quiebra,
1205   pues las bolas son de piedra
y vienen como balazo.

[6] Estirado: Muerto.
[7] "Se ataje": Se defienda.

256

When a man has another by him
he grows in courage and strength;
fear vanishes—
1180   he'll get out of any trap—
between us two we'd face, not one Indian—
the whole tribe, if it came to that.

With things uncertain as they were
and danger so close at hand,
1185   needless to say, there could only be
one way out of it—
and that was to kill the Indian,
or else stay there stretched out[3] myself.

And as time was passing
1190   and I had to do something soon,
seeing that he wouldn't budge
I started moving, on a slant,
as if I was going to take his horse—
to see if that made him go for me.

1195   It worked—the savage didn't wait
any longer—he rushed at me.
You need to sharpen your wits[4]
fighting with an Indian—
he was spurred on by the fear
1200   of finding himself left on foot.

Right as he rushed in to attack
he sent two bolas-shots at me.
One of them touched me on the arm—
if it had hit square, it'd have broken it—
1205   because the bolas are made of stone
and come at you like a bullet.

---

[3] "Stretched out": Dead.
[4] "Sharpen your wits": That is, use every means to defend yourself.

A la primer puñalada
el pampa se hizo un ovillo:
era el salvaje más pillo
1210   que he visto en mis correrías,
y, a más de las picardías,
arisco para el cuchillo.

Las bolas las manejaba
aquel bruto con destreza,
1215   las recogía con presteza
y me las volvía a largar,
haciéndomelás silbar
arriba de la cabeza.

Aquel indio, como todos,
1220   era cauteloso ... ¡aijuna!
áhi me valió la fortuna
de que peliando se apotra:[8]
me amenazaba con una
y me largaba con otra.

1225   Me sucedió una desgracia
en aquel percance amargo;
en momentos que lo cargo[9]
y que él reculando va,
me enredé en el chiripá[10]
1230   y cái tirao largo a largo.

Ni pa encomendarme a Dios
tiempo el salvaje me dió;
cuanto en el suelo me vió
me saltó con ligereza:
1235   juntito de la cabeza
el bolazo retumbó.

[8] El indio, como potro, se enfurece.

[9] "Que lo cargo": Que lo ataco.

[10] Chiripá: Prenda de vestir del gaucho. "De forma cuadrilonga y tejido burdo y ordinario, generalmente de color vicuña claro. Se lo colocaban sobre el calzoncillo en la misma forma que hoy usan los niños los pañales." Castro, p. 141.

At the first stroke of my knife
the Indian curled into a ball.[5]
He was the craftiest savage
1210   I've ever met in my wanderings—
and on top of his tricks, he was
pretty good at dodging the knife.

And he handled the bolas
skillfully, the brute!
1215   He'd pull them back smartly
and hurl them at me again—
sending them whistling
through the air, above my head.

He was cunning, curse it![6]
1220   like all the Indians are.
It was my good fortune
that he got blind mad as he fought. . . .
He'd feint with one of the bolas
and hurl the other one at me.

1225   Then, in the thick of the fight,
I had a stroke of bad luck.
Just as I was on to him
and he was going back,
I tripped on my *chiripá*[7]—
1230   and I fell down flat.

The savage didn't give me time
even to say my prayers.
As soon as he saw me on the ground
he leaped on me like a flash. . . .
1235   His bolas-shot came thudding
right beside my head.

---

[5] "Curled into a ball": In order to protect himself from the knife blows.

[6] In Spanish, ¡ai juna!: literally, "son of a . . .!" The interjection implies "of a bitch" although the offensive word is not uttered.

[7] *Chiripá:* Cloth looped under the legs and which covers the body from the waist down. A sash holds the cloth in place.

Ni por respeto al cuchillo
dejó el indio de apretarme;
allí pretende ultimarme
1240   sin dejarme levantar,
y no me daba lugar
ni siquiera a enderezarme.

De balde[11] quiero moverme:
aquel indio no me suelta;
1245   como persona resuelta,
toda mi juerza ejecuto,
pero abajo de aquel bruto
no podía ni darme güelta.

. . . .

¡Bendito Dios poderoso!
1250   Quién te puede comprender
cuando a una débil muger
le diste en esa ocasión
la juerza que en un varón
tal vez no pudiera haber.

1255   Esa infeliz tan llorosa
viendo el peligro se anima;
como una flecha se arrima
y, olvidando su aflición,
le pegó al indio un tirón
1260   que me lo sacó de encima.

Ausilio tan generoso
me libertó del apuro;
si no es ella, de siguro
que el indio me sacrifica,
1265   y mi valor se duplica
con un ejemplo tan puro.

En cuanto me enderecé
nos volvimos a topar;
no se podía descansar
1270   y me chorriaba el sudor;
en un apuro mayor
jamás me he vuelto a encontrar.

[11] "De balde": Inútilmente.

The Indian wouldn't shift off me
even to avoid the knife;
he thought he'd finish me off there
1240   without letting me up again—
and he didn't give me enough room
even to straighten out.

I tried to move, but it was useless,
he wouldn't let go of me;
1245   I was using all the strength
that comes to a desperate man—
but I couldn't even turn over
beneath the weight of that brute.

. . . .

Blessed be Almighty God!
1250   who can understand your ways?
You gave at that time,
to a weak woman,
strength such as maybe
even a man would not have had.

1255   The poor woman, crying so much,
roused up when she saw my danger;
she ran towards us like an arrow,
and, forgetting her own pain,
she gave a great tug to the Indian
1260   that got him off the top of me.

This help so generous
freed me from that tight spot.
If it wasn't for her, the Indian
would have slaughtered me, for sure—
1265   and her noble example
made me twice as brave and strong.

As soon as I was on my feet
we were at each other again;
there was no chance of a rest
1270   and the sweat was running off me—
I've never again found myself
in a danger great as that.

Tampoco yo le daba alce[12]
como deben suponer;
1275 se había aumentao mi quehacer
para impedir que el brutazo
le pegara algún bolazo,
de rabia, a aquella muger.

La bola en manos del indio
1280 es terrible, y muy ligera;
hace de ella lo que quiera,
saltando como una cabra:
mudos, sin decir palabra,
peliábamos como fieras.

1285 Aquel duelo en el desierto
nunca jamás se me olvida;
iba jugando la vida
con tan terrible enemigo,
teniendo allí de testigo
1290 a una muger afligida.

Cuanto él más se enfurecía,
yo más me empiezo a calmar;
mientras no logra matar
el indio no se desfoga;[13]
1295 al fin le corté una soga[14]
y lo empecé aventajar.

Me hizo sonar las costillas[15]
de un bolazo aquel maldito;
y al tiempo que le dí un grito
1300 y le dentro como bala,
pisa el indio y se refala[16]
en el cuerpo del chiquito.

---

[12] Dar alce: Dejar que el adversario se levante.
[13] Desahogar: Descansar, quedar satisfecho.
[14] Una soga: Un ramal de las boleadoras.
[15] "Sonar las costillas": Me pegó tan fuerte que se oyó el sonido.
[16] Refala: Resbala.

And I didn't give him a breathing space,
as you may all suppose.
1275   I had all the more to do now,
to stop the ugly brute
from hitting out with the bolas
at the woman, out of rage.

In an Indian's hands, the bolas
1280   are terrible, and very fast:
he can do whatever he likes with them,
jumping round you like a goat. . . .
Silent, without saying a word,
we fought on like wild beasts.

1285   Never ever can I forget
that duel in the desert:
I had my life at stake
with that terrible enemy;
and standing there as witness,
1290   a woman in distress.

The more he got enraged
the calmer I was growing.
An Indian's fury won't be spent
until he makes a kill. . . .
1295   At last, I cut one of the bolas-cords
and I began to get the better of him.

He made my ribs crack with a shot
from a bolas-stone, the devil;
and then, as I gave a yell
1300   and went for him like a cannon-ball,
the Indian stepped back—and slipped
on the corpse of the little child.

Para esplicar el misterio
es muy escasa mi cencia;
1305 lo castigó, en mi concencia,
su Divina Magestá:
donde no hay casualidá
suele estar la Providencia.

En cuanto trastabilló,
1310 más de firme lo cargué,
y aunque de nuevo hizo pié
lo perdió aquella pisada,
pues en esa atropellada
en dos partes[17] lo corté.

1315 Al sentirse lastimao
se puso medio afligido;
pero era indio decidido,
su valor no se quebranta;
le salían de la garganta
1320 como una especie de aullidos.

Lastimao en la cabeza,
la sangre lo enceguecía;
de otra herida le salía
haciendo un charco ande estaba;
1325 con los pies la chapaliaba
sin aflojar todavía.

Tres figuras imponentes
formábamos aquel terno:
ella en su dolor materno,
1330 yo con la lengua dejuera
y el salvaje, como fiera
disparada del infierno.

Iba conociendo el indio
que tocaban a degüello;[18]
1335 se le erizaba el cabello
y los ojos revolvía;
los labios se le perdían
cuando iba a tomar resuello.

[17] Partes: En dos lugares (del cuerpo).
[18] Es decir: Que su fin se aproximaba.

264

My knowledge is not deep enough
to explain that mystery.
1305   As I see it, he was punished
by the Divine Majesty—
when a thing is no accident
it's likely to be Providence.

As soon as he stumbled
1310   I pressed him harder still,
and though he found his feet again
that slip was his undoing—
because I cut him in two places
in that rush I made at him.

1315   When he felt he was wounded
he started to groan a bit,
but he was a stubborn Indian
and his courage didn't break. . . .
Out of his throat there came a noise
1320   like the howling of a dog.

He was wounded in the head
and the blood got in his eyes;
from another gash it fell
and made a pool where he stood—
1325   he was splashing in it with his feet
and still without weakening.

Three impressive figures
we made, the group of us:
she in her mother's anguish,
1330   me with my tongue hanging out,
and the savage like a raging beast
let loose out of hell.

The Indian had begun to realize
he'd heard the order to massacre[8];
1335   his hair stood on end
and his eyes rolled round;
his lips shrank inwards
every time he drew breath.

[8] That is, he realized his end was drawing near.

En una nueva dentrada
1340   le pegué un golpe sentido,[19]
y al verse ya mal herido,
aquel indio furibundo
lanzó un terrible alarido
que retumbó como un ruido
1345   si se sacudiera el mundo.

Al fin de tanto lidiar,
en el cuchillo lo alcé,
en peso lo levanté
aquel hijo del desierto,
1350   ensartado lo llevé,
y allá recién lo largué
cuando ya lo sentí muerto.

Me persiné dando gracias
de haber salvado la vida;
1355   aquella pobre afligida
de rodillas en el suelo,
alzó sus ojos al cielo
sollozando dolorida.

Me hinqué[20] también a su lado
1360   a dar gracias a mi santo:[21]
en su dolor y quebranto
ella, a la madre de Dios,
le pide, en su triste llanto,
que nos ampare a los dos.

1365   Se alzó con pausa de leona
cuando acabó de implorar,
y sin dejar de llorar
envolvió en unos trapitos
los pedazos de su hijito
1370   que yo le ayudé a juntar.

---

[19] "Sentido": Muy fuerte y decisivo en el combate.
[20] Hinqué: Arrodillé.
[21] "Mi santo": San Martín

                Closing on him once again
1340   I struck him a deep blow,[9]
                and when he felt he was badly hurt
                the Indian—frantic now—
                let out a terrible scream. . . .
                It echoed like the noise
1345   the whole earth would make if it shook.

                And at the end of this long struggle
                I lifted him on the knife:
                I lifted up that son of the desert
                with the whole of his weight—
1350   spitted through, I carried him. . . .
                and I only threw him down
                when I could feel he was dead.

                I crossed myself, giving thanks to God
                for having saved my life;
1355   and the poor tormented woman,
                on her knees on the ground,
                looked up to heaven
                sobbing in her grief.

                I too knelt at her side
1360   to give thanks to my Saint,[10]
                while in her sorrow and despair,
                weeping bitterly,
                she begged the Mother of God
                to help the two of us.

1365   When she'd finished her prayer
                she got up, stately as a lioness—
                and without stopping her crying
                she wrapped up in some rags
                the pieces of her baby
1370   that I helped her to gather up.

---

[9] "Deep blow": Spanish says *sentido:* "a decisive, deeply felt blow."
[10] "My saint": Saint Martín (316?–397), Bishop of Tours, patron saint of Buenos Aires.

Dende ese punto era juerza
abandonar el desierto,
pues me hubieran descubierto,
y, aunque lo maté en pelea,
1375   de fijo[1] que me lancean
por vengar al indio muerto.

A la afligida cautiva
mi caballo le ofrecí:
era un pingo que alquirí,
1380   y donde quiera que estaba
en cuanto yo lo silbaba
venía a refregarse en mí.

Yo me le senté al del pampa;
era un escuro tapao,[2]
1385   cuando me hallo bien montao
de mis casillas me salgo[3]
y era un pingo como galgo,
que sabía correr boliao.[4]

Para correr en el campo
1390   no hallaba ningún tropiezo:
los ejercitan en eso
y los ponen como luz,[5]
de dentrarle[6] a un avestruz
y boliar bajo el pescuezo.[7]

[1] "De fijo": De seguro.

[2] Oscuro tapado: Caballo negro sin mancha.

[3] "De mis casillas me salgo": En este caso: me siento tan bien que casi no puedo contener la alegría.

[4] "Correr boliao": Correr con las patas boleadas.

[5] "Ponen como luz": Veloces como la luz.

[6] Dentrarle: Atacar.

[7] Bolearlo de tan cerca que el avestruz parezca estar bajo el pescuezo del caballo.

After that, it was high time
to get out of the desert:
they'd have found me out, and even though
I killed him in fair fight,
1375 they'd have put a spear through me for sure
to avenge the dead Indian.

I gave my horse
to the poor captive woman—
it was a good one I'd got hold of,
1380 and no matter where it was,
as soon as I whistled, it'd come
and rub its head against me.

I got on the Indian's horse,
it was black without a mark. . . .
1385 When I'm well mounted
there's no holding me—
and this was fast as a greyhound, trained to run
with the bolas round its feet.[1]

Galloping over rough country
1390 there was nothing could bring it down.
They train them for that, and get them
to go like streaks of light,
so they can ride right up to ostriches
and throw the bolas beneath the neck.[2]

---

[1] Horses were trained to run even with bolas wrapped around their legs.
[2] "Beneath the neck" refers to the fact that the rider throws the bolas at such close range that the ostrich appears to be beneath the horse's neck.

1395	El pampa educa al caballo como para un entrevero;[8] como rayo es de ligero en cuanto el indio lo toca; y, como trompo, en la boca
1400	da güeltas sobre de un cuero.[9]
	Lo barea en la madrugada;[10] jamás falta a este deber; luego lo enseña a correr entre fangos y guadales;[11]
1405	ansina esos animales es cuanto se puede ver.[12]
	En el caballo de un pampa no hay peligro de rodar, ¡jué pucha! y pa disparar
1410	es pingo que no se cansa; con proligidá lo amansa sin dejarlo corcobiar.
	Pa quitarle las cosquillas con cuidao lo manosea;
1415	horas enteras emplea, y, por fin, sólo lo deja, cuando agacha las orejas y ya el potro ni cocea.
	Jamás le sacude un golpe
1420	porque lo trata al bagual con pacencia sin igual; al domarlo no le pega, hasta que al fin se le entrega ya dócil el animal.

[8] Entrevero: Choque de dos cargas de caballería.

[9] "Sobre un cuero de vaca tendido en el suelo, sin salirse de él ..." J. L. Borges y A. Bioy Casares, *Poesia gauchesca*, II, p. 665.

[10] "Lo ... madrugada": Preparar un caballo para las carreras.

[11] Guadal: Tremedal, arena movediza.

[12] "Es cuanto": Es lo mejor que se puede ver.

1395	The Pampa Indians train a horse
	as if for fighting at close range:
	it'll go like a flash of lightning
	at a touch of the Indian's hand,
	with a mouth so light it'll spin like a top
1400	and turn on the length of a hide.

They exercise them in the early morning—
it's a task they never miss—
and then they teach them to gallop
in mud and loose sand:
1405   that's why those animals of theirs
are the best you'll ever see.

There's no danger of falling
on a Pampa Indian's horse,
pucha—and as for racing
1410   it's a breed that never tires. . . .
They tame them with the greatest care
instead of letting them buck.[3]

They handle them gently
to cure their ticklishness:
1415   they'll spend hours on end at it,
and only leave the horse finally
when it's put its ears down slack
and won't even kick any more.

They never use violence on them,
1420   because they treat a horse
with such patience, there's none to touch it—
they don't beat them, breaking them in,
and so in the end they're left with
a beast that's already tamed.

---

[3] "Letting them buck": Horse-taming as opposed to "breaking" by gaucho methods.

1425   Y aunque yo sobre los bastos[13]
me sé sacudir el polvo,[14]
a esa costumbre me amoldo;
con pacencia lo manejan
y al día siguiente lo dejan
1430 rienda arriba[15] junto al toldo.

    Ansí todo el que procure
tener un pingo modelo,
lo ha de cuidar con desvelo,
y debe impedir también
1435 el que de golpes le den
o tironén en el suelo.

    Muchos quieren dominarlo
con el rigor y el azote,
y si ven al chafalote[16]
1440 que tiene trazas de malo,
lo embraman[17] en algún palo
hasta que se descogote.

    Todos se vuelven pretestos
y güeltas para ensillarlo:
1445 dicen que es por quebrantarlo,
mas compriende cualquier bobo
que es de miedo del corcobo
y no quieren confesarlo.

    El animal yeguarizo
1450 (perdónenmé esta alvertencia)
es de mucha conocencia
y tiene mucho sentido;[18]
es animal consentido:[19]
lo cautiva la pacencia.

---

[13] Bastos: Parte del recado de montar.
[14] "Sé sacudir": Soy buen jinete.
[15] "Rienda arriba": Es decir, suelto completamente.
[16] Chafalote: Aquí, caballo torpe.
[17] Embramar: Atar a un poste un animal.
[18] Sentido: Entendimiento.
[19] Consentido: Animal acostumbrado a las caricias.

1425	And although I can sit a bucking colt and stir the dust to break it,[4] I'll adapt myself to the Indian way. . . . they treat them patiently, and the next day they can leave them
1430	with loose reins beside the tent.
	And so, anyone whose aim it is to own a model horse has to care for it tirelessly, and he's also got to see
1435	that no one uses the whip on it or pulls on it when it's down.
	Many people think they'll break a horse by cruelty and the whip— and if they see it's an ugly-looking beast
1440	that shows signs of viciousness, they'll lash its head tight to a stake till it pulls its neck out of joint.
	They'll use all sorts of excuses and ways to get round saddling it:
1445	they say it's to break the horse's will— but any fool can tell it's because they're afraid of how it'll buck and they won't admit to it.
	The horse is an animal—
1450	excuse me for mentioning this— which has plenty of good sense and plenty of feelings too: it's a creature that thrives on affection, and it's patience that conquers it.

[4] Martín Fierro means he is a good horseman.

1455   Aventaja a los demás
el que estas cosas entienda;
es bueno que el hombre aprienda,
pues hay pocos domadores
y muchos frangoyadores[20]
1460   que andan de bozal y rienda.[21]

. . . .

Me vine como les digo,
trayendo esa compañera,
marchamos la noche entera,
haciendo nuestro camino
1465   sin más rumbo que el destino,
que nos llevara ande quiera.

Al muerto, en un pajonal
había tratao de enterrarlo,
y, después de maniobrarlo,
1470   lo tapé bien con las pajas,
para llevar de ventaja
lo que emplearan en hallarlo.

En notando nuestra ausiencia
nos habían de perseguir,
1475   y, al decidirme a venir,
con todo mi corazón
hice la resolución
de peliar hasta morir.

Es un peligro muy serio
1480   cruzar juyendo el desierto:
muchísimos de hambre han muerto,
pues en tal desasociego
no se puede ni hacer fuego
para no ser descubierto.

---

[20] Frangolladores: Gente que hace algo aprisa y mal.
[21] Haciendo el papel de domadores.

1455   A man who understands these things, has got
an advantage over the rest.
It's good to learn—because there are few
horse-tamers worth the name,
and plenty of bunglers going round
1460   with a tamer's halter and rein.

. . . .

As I told you, I came back
with the woman as companion.
We travelled the whole night through,
and we made our way
1465   with Fate as our only guide
to take us where it chose.

As for the corpse, I'd done my best
to bury it in a stretch of grassland;
and after I'd laid it out
1470   I covered it well with the grass,
so as to take advantage
of the time they'd take finding it.

When they noticed we were missing
they were sure to follow us:
1475   and when I made up my mind
to come back, I'd resolved
from the bottom of my heart,
to make it a fight to the death.

It's a very serious danger
1480   to cross the desert on the run;
a great many have died from hunger,
because running that kind of risk
you can't even make a fire
in case you'll be found out.

1485	Sólo el albitrio del hombre
	puede ayudarlo a salvar;
	no hay auxilio que esperar,
	sólo de Dios hay amparo:
	en el desierto es muy raro
1490	que uno se pueda escapar.

¡Todo es cielo y horizonte
en inmenso campo verde!
¡pobre de aquel que se pierde
o que su rumbo estravea!
1495 si alguien cruzarlo desea
este consejo recuerde.

Marque su rumbo de día
con toda fidelidá;
marche con puntualidá
1500 siguiéndoló con fijeza,
y, si duerme, la cabeza
ponga para el lao que va.

Oserve con todo esmero
adonde el sol aparece,
1505 si hay ñeblina y le entorpece
y no lo puede oservar,
guárdesé de caminar,
pues quien se pierde perece.

Dios les dió istintos sutiles
1510 a toditos los mortales;
el hombre es uno de tales,
y en las llanuras aquellas
lo guían el sol, las estrellas,
el viento y los animales.

1515 Para ocultarnos de día
a la vista del salvage,
ganábamos[22] un parage
en que algún abrigo hubiera,
a esperar que anocheciera
1520 para seguir nuestro viage.

[22] Ganar: Aquí, alcanzar a refugiarse.

1485	Only a man's good judgment
	can help him to survive;
	there's no hope of being rescued,
	only God can come to your aid. . . .
	It's a rare thing, in the desert,
1490	for a man to come through alive.

There's nothing but sky and horizon
on the immense green plain. . . .
Woe to the man who finds he's lost
or gets his direction wrong!
If anyone has a mind to cross it
remember this advice:

Mark your course in the daytime
as closely as you can;
travel without delaying
and follow it steadily,
and if you sleep, lay your head toward
the direction you're going.

Watch very carefully
where the sun comes up;
if there's a mist that hides it
and you can't see it clear
beware of moving—because
if you get lost, you perish.

God gave special instincts
to every single living thing:—
man counts as one of them,
and on that level plain
he's guided by the sun and the stars,
by the wind and by animals.

In the daytime, to hide ourselves
out of sight of the savages,
we'd reach a stopping place
where there was some kind of shelter,
and wait till nightfall
to carry on with our journey.

Penurias de toda clase
y miserias padecimos;
varias veces no comimos
o comimos carne cruda;
1525   y en otras, no tengan duda,
con réices nos mantubimos.

Despés de mucho sufrir
tan peligrosa inquietú,
alcanzamos con salú
1530   a divisar una sierra,
y al fin pisamos la tierra
en donde crece el ombú.[23]

Nueva pena sintió el pecho
por Cruz, en aquel parage,
1535   y en humilde vasallage
a la magestá infinita
besé esta tierra bendita
que ya no pisa el salvage.

Al fin la misericordia
1540   de Dios nos quiso amparar;
es preciso soportar
los trabajos con costancia:
alcanzamos a una estancia
después de tanto penar.

1545   Áhi mesmo me despedí
de mi infeliz compañera.
"Me voy—le dije—ande quiera,
aunque me agarre el gobierno,
pues infierno por infierno,
1550   prefiero el de la frontera."

---

[23] La tierra en donde crece el ombú: es decir, la tierra del blanco.

We endured all kinds
of hardships and misery:
several times we went without eating
or ate only raw meat,
1525   and sometimes, believe me,
we kept alive on roots.

And after many days of suffering
this danger and anxiety,
we came through safely to where we could
1530   make out a range of hills—
and finally, we trod the earth
of the land where the *ombú*[5] grows.[6]

There was new sorrow in my heart
for Cruz, as we stopped there;
1535   and, humbly bowing
to the will of Almighty God,
I kissed the blessed soil where now
the savage no longer treads.

So in the end, the mercy
1540   of God came to our aid.
What we must do is bear our trials
with perseverance. . . .
After all this suffering
we reached the house of a ranch.

1545   Right there, I said goodbye
to my sad companion.
I told her, "I'm off, it's no matter where,
even though the Government gets me—
taking hell for hell, I'd rather have
1550   the one at the frontier."

[5] *Ombú:* The characteristic "tree" of the *Pampa húmeda* (Humid Pampa), with spreading fibrous roots and branches.
[6] Where the *ombú* grows: Civilization, back in the land of the white men.

Concluyo esta relación,
ya no puedo continuar,
permítanmé descansar:
están mis hijos presentes,
1555   y yo ansioso porque cuenten
lo que tengan que contar.

xi

Y mientras que tomo un trago
pa refrescar el garguero
y mientras tiempla el muchacho
1560   y prepara su estrumento,
les contaré de qué modo
tuvo lugar el encuentro.
Me acerqué a algunas estancias
por saber algo de cierto,
1565   creyendo que en tantos años
esto se hubiera compuesto;
pero cuanto saqué en limpio
fué, que estabamos lo mesmo.
Ansí me dejaba andar
1570   haciéndomé el chancho rengo,[1]
porque no me convenía
revolver el avispero;
pues no inorarán ustedes
que en cuentas con el gobierno
1575   tarde o temprano lo llaman
al pobre a hacer el arreglo.
Pero al fin tuve la suerte
de hallar un amigo viejo,
que de todo me informó,
1580   y por él supe al momento
que el juez que me perseguía
hacía tiempo que era muerto:
por culpa suya he pasado
diez años de sufrimiento,
1585   y no son pocos diez años
para quien ya llega a viejo.

[1] Hacerse el chancho rengo: Hacerse el desentendido.

I've come to the end of this story
and I can't go on any more.
Give me leave to rest now—
my sons are with us here,
1555 and I'm eager to hear them tell us
whatever they may have to tell.

xi

And so, while I take a swig
to freshen my throat,
and the boy's busy tuning up
1560 and getting ready his guitar—
I'll you how it was
that we found each other.
I'd gone up to a few ranches,
trying to find out something for certain—
1565 thinking that after so many years
things would have straightened out.
But all I managed to get clear
was that the situation hadn't changed—
so I went on as I was
1570 pretending not to notice,
because it didn't suit me
to stir up the hornet's nest.
You won't need to be told
that in a reckoning with the government,
1575 sooner or later they call
on a poor man to settle the bill.
However, in the end I had the luck
to meet an old friend
who could inform me about everything—
1580 and the first thing I learned from him
was that the Judge who used to persecute me
had been dead for quite some time.
On his account, I've spent
ten years of suffering—
1585 and ten years is a lot
for a man who's already getting old.

Y los he pasado ansí,
si en mi cuenta no me yerro:[2]
tres años en la frontera,
1590   dos como gaucho matrero,
y cinco allá entre los indios
hacen los diez que yo cuento.
Me dijo, a más, ese amigo
que andubiera sin recelo,
1595   que todo estaba tranquilo,
que no perseguía el Gobierno,
que ya naides se acordaba
de la muerte del moreno,
aunque si yo lo maté
1600   mucha culpa tuvo el negro.
Estube un poco imprudente,
puede ser, yo lo confieso,
pero él me precipitó
porque me cortó primero;
1605   y a más me cortó en la cara
que es un asunto muy serio.
Me aseguró el mesmo amigo
que ya no había ni el recuerdo
de aquel que en la pulpería
1610   lo dejé mostrando el sebo.
Él, de engréido[3] me buscó,
yo ninguna culpa tengo;
el mesmo vino a peliarme,
y tal vez me hubiera muerto
1615   si le tengo más confianza
o soy un poco más lerdo;
fué suya toda la culpa,
porqué ocasionó el suceso.
Que ya no hablaban tampoco,
1620   me lo dijo muy de cierto,
de cuando con la partida
llegué a tener el encuentro.
Esa vez me defendí
como estaba en mi derecho,
1625   porque fueron a prenderme
de noche y en campo abierto.

---

[2] "Me yerro": me equivoco.
[3] Engréido: Presumido.

And this is how I've spent them,
if I'm not adding up wrong:
three years at the frontier,
1590   two living as an outlaw,
and five out there among the Indians—
that makes up the ten I reckon.
This friend also told me
I could go about openly—
1595   things were all quiet now,
the government didn't persecute people,
and by now no one remembered
about the death of the Negro. . .
though even if I did kill him,
1600   a lot of it was the Negro's fault.
I was a bit reckless,
I'll admit that,
but he drove me to it,
because he gave me the first cut—
1605   and he cut me on the face, besides,
which is a very serious matter.
The same friend assured me,
by now no one gave a thought
to the man in the store
1610   that I'd left showing his guts. . . .
He himself came looking for me out of conceit,
It was not my fault at all—
he challenged me of his own accord,
and maybe he'd have killed me
1615   if I'd been more trusting,
or just a bit slower.
It was his fault entirely,
because he started the whole thing.
And they didn't talk any more either,
1620   he told me positively,
about the time I came
to have the fight with the police-troop. . . .
That time it was self-defense
and I was within my rights,
1625   because they came to get me
at night, and in open country.

Se me acercaron con armas,
y sin darme voz de preso,
me amenazaron a gritos,
1630 de un modo que daba miedo,
que iban a arreglar mis cuentas,
tratándomé de matrero,
y no era el jefe el que hablaba,
sinó un cualquiera de entre ellos.

1635 Y ese, me parece a mí,
no es modo de hacer arreglos,
ni con el que es inocente,
ni con el culpable menos.
Con semejantes noticias
1640 yo me puse muy contento
y me presenté ande quiera
como otros pueden hacerlo.

De mis hijos he encontrado
sólo a dos hasta el momento;
1645 y de ese encuentro feliz
le doy las gracias al cielo.
A todos cuantos hablaba
les preguntaba por ellos,
mas no me daba ninguno
1650 razón de su paradero.

Casualmente el otro día
llegó a mi conocimiento,
de una carrera muy grande
entre varios estancieros;[4]
1655 y fuí como uno de tantos,
aunque no llevaba un medio.[5]
No faltaba, ya se entiende,
en aquel gauchage inmenso
muchos que ya conocían
1660 la historia de Martín Fierro;
y allí estaban los muchachos
cuidando unos parejeros.[6]

---

[4] Estanciero: Dueño de una estancia.
[5] Un medio: Una moneda de muy poco valor, un centavo.
[6] Parejero: Caballo adiestrado para correr en pareja con otro.

They went for me armed,
they never cautioned me properly,
and started yelling out threats,
1630   enough to frighten anyone—
saying they'd settle my accounts,
and treating me as a bandit—
and it wasn't even their chief who said it,
but just a nobody.
1635   And this is not the way
to settle things, it seems to me—
not with an innocent man,
nor even less with a guilty one.
I was very pleased
1640   with news like this,
and I showed my face wherever I wanted,
like an ordinary person.
As for my sons,
so far I've found only two of them—
1645   and I give thanks to Heaven
for this happy meeting.
I'd talked to everyone
and made enquiries about them,
but no one could give me
1650   any clue to their whereabouts.
By chance, the other day
I happened to hear
of a big race meeting
being held among a number of ranchers,
1655   and I went along as one of the crowd,
even though I hadn't a cent[1] on me.
As you'll imagine, there were bound to be,
among that great crowd of gauchos
many by then who'd heard
1660   the story of Martín Fierro—
and the boys were there also,
in charge of some racehorses.

[1] In the Spanish text, *medio* is a small coin.

Cuanto me oyeron nombrar
se vinieron al momento,
1665   diciéndomé quiénes eran,
aunque no me conocieron
porque venía muy aindiao
y me encontraban muy viejo.
La junción de los abrazos,
1670   de los llantos y los besos
se deja pa las mugeres,
como que entienden el juego;
pero el hombre que compriende
que todos hacen lo mesmo,
1675   en público canta y baila,
abraza y llora en secreto.
Lo único que me han contado
es que mi mujer ha muerto;
que en procuras de un muchacho[7]
1680   se fué la infeliz al pueblo,
donde infinitas miserias
habrá sufrido por cierto;
que, por fin, a un hospital
fué a parar medio muriendo,
1685   y en ese abismo de males
falleció al muy poco tiempo.
Les juro, que de esa pérdida
jamás he de hallar consuelo;
muchas lágrimas me cuesta
1690   dende que supe el suceso;
mas dejemos cosas tristes,
aunque alegrías no tengo;
me parece que el muchacho
ha templao y está dispuesto,
1695   vamos a ver que tal lo hace,
y juzgar su desempeño.

---

[7] Castro dice: "la mujer fué al pueblo porque estaba por dar a luz y esperaba su hijo que debía nacer." y "puede, también, significar que la mujer fué al pueblo para conseguir recuperar a uno de sus hijos ..." (p. 299).

As soon as they heard my name mentioned,
they came straight along
1665 and told me who they were—
though they didn't recognize me,
because I had taken on an Indian look,
and they thought I looked very old.
The business of hugging
1670 and crying and kissing
is best left to women,
as that's their kind of game—
but the man who understands
that all do the same,
1675 sings and dances in public,
but cries and embraces privately.
All that I was told
is that my wife is dead. . .
she went to the town, poor woman,
1680 in search of one of the boys,
and there she must have suffered
endless hardships, for sure.
In the end she landed
in a hospital, half dead—
1685 and there she died soon afterwards,
in that pit full of evils.
I swear to you, I'll never find
comfort for her loss:
since I heard what happened
1690 I've shed many tears.
But let's leave sad things—
even though I've no happy ones.
It looks as if the boy
has tuned up and is ready to start—
1695 let's see how he makes out,
and what we make of his performance.

Ustedes no los conocen,
yo tengo confianza en ellos,
no porque lleven mi sangre,
1700 (eso fuera lo de menos)
sinó porque dende chicos
han vivido padeciendo;
los dos son aficionados,
les gustar jugar con fuego,
1705 vamos a verlos correr:
son cojos ... hijos de rengo.[8]

EL HIJO MAYOR DE MARTÍN FIERRO[1]

xii

La Penitenciaría

Aunque el gajo se parece
al árbol de donde sale,[2]
solía decirlo mi madre
1710 y en su razón estoy fijo:
"jamás puede hablar el hijo
"con la autoridá del padre."

Recordarán que quedamos
sin tener donde abrigarnos;
1715 ni ramada ande ganarnos,
ni rincón ande meternos,
ni camisa que ponernos,
ni poncho con que taparnos.

Dichoso aquel que no sabe
1720 lo que es vivir sin amparo;
yo con verdá les declaro,
aunque es por demás sabido:
dende chiquito he vivido
en el mayor desamparo.

[8] "Hijos de rengo": Tal padre, tal hijo.
[1] Habla el hijo de Martín Fierro.
[2] Otra manera de decir "tal padre, tal hijo"; generalmente se dice, "De tal palo, tal astilla."

You don't know them,
but I've got confidence in them:
not because they're of my blood,
1700 (that would be the least of it),
but because ever since they were children
they've lived a life of suffering.
They have a lot of spirit, both of them,
they like playing with fire. . . .
1705 Let's see their paces:
if they run lame, well—like father, like son.

MARTÍN FIERRO'S ELDEST SON

xii

THE PENITENTIARY

Although it's true a branch takes after
the tree that it comes from,[1]
what my mother used to say—
1710 and I'll abide by her judgment—
is that a son can never speak
with his father's authority.

You'll remember that we were left[2]
with no place to shelter in,
1715 without a roof to stand under
nor a corner to creep into,
without a shirt to put on us
nor a poncho to cover ourselves.

It's a happy man who doesn't know
1720 what it means to live unprotected:
I can tell you truthfully
though everyone knows it well—
ever since I was a child I've lived
with no one to protect me at all.

---

[1] Another way of saying: "Like father, like son."
[2] "You'll remember . . .": See Part I, verses 1069–1092.

1725	No le merman el rigor
	los mesmos que lo socorren;
	tal vez porque no se borren
	los decretos del destino,
	de todas partes lo corren
1730	como ternero dañino.

	Y vive como los vichos
	buscando alguna rendija;
	el güérfano³ es sabandija
	que no encuentra compasión,
1735	y el que anda sin direción
	es guitarra sin clavija.

	Sentiré que cuanto digo
	a algún oyente le cuadre;
	ni casa tenía, ni madre,
1740	ni parentela, ni hermanos;
	y todos limpian sus manos
	en el que vive sin padre.

	Lo cruza este de un lazazo,
	lo abomba aquel de un moquete,⁴
1745	otro le busca el cachete,⁵
	y entre tanto soportar,
	suele a veces no encontrar
	ni quien le arroje un soquete.⁶

	Si lo recogen⁷ lo tratan
1750	con la mayor rigidez;
	piensan que es mucho tal vez,
	cuando ya muestra el pellejo,
	si le dan un trapo viejo
	pa cubrir su desnudez.

³ Güérfano: Huérfano.
⁴ "Lo ... moquete": Lo aturde de un golpe dado en el rostro.
⁵ Cachete: Mejilla.
⁶ Soquete: Zoquete, pedazo de pan.
⁷ Recoger: Aquí, dar asilo.

1725 Even the people who give you help
   don't make your life any less hard.
   Maybe it's because there's no rubbing out
   what's written in your destiny—
   everywhere they chase you off
1730 like a destructive calf.

   So you live like the creeping things
   looking for a crack to hide in.
   An orphan is just vermin
   that nobody's sorry for. . . .
1735 And when you've no one to guide you
   you're like a guitar without its pegs;

   I'll be sorry if what I'm saying
   goes for anyone who's listening here.
   I had no home, and no mother,
1740 no friends, no relatives—
   and when you've got no father
   everyone treats you like dirt.[3]

   One lashes out at you with a whip
   and another one knocks you silly,
1745 someone else smacks you in the face—
   and when you've put up with all this
   sometimes you don't even find
   anyone who'll throw you a scrap.

   And if they do take you in, they treat you
1750 as severely as possible—
   they think it's a lot, maybe,
   when your skin's showing through your clothes
   if they give you an old rag
   to cover your nakedness.

[3] "Treats you like dirt": Literally, "wipes his hands on you."

1755
Me crié, pues, como les digo,
desnudo a veces y hambriento;
me ganaba mi sustento
y ansí los años pasaban;
al ser hombre me esperaban
1760
otra clase de tormentos.

Pido a todos que no olviden
lo que les voy a decir;
en la escuela del sufrir
he tomado mis leciones;
1765
y hecho muchas refleciones
dende que empecé a vivir.

Si alguna falta cometo
la motiva mi inorancia;
no vengo con arrogancia
1770
y les diré en conclusión
que trabajando de pion[8]
me encontraba en una estancia.

El que manda siempre puede
hacerle al pobre un calvario;
1775
a un vecino propietario
un boyero le mataron,
y aunque a mí me lo achacaron
salió cierto en el sumario.

Piensen los hombres honrados
1780
en la vergüenza y la pena
de que tendría la alma llena
al verme ya tan temprano
igual a los que sus manos
con el crimen envenenan.[9]

1785
Declararon otros dos
sobre el caso del dijunto;
mas no se aclaró el asunto,
y el juez, por darlas de listo,
"amarrados como un Cristo,
1790
nos dijo, irán todos juntos.

[8] Pion: Peón, que trabaja en una estancia.
[9] Envenenan: Ensucian.

1755	I grew up, then, as I've told you—
	naked sometimes and hungry too.
	I earned enough to live on
	and so the years passed by. . . .
	When I got to be a man, there were other kinds
1760	of torment in wait for me.
	I beg you all not to forget
	the things I'm going to tell you:
	I learned my lesson
	at the school of suffering,
1765	and I've done plenty of thinking
	since I started in life.
	If I should make any mistakes
	it's on account of my ignorance.
	I've no pretensions in coming here. . . .
1770	And to cut things short, I'll tell you
	that I came to be on a ranch
	working as a hired hand.
	The man who's boss always has the power
	to make a harrowing hell for a poor man. . . .
1775	At a neighboring landowner's
	one of the drovers got killed,
	and even though they framed me—
	it came out as true in the legal record.
	You who are honest can imagine
1780	the shame and the misery
	my soul must have been full of
	when I found myself, so young,
	already in the same state as men
	who poison their hands with crime.[4]
1785	There were two others accused as well
	in the case of the dead man,
	but the matter didn't come out clear,
	and to show how smart he was,
	the Judge told us, "You'll all go together,
1790	and tied up fast as Christ.

[4] Poison: Dirty their hands.

A la justicia ordinaria
voy a mandar a los tres".
Tenía razón aquel juez,
y cuantos ansí amenacen:
1795   ordinaria ... es como la hacen,
lo he conocido después.

Nos remitió, como digo,
a esa justicia ordinaria,
y fuimos con la sumaria
1800   a esa cárcel de malevos[10]
que por un bautismo nuevo
le llaman Penitenciaria.

El porqué tiene ese nombre
naides me lo dijo a mí,
1805   mas yo me lo esplico ansí:
le dirán Penitenciaria
por la penitencia diaria
que se sufre estando allí.

Criollo que cai en desgracia
1810   tiene que sufrir no poco;
naides lo ampara tampoco
si no cuenta con recursos;
el gringo es de más discurso:[11]
cuando mata se hace el loco.

1815   No sé el tiempo que corrió
en aquella sepoltura;
si de ajuera no lo apuran,
el asunto va con pausa;
tienen la presa sigura
1820   y dejan dormir la causa.

[10] Malevos: Criminales.
[11] De más discurso": Más mañoso, más listo.

I'm going to send all three of you
to the Justice Ordinary."[5]
He'd got it right, that Judge had,
and so has anyone who threatens that—
1795 *ornery,* that's the word for it,
as I found out afterwards.

As I was saying, he sent us on
to that Ordinary Justice,
and we went, along with the legal record,
1800 to the prison for criminals
that they've given a new baptism now
and call it a Penitentiary.

No one told me the reason
why it's got this name,
1805 but I explain it this way—
they say *penitence*-i-ary
because of the penance every day[6]
that you suffer while you're there.

A *criollo* who gets into trouble
1810 is bound for plenty of suffering,
and no one will help him, either
if he's got no means of his own.
A gringo's more resourceful—
when he murders, he pretends he's mad.

1815 I don't know how much time went by
there in that sepulcher
If no one hurried it on from outside,
the case goes lingering on—
they've got their prey safe
1820 and they let the trial go to sleep.

---

[5] "Justice Ordinary": The superior judge with jurisdiction in the area.

[6] "Penance every day": There is a pun in the original between *penitenciaría* and *penitencia diaria* (daily penance).

Inora el preso a qué lado
se inclinará la balanza;
pero es tanta la tardanza
que yo les digo por mí:
1825   el hombre que dentre allí
deje afuera la esperanza.

Sin perfecionar las leyes
perfecionan el rigor;
sospecho que el inventor
1830   habrá sido algún maldito:
por grande que sea un delito
aquella pena es mayor.

Eso es para quebrantar
el corazón más altivo.
1835   Los llaveros son pasivos,
pero más secos y duros
tal vez que los mesmos muros
en que uno gime cautivo.

No es en grillos ni en cadenas
1840   en lo que usté penará
sinó en una soledá
y un silencio tan projundo
que parece que en el mundo
es el único que está.

1845   El más altivo varón
y de cormillo gastao,[12]
allí se vería agobiao
y su corazón marchito,
al encontrarse encerrao
1850   a solas con su delito.

En esa cárcel no hay toros,
allí todos son corderos;
no puede el más altanero,
al verse entre aquellas rejas,
1855   sinó amujar las orejas[13]
y sufrir callao su encierro.

[12] "De cormillo gastao": Viejo y experimentado.
[13] Amujar: Echar hacia atrás las orejas, es decir, ceder.

The prisoner has no idea
which way the scales will tip—
but there's such a long delay
that I can tell you for my part
1825 a man who enters in that place
leaves his hopes outside.

Without improving the laws
they improve the punishment.
I've an idea that whoever invented it
1830 must have had a curse on him—
however bad a crime may be
that punishment is worse.

It's enough to crack in two
even the proudest heart;
1835 the prison guards are not really bad
but they're more hard and dry, maybe,
than the very walls themselves
where you groan in captivity.

It's not with fetters or with chains
1840 that you suffer the penalty,
but with a solitude
and a silence that's so deep
it seems as if in all the world
you're the only one who's left.

1845 Even the proudest man,
and old and experienced,
would get to be worn down in that place,
and his heart would wither up
when he found himself shut in
1850 all alone with his crime.

No one's a bull in that prison—
in there, they're all quiet as lambs.
When he finds he's behind those bars,
even the most arrogant
1855 can do nothing except give in and bear
his imprisonment, quietly.

Y digo a cuantos inoran
el rigor de aquellas penas,
yo que sufrí las cadenas
1860   del destino y su inclemencia:
que aprovechen la esperencia,
del mal en cabeza agena.

¡Ay madres, las que dirigen
al hijo de sus entrañas!
1865   no piensen que las engaña,
ni que les habla un falsario;[14]
lo que es el ser presidario
no lo sabe la campaña.

Hijas, esposas, hermanas,
1870   cuantas quieren a un varón,
díganlés que esa prisión
es un infierno temido,
donde no se oye más ruido
que el latir del corazón.

1875   Allá el día no tiene sol,
la noche no tiene estrellas;
sin que le valgan querellas
encerrao lo purifican;
y sus lágrimas salpican
1880   en las paredes aquellas.

En soledá tan terrible
de su pecho oye el latido:
lo sé, porque lo he sufrido
y créameló el aulitorio:[15]
1885   tal vez en el purgatorio
las almas hagan más ruido.

Cuenta esas horas eternas
para más atormentarse;
su lágrima al redamarse
1890   calcula en sus afliciones,
contando sus pulsaciones,
lo que dilata en secarse.

[14] Falsario: Embustero.
[15] Aulitorio: Auditorio.

And I'll say to anyone who doesn't know
what that cruel punishment is—
I who had to bear the chains
1860   of a fate that has no mercy:—
Make the most of this experience
of evil, on another man's head.

Ah, you mothers who guide the steps
of the sons born from your womb,
1865   don't think I'm deceiving you,
nor that it's an impostor who's saying this—
we who live on the land don't know
what it means to be in jail.

Daughters and wives and sisters,
1870   whoever has a man she loves—
tell them that a prison is
a fearful kind of hell
where you hear no other noise except
the beating of your heart.

1875   In there, there's no sun in the daytime
and the night has no stars;
there's no use in your complaining,
they make you purge your sins, all locked up,
and the tears you shed drop down
on to those prison walls.

In that terrible loneliness, you can hear
the beat that comes from your breast.
I know because I've suffered it—
you who are listening, believe me:
1885   I should think that in Purgatory
the souls must make more noise.

You count the endless hours
and that torments you still worse;
in your misery, you calculate
1890   each tear as it rolls down,
counting the number of heartbeats
in the time it takes to dry.

Allí se amansa el más bravo;
allí se duebla[16] el más juerte;
1895 el silensio es de tal suerte
que, cuando llegue a venir,
hasta se le han de sentir
las pisadas a la muerte.

Adentro mesmo del hombre
1900 se hace una revolución:
metido en esa prisión,
de tanto no mirar nada,
le nace y queda grabada
la idea de la perfeción.

1905 En mi madre, en mis hermanos,
en todo pensaba yo;
al hombre que allí dentró
de memoria más ingrata,
fielmente se le retrata
1910 todo cuanto ajuera vió.

Aquel que ha vivido libre
de cruzar por donde quiera
se aflige y se desespera
de encontrarse allí cautivo;
1915 es un tormento muy vivo
que abate la alma más fiera.[17]

En esa estrecha prisión
sin poderme conformar,
no cesaba de esclamar:
1920 ¡Qué diera yo por tener
un caballo en que montar
y una pampa en que correr!

[16] Duebla: Dobla.
[17] Fiera: Salvaje.

300

In there the wildest man gets tamed,
the strongest gives way, in there;
1895   the silence of it is so deep
that you'll be able to hear
even the sound of the footsteps
of Death, when it comes along.

Down deep inside a man
1900   there's a change which takes place:
stuck there in that prison,
from looking at nothing so long
there's born and stays engraved in him
the idea of what perfection is.

1905   I thought about everything,
my mother, and my brothers—
a man who has entered in there may have
the most worthless memory,
but it draws him pictures faithfully
1910   of everything he's seen outside.

Anyone who has lived free
to ride wherever he wants,
pines and grows desperate
when he finds himself shut in there:
1915   it's a living torture
that breaks down the wildest soul.

There in that narrow prison
which I could never get accustomed to,
I was always crying out—
1920   What I'd give to have
a horse to ride
and the pampa to gallop on!

En un lamento costante
se encuentra siempre embreteao;[18]
1925   el castigo han inventao
de encerrarlo en las tinieblas,
y allí está como amarrao
a un fierro que no se duebla.

No hay un pensamiento triste
1930   que al preso no lo atormente;
bajo un dolor permanente
agacha al fin la cabeza,
porque siempre es la tristeza
hermana de un mal presente.

1935   Vierten lágrimas sus ojos
pero su pena no alivia.
En esa costante lidia
sin un momento de calma,
contempla, con los del alma,
1940   felicidades que envidia.

Ningún consuelo penetra
detrás de aquellas murallas;
el varón de más agallas,[19]
aunque más duro que un perno,[20]
1945   metido en aquel infierno
sufre, gime, llora y calla.

Del furor el corazón
se le quiere reventar,
pero no hay sinó aguantar
1950   aunque sosiego no alcance;
¡dichoso en tan duro trance
aquel que sabe rezar!

---

[18] Embretao: Embretado, encerrado, encarcelado.
[19] "El varón de más agallas": El de más valor o ánimo.
[20] Perno: Clavo grueso de hierro.

302

But you're fenced in at all times
and mourning continually.

1925   They've invented the punishment
of shutting you in the dark,
and it's as if you were tied to a stake
of iron, that can never bend.

There's no sad thought that doesn't come

1930   to torment a prisoner;
beneath the ceaseless pain of it
he bows his head in the end—
because a time of trouble always
has sorrow for a sister.

1935   The tears go rolling from his eyes
but they don't lighten his sorrow;
through an unending struggle
without a moment's peace
his soul's eyes are gazing

1940   at the happiness he longs for.

There's no comfort can penetrate
behind the walls of that place.
Even the toughest kind of man,
even though he's harder than nails,

1945   once he's stuck in that hell, will suffer
and groan and cry and stay quiet.

Your heart's full of desperation
so that it's ready to burst,
but there's nothing to do but bear it

1950   even though you find no rest—
in such agony, it's a happy man
if he knows how to pray.

Dirige a Dios su plegaria
el que sabe una oración;
en esa tribulación
gime olvidado del mundo,
y el dolor es más projundo
cuando no halla compasión.

1955

En tan crueles pesadumbres,
en tan duro padecer,
empezaba a encanecer
después de muy pocos meses;
allí lamenté mil veces
no haber aprendido a ler.

1960

Viene primero el furor,
después la melancolía;
en mi angustia no tenía
otro alivio ni consuelo
sinó regar aquel suelo
con lágrimas noche y día.

1965

1970

A visitar otros presos
sus familias solían ir;
naides me visitó a mí
mientras estube encerrado;
¡quién iba a costiarse[21] allí
a ver un desamparado!

1975

¡Bendito sea el carcelero
que tiene buen corazón!
yo sé que esta bendición
pocos pueden alcanzarla,
pues si tienen compasión
su deber es ocultarla.

1980

Jamás mi lengua podrá
espresar cuánto he sufrido;
en ese encierro metido,
llaves, paredes, cerrojos,
se graban tanto en los ojos
que uno los ve hasta dormido.

1985

. . . .

[21] Costearse: Ilegar a un sitio después de muchas tribulaciones.

A man who knows a prayer to say
can lift his heart to God—
he's forgotten by the world
groaning there in his distress,
and it makes a sorrow deeper
when there's no one to pity it.

With this cruel anguish
and bitter suffering
my hair started to turn grey
after a very few months. . . .
A thousand times in there, I'd regret
not having learned to read.

Rage is the first that comes to you
and after that, melancholy.
In my misery, I had nothing
to bring me comfort or relief
except to water the floor of that place
with my tears, by night and day.

Other prisoner's families
used to go and visit them;
nobody came to visit me
while I was shut up there—
who'd take the trouble to go and see
a man with no friends in the world?

I call a blessing on any jailer
who has a merciful heart!
I know there can't be many
who would be able to claim it,
because if they have any pity
their duty is to hide it.

My tongue could never manage
to describe all I endured. . . .
When you're stuck in there imprisoned,
the keys and walls and locks
become so graven into your eyes
you see them even in your sleep.

. . . .

El mate[22] no se permite,
no le permiten hablar,
no le permiten cantar
para aliviar su dolor,
y hasta el terrible rigor
de no dejarlo fumar.

La justicia muy severa
suele rayar en crueldá;
sufre el pobre que allí está
calenturas y delirios,
pues no esiste pior martirio
que esa eterna soledá.

Conversamos con las rejas
por sólo el gusto de hablar;
pero nos mandan callar
y es preciso conformarnos,
pues no se debe irritar
a quien puede castigarnos.

Sin poder decir palabra
sufre en silencio sus males,
y uno en condiciones tales,
se convierte en animal,
privao del don principal
que Dios hizo a los mortales.

Yo no alcanzo a comprender
por qué motivo será,
que el preso privado está
de los dones más preciosos
que el justo Dios bondadoso
otorgó a la humanidá.

Pues que de todos los bienes,
(en mi inorancia lo infiero)
que le dió al hombre altanero
su Divina Majestá,
la palabra es el primero,
el segundo es la amistá.

1990
1995
2000
2005
2010
2015
2020

[22] Mate: La bebida, infusión de hojas de mate tostadas.

	Maté[7] isn't allowed,
1990	they don't allow you to talk,
	they don't allow you to sing
	to lessen your sorrow,
	and even the most terrible hardship:
	they don't even let you smoke.

1995   When justice is severe as this
it comes near cruelty.
A wretched man who's in that place
grows fevered and delirious,
because there's no worse agony
2000   than that eternal loneliness.

We'd talk to the bars on the windows
just for the pleasure of speaking,
but they'd order us to keep quiet
and we'd have to submit to it,
2005   because it's better not to annoy
people who can punish us.

So you bear your troubles in silence,
unable to say a word,
and in this sort of condition
2010   you turn into an animal—
as you're deprived of the chief gift
that was given to men by God.

It's beyond my understanding
what the reason can be
2015   for depriving a prisoner
of the most precious gifts
that God in his goodness and justice
granted to humanity.

Because I suppose—though I'm ignorant—
2020   that out of all the good things
which were given to proud man
by the Divine Majesty,
speech is the first of them
and friendship is the second.

---

[7] Maté: A tea drink made from dry maté leaves. Also called Paraguay tea.

2025   Y es muy severa la ley
que por un crimen o un vicio,
somete al hombre a un suplicio
el más tremendo y atroz,
privado de un beneficio
2030   que ha recebido de Dios.

    La soledá causa espanto,
el silencio causa horror;
ese continuo terror
es el tormento más duro,
2035   y en un presidio siguro
está de más tal rigor.

    Inora uno si de allí
saldrá pa la sepoltura:
el que se halla en desventura
2040   busca a su lado otro ser:
pues siempre es bueno tener
compañeros de amargura.

    Otro más sabio podrá
encontrar razón mejor,
2045   yo no soy rebuscador,
y ésta me sirve de luz:
se lo dieron al Señor
al clavarlo en una cruz.

    Y en las projundas tinieblas
2050   en que mi razón esiste,
mi corazón se resiste
a ese tormento sin nombre,
pues el hombre alegra al hombre,
y el hablar consuela al triste.
. . . .

2055   Grábenló como en la piedra
cuanto he dicho en este canto;
y aunque yo he sufrido tanto
debo confesarlo aquí:
el hombre que manda allí,
2060   es poco menos que un santo.

2025   And the law's a very severe one
that for a crime or fault
subjects a man to a punishment
that's so cruel and inhuman
it deprives him of a blessing
2030   which he received from God.

The loneliness unnerves you—
the silence is horrible.
This is the worst torment of all,
to be afraid all the time—
2035   and in a close prison
such cruelty goes too far.

For all you know you'll leave that place
only to go to your grave;
a man in trouble needs to find
2040   another being by his side,
because it's always good to have
companions in bitterness.

Someone wiser than me could find
a better reason than this;
2045   I'm not one who goes deep into things,
and this makes it clear for me—
they gave companions to the Lord
when they nailed him on a cross.

And, deep in the darkness
2050   where my understanding moves,
something in my heart resists
this torment without a name—
because one man cheers another,
and talking consoles your sadness.

. . . .

2055   What I've said here should be carved on your minds
as if it were on stone.
And even though I have suffered so much
it's right I should admit
that the man who's in command of that place
2060   is not far short of a saint.

Y son buenos los demás,
a su ejemplo se manejan;[23]
pero por eso no dejan
las cosas de ser tremendas;
2065   piensen todos y compriendan
el sentido de mis quejas.

Y guarden en su memoria
con toda puntualidá,
lo que con tal claridá
2070   les acabo de decir;
mucho tendrán que sufrir
si no cren en mi verdá.

Y si atienden mis palabras
no habrá calabozos llenos;
2075   manéjensé[24] como buenos;
no olviden esto jamás:
aquí no hay razón de más;
más bien las puse de menos.

Y con esto me despido;
2080   todos han de perdonar;
ninguno debe olvidar
la historia de un desgraciado:
quien ha vivido encerrado
poco tiene que contar.

[23] Es decir, siguen su ejemplo.
[24] Manéjensé: Pórtense.

And the rest of them are good men as well;
they act by his example,
but for all that, the conditions there
are none the less terrible—
2065 think of it, and you'll all understand
the meaning of my complaints.

And keep a place in your memory
as carefully as you can
for the things I've described to you
2070 as clearly as I could:
you'll have a lot to suffer
if you doubt the truth in me.

And if you take notice of my words
there'll be no dungeons full.
2075 Keep on the right side of the law
and always remember this—
I've not put in too many arguments,
more likely not enough.

And with that I'll take my leave—
2080 you must make allowance for me.
The story of an unfortunate man
is something no one should forget;
if you've lived your life in a prison
you haven't got much to tell.

xiii

2085
Lo que les voy a decir
ninguno lo ponga en duda,
y aunque la cosa es peluda,[2]
haré la resolución;
es ladino[3] el corazón
2090
pero la lengua no ayuda.

El rigor de las desdichas
hemos soportao diez años,
pelegrinando entre estraños
sin tener donde vivir,
2095
y obligados a sufrir
una máquina de daños.[4]

El que vive de este modo
de todos es tributario;
falta el cabeza primario,[5]
2100
y los hijos que él sustenta
se dispersan como cuentas
cuando se corta el rosario.

Yo andube ansi como todos,
hasta que al fin de sus días
2105
supo mi suerte una tía
y me recogió a su lado;
allí viví sosegado
y de nada carecía.

---

[1] Habla el segundo hijo.
[2] Peluda: difícil.
[3] Ladino: Inteligente, sagaz; sin embargo, según Battistessa (*Martín Fierro,* p. 201)
también se decía del indio que hablaba castellano.
[4] "Máquina de daños": Muchos daños.
[5] "El cabeza primario": El padre de la familia.

xiii

2085 Don't anybody question
the things I'm going to tell you,
because I'm determined to do it
even though it's a tough nut to crack—[1]
the heart knows what it wants,[2] but
2090 my tongue won't help it out.

For ten years we've been enduring
the hardship misfortunes bring—
wandering among strangers
with no home of our own,
2095 and being forced to put up with
a host of injuries.

If that's the kind of life you lead
you're everybody's slave—
take away the head and chief,
2100 and the children that he supports
scatter apart, like beads
when you break a rosary.

I got along as everyone has to
until, at the end of her days,
2105 an aunt of mine heard of my fate
and took me to live with her—
and there I stayed peacefully
with everything I could need.

[1] The Spanish *peluda* (hairy) simply means difficult.
[2] In the Spanish, "the heart is a *ladino*". *Ladino:* crafty. The verse means "the heart knows a great deal."

No tenía cuidado alguno
2110   ni que trabajar tampoco;
como muchacho loco
lo pasaba de holgazán;
con razón dice el refrán
que lo bueno dura poco.

2115   En mí todo su cuidado
y su cariño ponía;
como a un hijo me quería
con cariño verdadero
y me nombró de heredero
2120   de los bienes que tenía.

El juez vino sin tardanza
cuanto falleció la vieja.
"De los bienes que te deja,
me dijo, yo he de cuidar:
2125   "es un rodeo regular
y dos majadas de ovejas".

Era hombre de mucha labia,
con más leyes que un dotor.
Me dijo: "vos sos menor
2130   "y por los años que tienes,
"no podés manejar bienes,
"voy a nombrarte un tutor".

Tomó un recuento de todo
porque entendía su papel,
2135   y después que aquel pastel
lo tuvo bien amasao,[6]
puso al frente un encargao
y a mí me llevó con él.

[6] Pastel ... amasao: Arreglar un asunto de tal manera que se obtenga una ventaja o beneficio a costa de otro.

I had nothing at all to worry about
and no need to work either;
I spent the time just loafing around
like a boy who's soft in the head—
but it's quite true what the song says,
good things don't last for long.

Her care and her affection
were all set on me.
She loved me as if I were her son
with real tenderness,
and she named me as the inheritor
of all her property.

The Judge came along in no time
as soon as the old lady died.
He told me, "I'll be taking care
of the goods she's left to you—
it's a fair-sized cattle herd
and a couple of flocks of sheep."

He was a man who had a great gift of gab
and knew more laws than a lawyer does.
He told me, "You're a minor,
and on account of your age
you can't be in charge of property—
I'll appoint you a guardian."

He made out a list of all there was,
because he knew his job well;
and after he'd cooked up the pudding
according to his plan,
he put a man in charge of it
and took me away with him.

2110

2115

2120

2125

2130

2135

Muy pronto estuvo mi poncho
2140 lo mesmo que cernidor;[7]
el chiripá estaba pior,
y aunque para el frío soy guapo,
ya no me quedaba un trapo
ni pa el frío, ni pa el calor.

2145 En tan triste desabrigo,
tras de un mes iba otro mes;
guardaba silencio el juez,
la miseria me invadía;
me acordaba de mí tía,
2150 al verme en tal desnudés.[8]

No sé decir con fijeza
el tiempo que pasé allí;
y después de andar ansí,
como moro sin señor,[9]
2155 pasé a poder del tutor
que debía cuidar de mí.

xiv

Me llevó consigo un viejo
que pronto mostró la hilacha:[1]
dejaba ver por la facha[2]
2160 que era medio cimarrón;
muy renegado,[3] muy ladrón,
y le llamaban Viscacha.[4]

---

[7] Es decir, con muchos agujeros.

[8] Desnudés: Mal vestido.

[9] "Como moro sin señor": Libre y sin preocupaciones.

[1] Mostrar la hilacha: Revelar su verdadera manera de ser.

[2] Facha: Aspecto.

[3] Renegado: Irritable.

[4] Viscacha: "Apoda dado al tutor del hijo de Martín Fierro por tener el hábito de robar cuanta cosa hallaba a mano, rasgo común con la vizcacha ..., pero mientras ésta amontona los objetos robados en la entrada de su cueva, el viejo Viscacha lo que no vendía lo escondía adentro de su guarida." Castro, p. 370.

2140 Before very long, my poncho
was full of holes as a sieve,
and my *chiripá* was worse—
though I can stand cold weather pretty well
soon I was left without a rag
whether it was cold or hot.

2145 And in this wretched condition
one month went past the next.
The Judge never said a word
and poverty took hold of me—
when I saw myself all naked like that
2150 I used to remember my aunt.

How much time I spent there
I couldn't say for sure,
but after living in that way
like a horse without a master,[3]
2155 I was placed under a guardian
who had to look after me.

xiv

An old man took me away with him
who soon showed what he was made of.[1]
You could see from the face on him,
2160 he was a kind of wild animal—
Viscacha[2] was what they called him
and he was a foul-mouthed old thief.

---

[3] That is, with no duties or obligations.

[1] The Spanish *mostrar la hilacha,* "to show the thread," means to reveal himself as he really is, to show the stuff he is made of.

[2] Viscacha: The name of the character but also of a rodent. The character is named Viscacha because he embodies some qualities of the animal. (See also, Part I, vi, note 6.) Viscacha steals anything he can, as does the animal.

Lo que el juez iba buscando
sospecho y no me equivoco;
2165   pero este punto no toco
ni su secreto averiguo:
mi tutor era un antiguo[5]
de los que ya quedan pocos.

Viejo lleno de camándulas,[6]
2170   con un empaque[7] a lo toro;
andaba siempre en un moro,
metido en no sé qué enriedos,
con las patas como loro,
de estribar[8] entre los dedos.

2175   Andaba rodiao de perros,
que eran todo su placer;
jamás dejó de tener
menos de media docena;
mataba vacas ajenas
2180   para darles de comer.

Carniábamos noche a noche
alguna res en el pago;
y, dejando allí el resago,
alzaba en ancas el cuero,
2185   que se lo vendía a un pulpero
por yerba, tabaco y trago.

¡Ah! ¡viejo más comerciante[9]
en mi vida lo he encontrao!
con ese cuero robao
2190   él arreglaba el pastel,
y allí entre el pulpero y él
se estendía[10] el certificao.[11]

---

[5] Antiguo: Persona que vive todavía según modas, ideas, y costumbres del pasado.
[6] Camándulas: Mañas.
[7] Empaque: Aspecto.
[8] "Estribar": Poner el pie en el estribo.
[9] ¡Ah! ... comerciante": Aquí, el sentido es de viejo tramposo en los negocios, viejo ladrón.
[10] Se estendía: Se escribía, redactaba.
[11] Certificado: Se tenía que comprobar la venta del animal.

As to what the Judge was after,
I've an idea, and I'm not wrong,
2165   but I won't refer to this point
nor go digging his secrets up. . . .
My guardian was one of the old sort[3]
and there aren't many of them left now.

An old fellow, always up to tricks
2170   and with the build of a bull;
he rode around always on a dark roan horse
mixed up in Lord knows what schemes,
with his feet hooked like a parrot's
from the stirrup between his toes.[4]

2175   He went around surrounded by dogs
which were the only things he cared for.
There was never a time when he had less
than half a dozen of them—
he'd kill other people's cattle
2180   to give to them for food.

Night after night we used to skin
some beast from the neighborhood,
and leaving the remains where they were
he'd hoist the hide behind his saddle
2185   and sell it to the owner of a store
for maté and tobacco and drink.

A bigger old swindler than he was
I've never come across in my life.
Taking that hide he'd stolen
2190   he used to fix up the deal
and he and the storeman between them
drew up the bill of sale.[5]

[3] "Old sort": Viscacha lived according to old customs, old ways.

[4] "Stirrup . . . toes": The "stirrup" would be only a knot of leather gripped by toes left bare by rawhide boots.

[5] "Bill-of-sale": A bill of sale was necessary to prove the hide did not come from a stolen animal.

La echaba de comedido;[12]
en las trasquilas,[13] lo viera,
2195 se ponía como una fiera
si cortaban una oveja;[14]
pero de alzarse no deja
un vellón o unas tijeras.

Una vez me dió una soba
2200 que me hizo pedir socorro,
porque lastimé un cachorro
en el rancho de unas vascas;
y al irse se alzó[15] unas guascas;
para eso era como zorro.

2205 ¡Ai juna! dije entre mí;
me has dao esta pesadumbre:
ya verás cuanto vislumbre
una ocasión medio güena;
te he de quitar la costumbre
2210 de cerdiar[16] yeguas agenas.

Porque maté una viscacha[17]
otra vez me reprendió;
se lo vine a contar yo;
y no bien se lo hube dicho,
2215 "ni me nuembres ese bicho"
me dijo, y se me enojó.

Al verlo tan irritao
hallé prudente callar;
éste me va a castigar
2220 dije entre mí, si se agravia:
ya vi que les tenía rabia
y no las volví a nombrar.

---

[12] Comedido: Servicial.
[13] Trasquila: Esquila de ovejas.
[14] Si al trasquilar, la cortaban.
[15] "Se alzó": Se robó.
[16] Cerdiar: Quitarles la cerda para venderla.
[17] Viscacha: Véase I, vi, nota 19; II, xiv, nota 4.

He was a great one for offering help
and at sheep-shearings—you should have seen him—
2195   he went furious as a wild animal
if one of the sheep got cut—[6]
but this didn't stop him from lifting
a fleece or a pair of shears.

One day he gave me a tanning
2200   that sent me crying for help,
because I hurt a puppy
at some Basque women's house—
and when he left, he stole some leather straps—
he was sly as a fox like that.

2205   "You son of a bitch!" I said to myself,
"for hurting me this way
you'll see, as soon as I catch a glimpse
of half an opportunity
I'll break your habit of cutting hair[7]
2210   off other people's mares."

Because I killed a viscacha
another time, he bawled me out;
I'd gone and told him about it,
and I'd hardly spoken when he said,
2215   "Don't let me hear you mention those animals,"
and he got furious at me.

Seeing him all worked up like that
I thought it best to keep quiet.
"If he's taking offense," I said to myself,
2220   "he'll make me pay for it—"
I could see they put him in a rage
and I didn't mention them again.

[6] He would become enraged if someone wounded the sheep during the shearing.
[7] "Cutting hair": Horsehair fetched high prices.

Una tarde halló una punta
de yeguas medio bichocas;
2225   después que voltió unas pocas
las cerdiaba con empeño;
yo vide venir al dueño
pero me callé la boca.

El hombre venía jurioso
2230   y nos cayó como un rayo;
se descolgó del caballo
revoliando el arriador,[18]
y lo cruzó de un lazaso
áhi no más a mi tutor.

2235   No atinaba don Viscacha
a qué lado disparar,
hasta que logró montar,
y de miedo del chicote,
se lo apretó hasta el cogote,[19]
2240   sin pararse a contestar.

Ustedes crerán tal vez
que el viejo se curaría:
no, señores, lo que hacía
con más cuidao, dende entonces,
2245   era maniarlas[20] de día
parar cerdiar a la noche.

Ese fué el hombre que estubo
encargao de mi destino;
siempre andubo en mal camino,
2250   y todo aquel vecinario
decía que era un perdulario,[21]
insufrible de dañino.[22]

---

[18] Arriador: Arreador, látigo para arrear animales.
[19] "Se sobreentiende el sombrero." Borges y Bioy Casares, *Poesia gauchesca,* II, p. 685. ("Apretarse el gorro": huir.)
[20] Manear: Trabar un caballo.
[21] Perdulario: Pillo.
[22] Dañino: Ladrón.

One evening, he came across
a whole lot of broken-down mares.
2225   After he'd got a few of them down
he was busy cutting their manes—
I saw the owner coming,
but I didn't open my mouth.

The man came up in a fury
2230   and fell on us like a flash;
he threw himself straight off his horse
whirling his whip around,
and he caught my guardian right away
with a lash across his back.

2235   Don Viscacha couldn't decide
which direction to run in,
till he finally managed to mount his horse,
and he was so scared of the whip,
he made off hell for leather[8]
2240   without stopping to explain.

Maybe you'll be thinking
this would have cured the old man.
Not a bit of it—but what he did,
taking more care from then on,
2245   was hobble them in the daytime
so as to cut their hair at night.

And this was the man who had been put
in charge of my future!
He was always up to something wicked,
2250   and all the people round
said he was a scoundrel not to be borne
on account of the damage he did.

---

[8] "Hell for leather": Literally, "he crammed his hat down as far as his neck"—
i.e., to run away in a big hurry.

Cuando el juez me lo nombró
al dármeló de tutor,
2255 me dijo que era un señor
el que me debía cuidar,
enseñarme a trabajar
y darme la educación.

Pero qué había de aprender
2260 al lao de ese viejo paco[23]
que vivía como el chuncaco[24]
en los bañaos,[25] como el tero;[26]
un haragán, un ratero,
y más chillón que un barraco.[27]

2265 Tampoco tenía más bienes
ni propiedá conocida
que una carreta podrida
y las paredes sin techo
de un rancho medio desecho,
2270 que le servía de guarida.

Despúes de las trasnochadas
allí venía a descansar;
yo desiaba aviriguar
lo que tubiera escondido,
2275 pero nunca había podido
pues no me debaja entrar.

Yo tenía unas jergas viejas
que habían sido más peludas;
y con mis carnes desnudas,
2280 el viejo, que era una fiera,
me echaba a dormir ajuera
con unas heladas crudas.

---

[23] Paco: Falso.
[24] Chuncaco: Especie de sanguijuela.
[25] Bañados: Campos anegadizos.
[26] Tero: Ave que con su grito estridente anuncia cualquier novedad en el campo.
[27] Barraco: Cerdo padre.

When the Judge appointed him
and gave me him as a guardian,
2255   he told me it was a gentleman
who was going to take care of me,
and teach me to earn my living
and give me an education.

But what was I supposed to learn
2260   alongside that mean old tramp,
who lived like the leeches in the marsh,
fierce as a *tero*[9] bird,
who wouldn't work and was a petty thief
and squealed louder than a boar?

2265   He didn't own any property, either,
nor any goods that you could see
except for a cart that was rotting away,
and the walls without a roof
of a half-ruined cabin
2270   that he used as his lair.

After being out all night
it was there he'd go and rest.
I wanted to discover
what he'd got hidden away,
2275   but I'd never been able to do it
because he wouldn't let me go inside.

I had a few old blankets
that had been thicker once,
and with no more than my naked skin
2280   the old man, who was a fiend,
sent me to sleep out in the open
even when it was freezing hard.

[9] *Tero:* See Part I, xii, note 3.

Cuando mozo fué casao
aunque yo lo desconfío;
2285   y decía un amigo mío
que, de arrebatao[28] y malo,
mató a su mujer de un palo[29]
porque le dió un mate frío.[30]

Y viudo por tal motivo
2290   nunca se volvió a casar;
no era fácil encontrar
ninguna que lo quisiera:
todas temerían llevar
la suerte de la primera.

2295   Soñaba siempre con ella,
sin duda por su delito,
y decía el viejo maldito
el tiempo que estubo enfermo,
que ella dende el mesmo infierno
2300   lo estaba llamando a gritos.

XV

Siempre andaba retobao,[1]
con ninguno solía hablar;
se divertía en escarbar
y hacer marcas con el dedo;
2305   y cuando se ponía en pedo[2]
me empezaba aconsejar.

---

[28] Arrebatao: De genio irritable.

[29] Ramón Villasuso (*Martín Fierro*, Sopena, B. A., 1956) cita de la *Gaceta Mercantil* de 1833:

    Estando en gracia de Dios
    Maté a mi mujer de un palo,
    Si esto hice en gracia de Dios,
    ¿Qué haría en gracia del diablo?

[30] Ofrecer un mate frío podrá ser ofensa grave, pero aquí parece querer decir que Viscacha mató a su mujer casi por nada.

[1] Retobao: Retobado, irritable.

[2] Ponerse en pedo: Emborracharse.

As a young man, he'd been married
(although I can't believe it)
and a friend of mine told me
2285
that out of pure rage and spite
he killed his wife with a stick
because she served his maté cold.[10]

And being widowed on account of this
he never got married again.
2290
It wasn't easy to come across
any woman who'd want him—
they were all afraid of meeting
the same fate as the first.

He always dreamed about her—
2295
because of his crime, I've no doubt—
and the cursed old devil used to say,
the time when he was ill,
that she was calling out for him,
2300
screaming right out of hell.

XV

He was always in a bad temper,
he'd never talk to anyone.
He'd amuse himself scratching the ground
and drawing brand-marks with his finger—
2305
and as soon as he got a bit tanked up,
he'd start giving me advice.

---

[10] "Maté cold": Apparently it was a serious offense to offer cold maté. However, this hardly justifies the punishment.

Me parece que lo veo
con su poncho calamaco;[3]
después de echar un buen taco[4]
2310 ansí principiaba a hablar:
"Jamás llegués a parar
a donde veás perros flacos".[5]

"El primer cuidao del hombre
es defender el pellejo;
2315 lleváte de mi consejo,
fijáte bien lo que hablo:
el diablo sabe por diablo
pero más sabe por viejo".

"Hacéte amigo del juez,
2320 no le dés de qué quejarse;
y cuando quiera enojarse
vos te debés encojer,[6]
pues siempre es güeno[7] tener
palenque ande ir a rascarse".[8]

2325 "Nunca le llevés la contra
porque él manda la gavilla;[9]
allí sentao en su silla
ningún güey[10] le sale bravo:
a uno le dá con el clavo
2330 y a otro con la cantramilla".[11]

---

[3] "Poncho calamaco": Poncho ordinario, más bien de mala calidad.

[4] Taco: Trago.

[5] Porque esto indica que la gente está pobre.

[6] Tú te debes encoger.

[7] Güeno: Bueno.

[8] Lugar donde refugiarse.

[9] Gavilla: "Conjunto de bueyes que tiran de una carreta", Castro, p. 198.

[10] Güey: Buey.

[11] Tiscornia(*M. Fierro,* Losada 1963 ed., p. 286) dice: "Era propriamente una pieza de hierro, en forma de paleta, que a modo de regatón o contera llevaba la picana del labrador para limpiar la reja del arado." Borges y Bioy Casares (*Poesia gauchesca,* II, p. 768): "Palito fijado en la picana de la carreta y rematado en un clavo, que servía para azuzar a los bueyes del medio."

It's as if I could see him now,
with his old woolen poncho round him.
After he'd taken a good swig
2310   he'd start off talking like this:—
"Don't you ever stop off at a place
where you can see the dogs are thin.

"The first concern a man has
is taking care of his own skin.
2315   You help yourself to my advice,
pay attention to what I say—
the Devil's wise because he's a devil,
but wiser still because he's old.

"Make friends with the Judge, don't give him
2320   a chance to complain of you.
And when he chooses to get annoyed
what you have to do is lie low—
because it's always a good thing to have a post
to go and scratch yourself on.[1]

2325   "Don't ever get on the wrong side of him,
because he's the one who drives the team.
Sitting up there in his seat
none of the oxen turns out wild
he gets the nearest one with the short goad,
2330   and the leader with the goad on a beam.[2]

[1] "A post to go and . . .": A refuge.
[2] "Goad on a beam": A long beam protruding from the top of a wagon with a goad fixed to its end which the drover could operate by a pulley.

"El hombre, hasta el más soberbio,
con más espinas que un tala,[12]
aflueja andando en la mala[13]
y es blando como manteca:
2335   hasta la hacienda[14] baguala
cai al jagüel[15] en la seca".[16]

"No andés cambiando de cueva,
hacé las que hace el ratón:
conserváte en el rincón
2340   en que empesó tu esistencia:
vaca que cambia querencia
se atrasa en la parición"[17]

Y menudiando los tragos
aquel viejo como cerro,[18]
2345   "No olvidés, me decía, Fierro,
que el hombre no debe crer,
en lágrimas de muger
ni en la renguera del perro".[19]

"No te debés afligir
2350   aunque el mundo se desplome:
lo que más precisa el hombre
tener, según yo discurro,
es la memoria del burro
que nunca olvida ande come".

[12] Tala: "Arbol espinoso, de gran desarrollo, madera muy fuerte de color blanco, utilizado para construir cabos de arreadores, rebenques y de diversas herramientas, así como también ejes de carretas, horcones para ranchos, muebles, bastones, etc. Como leña es excelente. Sus pequeños frutos son comestibles." Castro, pp. 342–343.

[13] Andar en la mala: Tocarle mala suerte a alguien por cierto período de tiempo.

[14] Hacienda: Ganado.

[15] Jagüel: Abrevadero para el ganado.

[16] Seca: Sequía.

[17] Parición: Rela cita a J. Hernández, *Instrucción del estanciero* "No debe olvidarse que, cuando la hacienda cambia de querencia, la parición se retrasa un poco." p. 174.

[18] "Como cerro": Firme como cerro.

[19] El refrán español: "No es de vero lágrima en la mujer, ni coxquear en el perro."

"Even the most high and mighty of men,
with more prickles than a thorn-tree,
gives way when he's in trouble
and is soft as butter—
2335 in a drought, even the wild cattle
come down to the water-hole.[3]

"Don't go changing the hole you live in,
you be like the mice,
stay quiet in the same corner
2340 where your life began—
cows that change their pasture
are late at calving time."

And always keeping on drinking,
firm as a rock, the old man
2345 used to tell me, "Don't you forget, Fierro,
that a man should never trust
in a woman when she's crying
nor in a dog that limps.

"You've no call to get upset
2350 even though the world falls apart.
The thing a man has most need of,
according to what I've thought out,
is the memory a donkey has
that never forgets where it eats.

[3] "Water-hole": On a ranch this would probably be man-made.

2355 　　"Dejá que caliente el horno
　　el dueño del amasijo;
　　lo que es yo, nunca me aflijo
　　y a todito me hago el sordo:
　　el cerdo vive tan gordo
2360 　y se come hasta los hijos."

　　　"El zorro que ya es corrido,[20]
　　dende lejos la olfatea;[21]
　　no se apure quien desea
　　hacer lo que le aproveche:
2365 　la vaca que más rumea[22]
　　es la que da mejor leche".

　　　"El que gana su comida,
　　bueno es que en silencio coma;
　　ansina, vos ni por broma
2370 　querrás llamar la atención:
　　nunca escapa el cimarrón
　　si dispara por la loma."[23]

　　　"Yo voy donde me conviene
　　y jamás me descarrío;
2375 　lleváte el ejemplo mío,
　　y llenarás la barriga;
　　aprendé de las hormigas:
　　no van a un noque[24] vacío".

　　　"A naides tengás envidia,[25]
2380 　es muy triste el envidiar;
　　cuando veás a otro ganar
　　a estorbarlo no te metas:
　　cada lechón en su teta
　　es el modo de mamar".

---

[20] Corrido: Con experiencia en la vida.

[21] Olfatea: "Huele," es decir, advierte la trampa.

[22] Rumea: Rumia.

[23] Cimarrón: Es más fácil atrapar el caballo en una loma porque no corre tan aprisa y porque se puede ver desde lejos.

[24] Noque: Saco de cuero donde se guardan los granos.

[25] A nadie tengas envidia.

2355   "You leave heating the bread-oven
to the person who owns the dough.
As for me, I never worry,
I act deaf to everything—
the pig lives fat as anyone
2360   and it even eats its own young.

"A fox that's already had a run
can smell things out from afar.
Don't you be hurried, if you want
to do what suits you best—
2365   the cow that chews the cud longest
is the one who gives the best milk.

"A person who finds his own dinner
had better eat it quietly.
So don't you even as a joke
2370   call attention to what you've got—
if an animal runs on the slope
it's got no chance to get away.[4]

"I go wherever it suits me,
and I never lose the track.
2375   You take my example
and you'll keep your belly filled—
take a lesson from the ants—they never go
to a tub[5] with nothing in it.

"Don't envy anyone, because envy
2380   means a lot of unhappiness.
When you see someone else make good
don't you go and get in his way—
each little pig to its own teat
is the proper way to feed.

[4] It is easier to catch a horse on a slope because it does not run as fast and it can be seen easily.

[5] Tub: In the Spanish, actually *noque*: "a leather bag in which grain is stored."

2385

"Ansí se alimentan muchos
mientras los pobres lo pagan;
como el cordero hay quien lo haga
en la puntita, no niego;
pero otros, como el borrego,

2390

toda entera se la tragan".

"Si buscás vivir tranquilo
dedicáte a solteriar;[26]
mas si te querés casar,
con esta alvertencia sea:

2395

que es muy difícil guardar
prenda que otros codicean."

"Es un vicho la muger
que yo aquí no lo destapo:
siempre quiere al hombre guapo,

2400

mas fijáte en la eleción;
porque tiene el corazón
como barriga de sapo." [27]

Y gangoso con la tranca,[28]
me solía decir: "Potrillo,

2405

recién te apunta el cormillo,[29]
mas te lo dice un toruno:[30]
no dejés que hombre ninguno
te gane el lao del cuchillo." [31]

"Las armas[32] son necesarias

2410

pero naides sabe cuándo;
ansina, si andás pasiando,
y de noche sobre todo,
debés llevarlo de modo
que al salir, salga cortando."

[26] Solteriar: Hacer vida de soltero.

[27] "Barriga de sapo": Corazón frío y resbaladizo.

[28] Tranca: Borrachera.

[29] "Potrillo ... cormillo": Comienza a salir el colmillo. W. Rela (*M. Fierro,* p. 176) explica el verso: "En los yeguarizos, el colmillo les sale cuando dejan de ser potrillos."

[30] Toruno: "Hombre de edad avanzada, que tiene experiencia de la vida." Castro, p. 354.

[31] Ganar el lado del cuchillo: Ser el primero en atacar.

[32] Armas: El cuchillo.

2385	"That's how a lot of people feed,
	while it's the poor who pay for it.
	It's true, there are some people like young lambs
	who take it gently, right from the tip—
	but others are greedy as yearlings
2390	and suck in the whole lot.

"If you want a quiet life
make up your mind to live single.
But if you should want to get married
with this warning let it be—
2395   it's a hard job to keep a woman
that others have a fancy to.

"A woman's a kind of animal
that I won't start describing here.
She'll always like a strong man,
2400   but watch out how you choose—
because she's got a heart that's
like the belly of a toad."

And snuffling from the liquor,[6]
he'd tell me, "You're a young colt,
2405   you're only just cutting your eyeteeth,
but it's an old bull who's telling you this—
don't you ever let any man
get his knife out before you do.[7]

"Weapons[8] are things we need to have,
2410   but nobody can tell when.
So if you're going out,
and specially at night,
wear your knife so that when you draw it
it comes out ready to cut.

---

[6] More literally: "Snuffling from drunkenness."

[7] "Get his knife out before you do": Or "beat you to where the knife is." Gaucho's knives were worn stuck in the sash, at the back with the handle toward the right hand.

[8] "Weapons": The knife.

2415

"Los que no saben guardar
son pobres aunque trabajen;
nunca, por más que se atajen,
se librarán del cimbrón:[33]
al que nace barrigón

2420

es al ñudo[34] que lo fajen."

"Donde los vientos me llevan
allí estoy como en mi centro;
cuando una tristeza encuentro
tomo un trago pa alegrarme:

2425

a mi me gusta mojarme
por ajuera y por adentro."[35]

"Vos sos pollo,[36] y te convienen
toditas estas razones;
mis consejos y leciones

2430

no echés nunca en el olvido:
en las riñas he aprendido
a no peliar sin puyones."[37]

Con estos consejos y otros,
que yo en mi memoria encierro

2435

y que aquí no desentierro,
educándomé seguía,
hasta que al fin se dormía,
mesturao[38] entre los perros.

---

[33] Cimbrón: Sacudida nerviosa, es decir, de los golpes de la vida.
[34] Al ñudo: inútil.
[35] Es decir, mojarse con agua y con vino o licor.
[36] Tú eres pollo.
[37] Puyón: Púa de acero que se pone a los gallos de riña.
[38] Mesturao: Es decir, tirado allí borracho entre los perros.

2415	"People who don't know how to save
	stay poor even though they work.
	However they dodge, they'll never escape
	that backlash poverty brings—
	if you're born with a fat belly,
2420	you'll never change by squeezing it in.

"Wherever the winds blow me
I'm content there as in my own home.
When I happen on something sorrowful,
I take a swig to cheer myself up—
it suits me to get myself wet
both on the outside and in.[9]

"You're only a young chicken, and you've need
of all these arguments.
Don't you ever go and forget
my advice and what I've taught you:
I've learned my lesson from cockfights—
never to fight without spurs."

With these bits of advice, and others
(which I've got stored in my mind
and which I won't dig up just now),
he carried on with my education—
until in the end he'd fall asleep
lying there among the dogs.

[9] Wet with water and liquor.

2440
Cuando el viejo cayó enfermo,
viendo yo que se empioraba,
y que esperanza no daba
de mejorarse siquiera,
le truje una culandrera[1]
a ver si lo mejoraba.

2445
En cuanto lo vió me dijo:
"Este no aguanta el sogazo;[2]
"muy poco le doy de plazo;
"nos va a dar un espetáculo,
"porque debajo del brazo
2450
"le ha salido un tabernáculo." [3]

Dice el refrán que en la tropa
nunca falta un güey corneta;[4]
uno que estaba en la puerta
le pegó el grito áhi no más:
2455
"Tabernáculo ... qué bruto;
"un tubérculo, dirás."

Al verse ansí interrumpido
al punto dijo el cantor:
"No me parece ocasión
2460
"de meterse los de ajuera,
"tabernáculo, señor,
"le decía la culandrera."

---

[1] Culandrera: Curandera.
[2] Sogazo: Golpe dado con una soga.
[3] Tabernáculo: Tumor.
[4] "Güey corneta": Buey con un solo cuerno.

When the old man fell ill
2440   and I saw he was getting worse,
and he looked as if there wasn't even a hope
of his getting any better,
I brought a *culandera*[1] along to him
to see if she could make him well.

2445   As soon as she saw him, she said to me,
"This one won't stay the course.[2]
I don't give him much time to go—
he's going to show us something strange,
because there's a Tabernacle
2450   come out under his arm."

As the saying goes, there's always in any herd
one ox with a missing horn. . . .
Sure enough, someone standing by the door
started shouting out straight away,
2455   "*Tabernacle,* indeed! what a fool you are—
a *tubercule,* you mean."

At this interruption
the singer answered right back,
"If you ask me, this is not the time
2460   for outsiders to butt in. . . .
A *tabernacle,* mister,
was what the *culandrera* said."

---

[1] *Culandera:* The correct Spanish word is *curandera,* a woman healer. There is also a play on words: *Curar* means "to heal," but Martín Fierro's son says *culandera,* substituting the *l* for the *r* (culo = buttocks).
[2] The Spanish: "This one won't survive a blow with a rope."

El de afuera repitió
dándole otro chaguarazo;[5]
2465 "Allá vá un nuevo bolazo,[6]
"copo y se lo gano en puerta:[7]
"a las mujeres que curan
"se les llama curanderas".

No es bueno, dijo el cantor,
2470 muchas manos en un plato,
y diré al que ese barato[8]
ha tomao de entremetido,
que no créia haber venido
a hablar entre literatos.

2475 Y para seguir contando
la historia de mi tutor
le pediré a ese dotor[9]
que en mi inorancia me deje,
pues siempre encuentra el que teje
2480 otro mejor tejedor.

Seguía enfermo como digo,
cada vez más emperrao;
yo estaba ya acobardao
y lo espiaba dende lejos:
2485 era la boca del viejo
la boca de un condenao.

[5] Chaguarazo: Latigazo.

[6] Bolazo: Mentira.

[7] Vocabulario del juego de naipes. Tiscornia señala: "1) *copar la banca* es hacer postura de dinero, igual al capital del tallador: 2) *en puerta* (*ganaroperder*), es descubrirse en la boca de la baraja la carta a que se apuesta." (*M. Fierro,* 1963 ed., p. 265.)

[8] Es decir: "y le diré al que de entremetido ha tomado ese barato". Barato: Battistessa: "ocasión". Castro: "Oportunidad que se pide o se acuerda para participar en algún acto ..."; Rela: "Coima recibida por 'asistir' a los jugadores en una carpeta."

[9] Dotor: "Se aplica a la persona que habla con muchos floreos y hace gala de saber muchas cosas." Castro, p. 158.

The stranger had another go
and lashed out at him again,
2465 "There goes the second shot you've missed—
I'll see you, and I win hands down—[3]
cu-ran-de-ras is the proper name
for women who make cures."

"Too many fingers in one pie[4]
2470 won't work," the singer replied,
"and I'll tell the busybody
who's stuck his nose in this business
that I didn't think I'd come here
to talk among such learned people.

2475 "And if I'm to go on telling you
the story of my guardian,
I'll ask this *Professor* here
to let me stay in my ignorance—
because when you're weaving, you'll always find
2480 another weaver who is better at it."

As I was saying . . . he kept on being ill
and got worse-tempered every day.
I'd lost my nerve by this time
and spied on him from a way off—
2485 the old man's mouth was like the mouth
of a man who has been condemned.

---

[3] "I'll see you, and I win hands down": Literally, "I take the bank and win on the first card." Images from card games, etc., are only translated approximately.
[4] In Spanish literally: "Too many hands in the dish. . . ."

Allá pasamos los dos
noches terribles de invierno;
él maldecía al Padre Eterno
2490   como a los santos benditos,
pidiéndolé al diablo a gritos
que lo llevara al infierno

Debe ser grande la culpa
que a tal punto mortifica;
2495   cuando vía una reliquia
se ponía como azogado,[10]
como si a un endemoniado
le echaran agua bendita.

Nunca me le puse a tiro,[11]
2500   pues era de mala entraña;
y viendo herejía tamaña,
si alguna cosa le daba,
de lejos se la alcanzaba
en la punta de una caña.

2505   Será mejor, decía ya,
que abandonado lo deje,
que blasfeme y que se queje
y que siga de esta suerte,
hasta que venga la muerte
2510   y cargue con este hereje.

Cuando ya no pudo hablar
le até en la mano un cencerro,
y al ver cercano su entierro,
arañando las paredes
2515   espiró allí, entre los perros
y este servidor de ustedes.

[10] Azogado: Turbado.
[11] Tiro: Al alcance.

There, the two of us, we went through
the terrible winter nights.
He was cursing the Eternal Father
2490 and the blessed saints as well,
and screaming out for the Devil
to take him off to hell.

It must have been a great sin that could
torment a man as much as that—
2495 when he saw a holy relic
it sent him all jittery
like when they throw holy water
on someone who's possessed.

I never went within reach of him
2500 because he was ornery as they come
and when I heard this awful blasphemy,
if I gave him anything
I passed it to him from a distance
off the end of a stick.

2505 I said, it'd be better
if I leave him on his own
with his cursing and blaspheming,
and let him go on that way
until Death comes along
2510 and carries off this heretic.

When he was past speaking
I tied a bell to his hand,
and when he saw his grave so near him
he scratched at the wall—
2515 and there he died, surrounded by
the dogs, and your humble servant.

Le cobré un miedo terrible
después que lo ví dijunto;
llamé al alcalde, y al punto,
2520   acompañado se vino
de tres o cuatro vecinos
a arreglar aquel asunto.

"Anima bendita", dijo
un viejo medio ladiao;
2525   "que Dios lo haiga perdonao,
"es todo cuanto deseo:
"le conocí un pastoreo[1]
"de terneritos robaos."

"Ansina es, dijo el alcalde,
2530   con eso empezó a poblar;[2]
yo nunca podré olvidar
las travesuras que hizo;
hasta que al fin fué preciso
que le privasen[3] carniar."

2535   "De mozo fué muy jinete,
no lo bajaba un bagual;
pa ensillar un animal
sin necesitar de otro,
se encerraba en el corral
2540   y allí galopiaba el potro."

"Se llevaba mal con todos;
era su costumbre vieja
el mesturar[4] las ovejas,
pues al hacer el aparte
2545   sacaba la mejor parte[5]
y después venía con quejas."

---

[1] Pastoreo: Una majada.
[2] Poblar: Llevar animales a un campo para ocuparlo.
[3] Privasen: Prohibieran.
[4] Mesturar: Mezclar.
[5] Al separar las ovejas: Recuérdese el refrán que dice "quien reparte se queda con la mejor parte."

I was caught by a terrible fear of him
after I saw him dead.
I called the Mayor, and along he came
2520   right away, accompanied
by three or four of the neighbors
to take charge of the affair.

"Ah, blessed soul," said one old man
with a kind of a twisted face,
2525   "the only wish I have
is that God may have pardoned him—
I knew he had quite a little herd
of young calves that he'd stolen."

"That's very true," the Mayor said,
2530   "that's how he first came to settle here.
As long as I live I'll never forget
the tricks that he got up to—
until in the end they were obliged
to forbid him to slaughter.

2535   "As a young man he was a great rider,
there wasn't a horse would throw him.
Breaking in a colt, he'd have no need
of another man beside him—
he'd shut himself in the corral
2540   and mount and gallop it in there.

"He was on bad terms with everyone—
it was an old habit of his
letting his sheep mix with other flocks,
and when they were sorted out
2545   he'd take the biggest share of them,
and then he'd come and complain."

"Dios lo ampare al pobresito,
dijo en seguida un tercero,
siempre robaba carneros,
2550   en eso tenía destreza:
enterraba las cabezas,
y despúes vendía los cueros."

"Y qué costumbre tenía;
cuando en el jogón estaba,
2555   con el mate se agarraba
estando los piones juntos,
yo tayo, decía, y apunto,[6]
y a ninguno convidaba".

"Si ensartaba algún asao,
2560   ¡pobre! ¡como si lo viese!
poco antes de que estubiese
primero lo maldecía,[7]
luego después lo escupía
para que naides comiese."

2565   "Quien le quitó esa costumbre
de escupir al asador,
fué un mulato resertor[8]
que andaba de amigo suyo,
un diablo, muy peliador,
2570   que le llamaban Barullo."[9]

"Una noche que les hizo
como estaba acostumbrao,
se alzó el mulato enojao,
y le gritó: "viejo indino,
2575   "yo te he de enseñar, cochino,
"a echar saliva al asao."

---

[6] Castro comenta: "El tallador lleva la banca, él talla y los demás jugadores apuntan. Pero en el caso del viejo Viscacha, él tallaba y apuntaba al mismo tiempo, y ganaba siempre; es decir, se tomaba todos los mates." p. 450.

[7] La gente ignorante no comería un "asao" maldito.

[8] Resertor: Desertor.

[9] Barullo: Confusión, alboroto.

"God preserve the poor soul,"
a third man went on at once,
"he was always stealing sheep,
2550   he was an expert at that—
he used to bury the heads[1]
and afterwards sell the skins.

"And what a way he used to behave
sitting around the fire!
2555   When all the men were there together
he'd grab the maté-pot—
'I'll deal this hand on my own,' he'd say,
and not offer it[2] to anyone.

"If he was putting meat on to roast
2560   (poor soul! I can see him now)
first he used to put a curse on it
just before it was ready,
and then he'd spit on it after that
so that no one else would eat it.

2565   "The one who cured him of that habit
of spitting on the meat
was a mulatto, a deserter,
who went about with him as his friend.
A devil of a one for fighting—
2570   *Barullo*[3] was what they called him.

"One evening when he did it
as he was accustomed to,
up got the mulatto in a rage
and shouted, 'You filthy old man—
2575   you dirty swine, I'll teach you
to go spitting over the meat!'

---

[1] "Bury the heads": To hide the identification marks on the heads.
[2] "Not offer it": The maté pot is customarily passed round the company.
[3] *Barullo* means "confusion," "disorder."

"Lo saltó por sobre el juego
con el cuchillo en la mano;
¡la pucha, el pardo liviano!
2580   en la mesma atropellada
le largó una puñalada
que la quitó otro paisano."

"Y ya caliente Barullo,
quiso seguir la chacota:[10]
2585   se le había erizao la mota[11]
lo que empezó la reyerta:
el viejo ganó la puerta
y apeló a las de gaviota."[12]

"De esa costumbre maldita
2590   dende entonces se curó;
a las casas no volvió,
se metió en un cicutal,
y allí escondido pasó
esa noche sin cenar."

2595   Esto hablaban los presentes;
y yo que estaba a su lao,
al oír lo que he relatao,
aunque él era un perdulario,
dije entre mí: "qué rosario
2600   le están resando al finao!"[13]

Luego comenzó el alcalde
a registrar cuanto había,
sacando mil chucherías
y guascas[14] y trapos viejos,
2605   temeridá[15] de trevejos[16]
que para nada servían.

[10] Chacota: Broma (pleito).

[11] Mota: Pelo crespo del negro.

[12] "Las de gaviota": Las patas largas de la gaviota, es decir, huyó muy aprisa valiéndose de sus piernas largas.

[13] ¡Qué rosario (recordar todo lo malo en la vida de Viscacha) le están rezando esta noche de velorio! Viscacha no tendría otro velorio ("ni lo velaron siquiera," II, 2718).

[14] Guasca: Lonja de cuero vacuno.

[15] Temeridá: Muchos.

[16] Trebejos: Utensilios.

"With his knife in his hand, he leapt at him
over the top of the fire.
A quick mover the darky was—*pucha!*
2580   at the same time as he sprang
he aimed a stab of the knife at him
which another man fended off.

"Barullo had got warmed up by now
and wanted to go on with the fun.[4]
2585   The wool on his head was bristling
as soon as the fight began. . . .
The old man managed to get to the door
and left the scene in a hurry.

"From that time onwards, he was cured
2590   of that devil's habit of his.
He didn't come back in again—
he crawled into a hemlock clump,
and went without his supper:
he stayed their hiding all that night."

2595   That's how the people there were talking
and I was standing nearby,
and when I heard what I've just told you,
even if he was an old rogue,
I thought, What a rosary this is
2600   they're praying for the dead!

Next, the Mayor started
to make a list of all that was there,
pulling out hundreds of odds and ends
and leather straps and old rags,
2605   a terrible lot of old harness
that was no good for anything.

[4] Literally, "the joke" (fight).

Salieron lazos, cabrestos,
coyundas[17] y maniadores,[18]
una punta[19] de arriadores,[20]
2610   cinchones,[21] maneas,[22] torzales,[23]
una porción de bozales[24]
y un montón de tiradores.

Había riendas de domar,
frenos y estribos quebraos;
2615   bolas, espuelas, recaos,[25]
unas pavas,[26] unas ollas,
y un gran manojo de argollas
de cinchas que había cortao.

Salieron varios cencerros,
2620   alesnas,[27] lonjas,[28] cuchillos,
unos cuantos cojinillos,[29]
un alto[30] de jergas viejas,
muchas botas desparejas[31]
y una infinidad de anillos.

2625   Había tarros de sardinas,
unos cueros de venao,
unos ponchos aujeriaos,
y en tan tremendo entrevero
apareció hasta un tintero
2630   que se perdió en el juzgao.

---

[17] Coyunda: Correa para uncir los bueyes.
[18] Maneador: Soga de cuero que se lleva atada al arzón de la silla.
[19] Punta: Cierto número de cosas.
[20] Arreador: Látigo para arrear animales.
[21] Cinchón: Cincha angosta del recado de montar.
[22] Manea: Cuerda o cadena para atar las manos de un animal.
[23] Torzal: Rela dice: "Sogas de cuero crudo, retorcidas, que se usan para fabricar riendas, cuartas, lazos y ramales de boleadoras." *M. Fierro*, p. 245.
[24] Bozal: Esportilla que se pone en la boca de las bestias.
[25] Recaos: Recados, la silla de montar y otras piezas que componen la montura.
[26] Pava: Tetera que se emplea para el mate.
[27] Alesna: Instrumento para hacer agujeros en el cuero.
[28] Lonja: Tira de cuero.
[29] Cojinillo: Manta de lana para hacer el asiento del gaucho más blando
[30] Alto: Montón.
[31] "Botas desparejas": Botas que no corresponden, de pares distintos.

Out came lassos, and halter-reins,
plaited leathers, and tethering-ropes,
a whole lot of whip-lashes,
2610 cinches, hobbles, and twisted hide,
a fair supply of head-stalls
and a heap of money-belts.

There were reins for lunging
and bits, and broken stirrups,
2615 bolas, and spurs, and saddles,
some kettles, some cooking pots,
and a great bunch of fastenings
from cinches that he'd cut off.

Out came several cow bells,
2620 awls, and strips of hide, and knives,
quite a number of sheepskins,
a mountain of old saddle-blankets,
a lot of boots without pairs to them
and an endless amount of rings.

2625 There were jars of sardines,
a few skins of deer,
some ponchos full of holes—
and in the middle of this terrible mess,
there even appeared an inkpot
2630 that had been missing from the Court.

Decía el alcalde muy serio:
"Es poco cuanto se diga:
"había sido como hormiga,
"he de darle parte al juez,
2635 "y que me venga despúes
"conque no se los persiga."

Yo estaba medio azorao
de ver lo que sucedía;
entre ellos mesmos decían
2640 que unas prendas eran suyas,
pero a mí me parecía
que esas eran aleluyas.[32]

Y cuando ya no tubieron
rincón donde registrar,
2645 cansaos de tanto huroniar[33]
y de trabajar de balde,
"vámosnós, dijo el alcalde,
"luego lo haré sepultar."

Y aunque mi padre no era
2650 el dueño de ese hormiguero,
él allí muy cariñero,[34]
me dijo con muy buen modo:
"Vos serás el heredero
"y te harás cargo de todo."

2655 "Se ha de arreglar este asunto
"como es preciso que sea;
"voy a nombrar albacea
"uno de los circustantes,
"las cosas no son, como antes,
2660 "tan enredadas y feas."

[32] Aleluyas: Palabrería.
[33] Huroniar: Esculcar, registrar.
[34] Cariñero: Cariñoso en apariencia; finge ser cariñoso.

The Mayor said, very solemnly,
"This is beyond all words.
He must have collected things like an ant. . . .
I must tell the Judge about this—
2635 and then just let him come and say
we're not to prosecute them."[5]

I was fairly astonished
to see what was going on.
Among themselves, they were saying
2640 some of the things belonged to them—
but I had a pretty good idea
that these were all Alleluias.

And when they hadn't a corner
left to investigate,
2645 and they were tired with ferreting about
and working with no results,
"Come on, let's go," the Mayor said,
"I'll have him buried later on."

And even though it wasn't my father
2650 who'd been the owner of that ant-hill,
he came over all kind, and told me
in a very friendly way,
"You shall be the inheritor
and you'll take charge of it all.

2655 "The matter will be taken care of
all in the proper manner.
I'm going to name one of those present
to be Executor—
things aren't like they were in the old days
2660 without any law and order."

---

[5] Probably because Viscacha was "protected" by the Judge.

¡Bendito Dios! pensé yo:
ando como un pordiosero,
y me nuembran heredero
de toditas estas guascas:
2665   quisiera saber primero
lo que se han hecho mis vacas!

xviii

Se largaron como he dicho
a disponer el entierro;
cuando me acuerdo, me aterro:
2670   me puse a llorar a gritos
al verme allí tan solito
con el finao[1] y los perros.

Me saqué el escapulario,
se lo colgué al pecador;
2675   y como hay en el Señor
misericordia infinita,
rogué por la alma bendita
del que antes fué mi tutor.

No se calmaba mi duelo
2680   de verme tan solitario;
áhi le champurrié[2] un rosario
como si juera mi padre,
besando el escapulario
que me había puesto mi madre.

2685   Madre mía, gritaba yo,
donde andarás padeciendo;
el llanto que estoy virtiendo
lo redamarías por mí,
si vieras a tu hijo aquí
2690   todo lo que está sufriendo.

---

[1] Finao: Finado, difunto.
[2] Champurriar: Chapurrar o chapurrear, es decir, hablar con dificultad un idioma.

Blessed God! I thought—here I am
going around like a beggar,
and they appoint me to be the heir
of all these old bits of junk. . . .
2665 The first thing I'd like to know is
what's happened to my herd of cows!

xviii

As I was saying, off they went
to arrange for the burial.
It gives me the horrors to think of it. . . .
2670 I started to scream and cry
when I found myself all alone in that place
with the dead man and the dogs.

I took out my holy scapular
and hung it round the sinner's neck,
2675 and as there's infinite mercy
to be had from the Lord,
I prayed for the blessed soul of him
who had been my guardian.

There was no calming the anguish I felt
2680 at being there all alone—
I muttered through a rosary
as if he had been my father,
kissing the scapular
that my mother had given me to wear.

2685 Mother, mother, I was crying out,
wherever fate may have brought you now—
these tears I'm pouring down,
you'd surely shed them for me
if you could see your son in this place
2690 and all he's suffering.

<pre>
              Y mientras ansí clamaba
          sin poderme consolar,
          los perros, para aumentar
          más mi miedo y mi tormento,
2695   en aquel mesmo momento
          se pusieron a llorar.

              Libre Dios a los presentes
          de que sufran otro tanto;
          con el muerto y esos llantos
2700   les juro que falta poco
          para que me vuelva loco
          en medio de tanto espanto.

              Decían entonces las viejas,
          como que eran sabedoras,³
2705   que los perros cuando lloran⁴
          es porque ven al demonio;
          yo créia en el testimonio
          como cré siempre el que inora.

              Áhi dejé que los ratones
2710   comieran el guasquerío; ⁵
          y como anda a su albedrío
          todo el que güérfano queda,
          alzando lo que era mío
          abandoné aquella cueva.

2715   Supe después que esa tarde
          vino un pion y lo enterró,
          ninguno lo acompañó
          ni lo velaron siquiera;
          y al otro día amaneció
2720   con una mano dejuera.
</pre>

³ Sabedoras: Gente que sabe.

⁴ Se dice en Castro "que cuando el perro llora es porque huele la muerte que se acerca o que ve al diablo con quien se comunica sobre las almas en pecado que éste se llevará. Por consiguiente el llanto del perro anuncia desgracias, anuncia la muerte." p. 452.

⁵ Guasquerío: Montones de guascas (tiras de cuero).

And while I was shouting out like this
and finding no comfort in it,
just so as to add to my terror
and torment me even worse,
2695   at that very same moment
the dogs began to howl.

God preserve any one of you here
from suffering anything like it.
What with the corpse and that howling,
2700   there wasn't much more needed, I swear,
for me to be driven crazy
with this horrible scene all round.

Old women used to say then—
the ones who knew about these things—
2705   that when dogs are howling, it's because
it's the Devil that they see.
I believed in this explanation,
like ignorant folk always do.

There I left the mice to eat
2710   the collection of old rubbish.
And as a person who's left an orphan
lives according to his own free will,
I picked up my belongings
and I deserted that nest.

2715   I heard afterwards that a man came
that afternoon, and buried him.
Nobody went there with him,
they didn't even give him a wake—
and when the next day dawned, there he was
2720   with one of his hands sticking out.[1]

---

[1] "One of his hands sticking out": A superstition about unshriven corpses. As with the Negro in Part I, there was no coffin.

Y me han contado además
el gaucho que hizo el entierro
(al recordarlo me aterro,
me dá pavor este asunto)
2725 que la mano del dijunto
se la había comido un perro.

Tal vez yo tuve la culpa
porque de asustao me fuí;
supe después que volví,
2730 y asigurárselós puedo,
que los vecinos, de miedo,
no pasaban por allí.

Hizo del rancho guarida
la sabandija más sucia;
2735 el cuerpo se despeluza[6]
y hasta la razón se altera:
pasaba la noche entera
chillando allí una lechuza.

Por mucho tiempo no pude
2740 saber lo que me pasaba;
los trapitos con que andaba
eran puras hojarascas;
todas las noches soñaba
con viejos, perros y guascas.

xix

2745 Andube a mi voluntá
como moro sin señor;[1]
ese fué el tiempo mejor
que yo he pasado tal vez:
de miedo de otro tutor
2750 ni aporté por lo del juez.[2]

[6] Despeluzarse: Temblar de miedo.
[1] "Moro sin señor": Libre completamente.
[2] "Ni aporté por lo del juez": Ni pasé por la casa del juez.

And the gaucho who did the burying
has told me as well—
it terrifies me to think of it,
it's a thing that gives me the horrors—
2725   he told me that the dead man's hand
had been eaten by a dog.

Maybe I was to blame for it
because I was scared and ran off.
When I came back afterwards, I heard—
2730   and I can tell you this for sure—
that for fear of it, the neighbors
wouldn't go near that place.

All the filthiest vermin
made the cabin their lair,
2735   and this will make your hair stand on end,
it's enough to stagger your mind—
an owl stayed there hooting
the whole of that night long.

For a long time I couldn't tell
2740   what was going to become of me.
The few clothes I was wearing
were nothing more than rags,
and every night I used to dream about
old men, and rubbish heaps, and dogs.

xix

2745   I went around living as I pleased
like a horse without a master.[1]
That was the best time, maybe,
that ever I've been through—
I wouldn't even go near the Judge's place
2750   for fear of a new guardian.

---

[1] "Like a horse without a master": Free and leisurely. The Spanish saying "like a Moor without a Master." The word *moro* (Moor) can also be understood as "dark horse".

"Yo cuidaré, me había dicho,
"de lo de tu propiedá;
"todo se conservará,
"el vacuno y los rebaños
2755   "hasta que cumplás treinta años
"en que seás mayor de edá."[3]

Y aguardando que llegase
el tiempo que la ley fija,
pobre como lagartija,
2760   y sin respetar a naides,
andube cruzando al aire
como bola sin manija.[4]

Me hice hombre de esa manera
bajo el más duro rigor;
2765   sufriendo tanto dolor
muchas cosas aprendí;
y, por fin, vítima fuí
del más desdichado amor.

De tantas alternativas
2770   ésta es la parte peluda;[5]
infeliz y sin ayuda
fué estremado mi delirio,
y causaban mi martirio
los desdenes de una viuda.

2775   Llora el hombre ingratitudes
sin tener un jundamento,
acusa sin miramiento
a la que el mal le ocasiona,
y tal vez en su persona
2780   no hay ningún merecimiento.

[3] Mayor de edad: Según Tiscornia, 1963 ed. (p. 266), en tiempos de Martín Fierro se llegaba a la mayor edad a los veinticinco años.

[4] La tercera bola cuya cuerda es más corta y le da rumbo a las bolas, es decir, anduvo sin dirección.

[5] Peluda: Difícil.

He'd told me, "I'll take care of
the question of your property.
It will all be kept safely for you,
the cattle and the flocks as well
2755   until your thirtieth birthday
when you'll reach your majority."[2]

And while I was waiting for the time
that's fixed by the law, to come,
as poor as a church mouse
2760   and caring for nobody,
I wandered about beneath the skies
like a bolas with no rope to swing it.[3]

Like this, in all kinds of hardships,
I grew up to be a man.
2765   By suffering so many miseries
I learnt a lot of things—
till finally I was the victim of
a most unhappy love affair.

Out of so many to choose from
2770   this is the toughest part.
Unhappy, with no one to turn to,
I grew completely delirious—
and the cause of all my torments was
a widow who'd have none of me.

2775   A man may weep for ungratefulness
without any foundation for it;
he'll blindly accuse the woman
who's causing him the pain,
and in the woman herself, maybe,
2780   there's nothing to warrant it.

[2] Majority: According to Tiscornia, a man came of age at twenty-five.
[3] Literally: "Like the bolas without the third bola," which is the one with which the thrower is able to direct the bolas.

Cuando yo más padecía
la crueldá de mi destino,
rogando al poder divino
que del dolor me separe,
2785 me hablaron de un adivino
que curaba esos pesares.

Tuve recelos y miedos
pero al fin me disolví;[6]
hice coraje y me fuí
2790 donde el adivino estaba,
y por ver si me curaba
cuanto llevaba le dí.

Me puse al contar mis penas
más colorao que un tomate,
2795 y se me añudó el gaznate[7]
cuando dijo el ermitaño:
"Hermano, le han hecho daño[8]
y se lo han hecho en un mate."

"Por verse libre de usté
2800 "lo habrán querido embrujar."
Después me empezó a pasar
una pluma de avestruz
y me dijo: "de la Cruz
"recebí el don de curar."

2805 "Debés maldecir, me dijo,
"a todos tus conocidos,
"ansina el que te ha ofendido
"pronto estará descubierto,
"y deben ser maldecidos
2810 "tanto vivos como muertos."

[6] Disolví: Resolví.
[7] Gaznate: La garganta.
[8] Daño: Brujería, hechizo.

When I was suffering worst
from the cruelty of my fate,
begging the powers of heaven
to take the pain away from me,
2785   they told me of a fortune-teller
who cured complaints of that kind.

I went through fears and longings,
but in the end I made up my mind.
I plucked up courage and off I went
2790   to where the fortune-teller lived,
and to see if he could cure me
I gave him all the money I had.

As I started to tell him my troubles
I went red as a tomato,
2795   and I felt as if I were choking
when the hermit said to me, "Brother—
someone has given you a love-potion,
and it was done in a drink of maté.

"They must have been trying to cast a spell
2800   so as to get rid of you."
After this, he started waving
an ostrich-feather over me,
and he said, "The gift of healing
was given me from the Cross."

2805   He told me, "You must put a curse
on everybody that you know.
Like that, the one who's harmed you
will very soon be revealed—
but you must curse the whole lot of them,
2810   dead as well as alive."

Y me recetó que hincao
en un trapo de la viuda
frente a una planta de ruda[9]
hiciera mis oraciones,
2815 diciendo: "no tengás duda,
"eso cura las pasiones."

A la viuda en cuanto pude
un trapo le manotié;[10]
busqué la ruda y al pié,
2820 puesto en cruz, hice mi reso;[11]
pero, amigos, ni por eso
de mis males me curé.

Me recetó otra ocasión
que comiera abrojo chico:[12]
2825 el remedio no me esplico,
mas, por desechar el mal,
al ñudo en un abrojal[13]
fi a ensangrentarme el hocico.[14]

Y con tanta medecina
2830 me parecía que sanaba;
por momentos se aliviaba
un poco mi padecer,
mas si a la viuda encontraba
volvía la pasión a arder.

---

[9] Ruda: De las hojas de esta planta se hace una infusión que, según la superstición, cura a los hechizados.

[10] Manotear: Robar.

[11] Reso: Oración.

[12] "Abrojo chico": "Planta muy conocida de la familia de las compuestas. Anual, con fuertes espinas ... el gaucho la usaba mucho como planta medicinal. Se utiliza un cocimiento de la raíz. Con ella se lava la carne para evitar su pronta putrefacción. Se lavan las heridas. En bebida se la usa como diurético, colagogo y emoliente." Castro, p. 22.

[13] Abrojal: Sitio donde hay muchos abrojos.

[14] Hocico: La boca.

And he instructed me to kneel down
on something the widow had worn,
and to go saying my prayers
in front of a plant of rue[4]—
2815 "Make no mistake about it,
that's a cure for passions," he said.

As soon as I could, I went and stole
a scrap of cloth from the widow's clothes.
I found the rue-plant, and at its foot
2820 I did my praying, laid out like a cross—
but even after this, I tell you, friends,
I wasn't cured of my pains.

Another time he instructed me
to eat a certain kind of thistle.
2825 I don't see the point of this remedy,
but hoping to relieve the pain
off I went to the thistle patch
to scratch my face all for nothing.

And I thought I was getting better
2830 with all these medicines.
There were moments when my sufferings
would get a little bit less—
but then if I met the widow
I was all on fire again.

---

[4] Rue: A plant out of whose leaves a drink is made and this, according to the
superstition, cures people who have been bewitched.

2835	Otra vez que consulté
	su saber estrordinario,
	recibió bien su salario,
	y me recetó aquel pillo
	que me colgase tres grillos
2840	ensartaos como rosario.

Por fin, la última ocasión
que por mi mal lo fi a ver,
me dijo: "No, mi saber
"no ha perdido su virtú:
2845 "yo te daré la salú,
"no triunfará esa mujer."

"Y tené fe en el remedio,
"pues la cencia no es chacota;
"de esto no entendés ni jota;
2850 "sin que ninguno sospeche
"cortále a un negro tres motas
"y hacélas hervir en leche."

Yo andaba ya desconfiando
de la curación maldita,
2855 y dije: "este no me quita
"la pasión que me domina;
"pues que viva la gallina
"aunque sea con la pepita."

Ansí me dejaba andar,
2860 hasta que en una ocasión,
el cura me echó un sermón,
para curarme, sin duda,
diciendo que aquella viuda
era hija de confisión.[15]

[15] "Por voto de viudez la mujer estaba bajo la dirección espiritual del sacerdote ..." Castro, p. 453; y comenta Rela, "Esto es lo que explicaría la inutilidad de los sortilegios del brujo." Rela, p. 191.

2835 Once more, when I consulted
the great wisdom of this man,
he got well paid, the swindler—
and the prescription he gave me was
to hang three grasshoppers round my neck
2840 on a thread, like a rosary.

Finally, the last time
I went to see him, for my sins,
he told me, "No, it's not
that my wisdom has lost its power.
2845 I'll get you back in good health again—
we won't let that woman win.

"And you just have faith in the remedy,
because this science is no joke.
You don't understand one jot of it. . . .
2850 Without letting anyone see you,
cut three tufts of hair from a Negro
and have them boiled in milk."

By now, I was getting mistrustful
about this damned cure,
2855 and I said, "None of this is relieving
the passion that's got hold of me—
so let the chicken go on living
even with its disease and all."

So I let myself go on as I was,
2860 till on a later occasion
I got a sermon from the priest—
to help with my cure no doubt—
telling me that the widow
was under his spiritual care.

2865
Y me dijo estas palabras
que nunca las he olvidao:
"Has de saber que el finao
"ordenó en su testamento
"que naides de casamiento
2870
"le hablara, en lo sucesivo,
"y ella prestó el juramento
"mientras él estaba vivo."

"Y es preciso que lo cumpla,
"porque ansí lo manda Dios.
2875
"Es necesario que vos
"no la vuelvas a buscar,
"porque si llega a faltar
"se condenarán los dos."

Con semejante alvertencia
2880
se completó mi redota;
le ví los pies a la sota,[16]
y me le alejé a la viuda
más curao que con la ruda,
con los grillos y las motas.

2885
Despúes me contó un amigo
que al juez le había dicho el cura;
"Que yo era un cabeza dura
"y que era un mozo perdido,
"que me echaran del partido,[17]
2890
"que no tenía compostura."[18]

Tal vez por ese consejo,
y sin que más causa hubiera,
ni que otro motivo diera,
me agarraron redepente[19]
2895
y en el primer contingente[20]
me echaron a la frontera.

[16] Ver la sota: Según A. J. Battistessa, *M. Fierro* (Buenos Aires, 1958) en su comentario al verso: "La sota, figura del juego de naipes, era considerada signo de mala suerte. Verle los pies a la sota supone, en consecuencia, sospechar un riesgo del que importa precaverse." p. 236.

[17] Partido: División administrativa.

[18] Compostura: Remedio.

[19] Redepente: De repente.

[20] Contingente: Conjunto de hombres alistados por la fuerza.

2865   This is what he said to me,
        and I've never forgotten it:
        "You must know that her late husband
        gave order in his will
        that nobody afterwards
2870   should propose to marry her—
        and she gave her word to it
        while he was still alive.

        "And she has to keep her promise
        because that's the will of God.
2875   It's forbidden for you
        to try to see her any more,
        because if you disobey
        the two of you will go to hell."

        After a warning like that one
2880   I was finally defeated.
        I could see a bad time coming,[5]
        and I kept away from the widow—
        it cured me better than the grasshoppers,
        and the rue plant, and the Negro's hair.

2885   Afterwards a friend informed me
        that the priest had told the Judge
        that I was an obstinate hard head
        and a delinquent youth,
        and they should throw me out of the district
2890   because there was no saving me.

        Maybe it was through this piece of advice
        and with no more reason required,
        nor giving any other excuse—
        they grabbed me suddenly
2895   and sent me out to the frontier
        in the next contingent of troops.

---

[5] "I could see a bad time coming": The Spanish text reads, "I saw the knave's feet". According to Battistessa (*Martín Fierro*), the knave — roughly equivalent to the jack in the playing cards used in the United States — was considered a sign of bad luck. Therefore to see its feet is to suspect there is a danger which one must avoid.

De andar persiguiendo viudas
me he curado del deseo;
en mil penurias me veo,
2900 mas pienso volver, tal vez,
a ver si sabe aquel juez
lo que se ha hecho mi rodeo.

XX

Martín Fierro y sus dos hijos,
entre tanta concurrencia,
2905 siguieron con alegría
celebrando aquella fiesta.
Diez años, los más terribles,
había durado la ausencia,
y al hallarse nuevamente
2910 era su alegría completa.
En ese mesmo momento,
uno que vino de afuera,
a tomar parte con ellos
suplicó que lo almitieran.
2915 Era un mozo forastero
de muy regular presencia,
y hacía poco que en el pago
andaba dando sus güeltas;
aseguraban algunos
2920 que venía de la frontera,
que había pelao[1] a un pulpero
en las últimas carreras,
pero andaba despilchao,[2]
no tráia una prenda buena;
2925 un recadito cantor [3]
daba fe de sus pobrezas.

[1] Pelar: Desplumar, es decir, quitarle el dinero, todo el dinero, a alguien, aquí, "en las carreras."
[2] Despilchao: Mal vestido.
[3] "Recadito cantor": Recado desgastado.

I've cured myself of wanting
to go chasing after widows.
I'm living in complete poverty
2900   but I think I'll go back, sometime,
to see if that Judge can tell me
what's become of that herd of mine.

XX

Among the crowd of people,
Martín Fierro and his two sons
2905   went on joyfully
celebrating that happy day.
For ten years, cruel ones,
they had been separated,
and now they had found each other again
2910   they were full of joy.
Just at that moment,
someone from outside
who had come to join the party,
asked to be let in.
2915   He was a stranger—
a fine-looking young man
and he'd only recently
been going round the neighborhood.
Some people said
2920   he'd come from the frontier,
and that at the last races
he'd won the shirt off the owner of a store.
But he went around in rags,
with no decent clothes at all—
2925   his shabby saddle-blankets
proved how poor he was.

                    Le pidió la bendición
                    al que causaba la fiesta,
                    y sin decirles su nombre
2930   les declaró con franqueza
                    que el nombre de *Picardía*
                    es el único que lleva,
                    y para contar su historia
                    a todos pide licencia,
2935   diciéndolés que en seguida
                    iban a saber quién era:
                    tomó al punto la guitarra,
                    la gente se puso atenta,
                    y ansí cantó *Picardía*
2940   en cuanto templó las cuerdas.

                            PICARDÍA[1]

                                xxi

                    Voy a contarles mi historia
                    perdónenmé tanta charla,
                    y les diré al principiarla,
                    aunque es triste hacerlo así,
2945   a mi madre la perdí
                    antes de saber llorarla.

                    Me quedé en el desamparo,
                    y al hombre que me dió el ser
                    no lo pude conocer;
2950   ansí, pues, dende chiquito
                    volé como un pajarito
                    en busca de qué comer.

                    O por causa del servicio,[2]
                    que a tanta gente destierra,
2955   o por causa de la guerra,
                    que es causa bastante seria,
                    los hijos de la miseria
                    son muchos en esta tierra.

[1] Habla ahora Picardía.
[2] Alusión al hecho de que para la lucha contra los indios y para la guerra contra el Paraguay (1865–1869) se llevaban a los paisanos para servir en el ejército.

He asked a blessing
from the guest of honor,
and without telling his name,
2930   he announced frankly
that the only name he went by
was that of Picardía.
He asked permission of the company
to tell his story,
2935   and told them that very soon
they'd find out who he was.
He picked up his guitar straight away;
people settled themselves to listen;
and as soon as he'd tuned the strings,
2940   Picardía began to sing.

PICARDÍA

xxi

I'm going to tell you my story, so please excuse
a lot of talking from me;
and I'll tell you by way of beginning—
though it's sad to do it this way—
2945   I lost my mother before I knew
enough to weep for her.

I was left abandoned,
and I could never find out
who the man who gave me my being was—
2950   and so, ever since I was small,
I flew around like a little bird
searching for things to eat.

Maybe it's on account of the service
which takes so many men from their homes,[1]
2955   or else on account of the war—
which is a pretty weighty reason—
but a great many children in this land
have Poverty for their mother.

---

[1] Allusion to the drafting of men into the service in the campaign against the
Indians and also during the war with Paraguay (1865-1869).

Ansí, por ella empujado,
2960 no sé las cosas que haría,
y, aunque con vergüenza mía,
debo hacer esta alvertencia:
siendo mi madre Inocencia,
me llamaban Picardía.

2965 Me llevó a su lado un hombre
para cuidar las ovejas,
pero todo el día eran quejas
y guascazos[3] a lo loco,
y no me daba tampoco
2970 siquiera unas jergas[4] viejas.

Dende la alba hasta la noche,
en el campo me tenía;
cordero que se moría,
mil veces me sucedió,
2975 los caranchos[5] lo comían
pero lo pagaba yo.

De trato tan riguroso
muy pronte me acobardé;
el bonete me apreté[6]
2980 buscando mejores fines,
y con unos bolantines[7]
me fuí para Santa Fe.[8]

El pruebista[9] principal
a enseñarme me tomó,
2985 y ya iba aprendiendo yo
a bailar en la maroma;[10]
mas me hicieron una broma
y aquello me indijustó.[11]

---

[3] Guazcazos: Golpes con el látigo.
[4] Jerga: Pieza de lana que se pone en la silla para montar.
[5] Carancho: Ave de rapiña.
[6] Apretarse el bonete: Huir.
[7] Bolantín: Volatinero.
[8] Santa Fe: Ciudad argentina y capital de la provincia del mismo nombre.
[9] Pruebista: Gimnasta, volatinero.
[10] Maroma: Cuerda gruesa sobre la cual los acróbatas caminan, bailan, etcét.
[11] Indijustó: Disgustó.

	And so, with her driving me,
2960	goodness knows what I might have done,
	and even though it's to my shame
	there's something I must warn you of—
	as my mother's name was *Inocencia*,[2]
	Picardía[3] was what they called me.

	A man took me to live with him
2965	to look after his sheep,
	but he did nothing but complain all day
	and beat me like a madman,[4]
	and besides, he wouldn't let me have
2970	—even an old blanket or two.

	He used to keep me out on the land
	from daybreak until night,
	and hundreds of times it happened
	that one of the lambs would die—
2975	they were eaten by *caranchos*[5]
	but it was me who paid for it.

	Very soon I'd had enough
	of being treated so cruelly.
	I made a quick getaway
2980	in search of a better life,
	and I went off towards Santa Fé
	with a troupe of acrobats.[6]

	The chief tightrope-walker
	took me on to teach me the trade,
2985	and I was soon learning
	to do a dance on the wire—
	but then they made a fool of me,
	and I didn't care for that.

[2] *Inocencia:* "Innocence."

[3] *Picardía:* "Roguery."

[4] A literal translation would be: "Beat me with a whip like a madman." See Castro, p. 204, *guascar*.

[5] *Caranchos:* Large carrion birds.

[6] Santa Fe: Argentine city and capital of the province of the same name. Circuses of various kinds toured the country from the end of the 18th century; often from Italy.

                    Una vez que iba bailando,
2990   porque estaba el calzón roto,
                    armaron tanto alboroto
                    que me hicieron perder pié:
                    de la cuerda me largué
                    y casi me descogoto.[12]

2995   Ansí me encontré de nuevo
                    sin saber donde meterme;
                    y ya pensaba volverme,
                    cuando, por fortuna mía,
                    me salieron unas tías
3000   que quisieron recogerme.

                    Con aquella parentela,
                    para mí desconocida,
                    me acomodé ya en seguida;
                    y eran muy buenas señoras,
3005   pero las más rezadoras
                    que he visto en toda mi vida.

                    Con el toque de oración
                    ya principiaba el rosario;
                    noche a noche un calendario
3010   tenían ellas que decir,
                    y a rezar solían venir
                    muchas de aquel vecinario.

                    Lo que allí me aconteció
                    siempre lo he de recordar,
3015   pues me empiezo a equivocar
                    y a cada paso refalo,
                    como si me entrara el malo[13]
                    cuanto me hincaba a resar.

                    Era como tentación
3020   lo que yo esperimenté;
                    y jamás olvidaré
                    cuánto tuve que sufrir,
                    porque no podía decir
                    "Artículos de la Fe".

[12] Cogote: Cuello, pescuezo.
[13] El malo: El diablo.

One day when I was doing my dance,
2990   there was a hole in my pants,
and they kicked up such a row, laughing at me,
that it made my foot slip—
I fell off the tightrope
and nearly broke my neck.

2995   And so I found myself once again
not knowing where to go.
I was thinking already of going back,
when luckily for me
some aunts of mine turned up
3000   who wanted to take me in.

I settled down in no time
with these relatives
who'd been quite unknown to me before—
and they were very kind ladies,
3005   but the worst ones for praying
I've seen in all my life.

At the first bell of the Angelus
the rosary had started.
Night after night, they had
3010   a whole calendar of saints to say,
and a lot of women from the neighborhood
used to come there too to pray.

As long as I live I'll remember
the things that happened to me there,
3015   because I used to start getting it wrong,
and at every word I'd slip—
as if the Evil One had got into me
whenever I knelt down to pray.

It was just like a temptation,
3020   what I experienced,
and I never will forget
all the suffering I went through
because I wasn't able to say,
"Articles of the Faith."

3025 Tenía al lao una mulata
      que era nativa de allí;
      se hincaba cerca de mí
      como el ángel de la guarda;
      ¡picara! y era la parda
3030 la que me tentaba ansí.

          "Resá, me dijo mi tía,
      "Artículos de la Fe."
      Quise hablar y me atoré;
      la dificultá me aflije;
3035 miré a la parda, y ya dije
      "Artículos de Santa Fe."

          Me acomodó el coscorrón
      que estaba viendo venir;
      yo me quise corregir,
3040 a la mulata miré,
      y otra vez volví a decir
      "Artículos de Santa Fe."

          Sin dificultá ninguna
      rezaba todito el día,
3045 y a la noche no podía
      ni con un trabajo inmenso;
      es por eso que yo pienso
      que alguno me tentaría.

          Una noche de tormenta,
3050 vi a la parda y me entró chucho;[14]
      los ojos, me asusté mucho,
      eran como refocilo:[15]
      al nombrar a San Camilo,
      le dije San Camilucho.[16]

[14] Chucho: Miedo.
[15] Refocilo: Relámpago.
[16] Camilucho: Peón que trabajaba en una estancia.

3025	Next to me I had a mulatto girl
	who was a native of those parts.[7]
	She knelt down close beside me
	just like a guardian angel—
	she was a devil, the colored girl,
3030	and it was her who was tempting me so.

"Repeat," my aunt would say to me,
"the Articles of the Faith."
I tried to speak, and I choked—
it was all too hard for me—
3035 I looked at the colored girl, and I said,
"Articles . . . of Santa Fé."

My aunt let me have the box on the ears
that I'd seen coming my way.
I tried to get it right this time—
3040 I caught the mulatto girl's eye—
and once again I repeated,
"Articles of . . . Santa Fé."

I could pray the whole day through
without any trouble at all,
3045 and at night-time I couldn't do it
no matter how hard I tried—
that's why I think it must have been
that someone was tempting me.

One stormy night I saw the colored girl,
3050 and I started shaking with fright.
Her eyes— it gave me a terrible scare—
they were like a lightning-flash . . .
And when I had to say, "Saint Camillo,"
I said, "Saint Camomile."[8]

---

[7] "Of those parts": i.e. from Santa Fe, hence the joke involving the *Artículos de la Fé*. (Articles of the Faith.)

[8] Play on words in the original between *San Camilo* and *Camilucho* (the laborer in the *estancias* was called a *camilucho*).

3055   Esta me da con el pié,
   aquella otra con el codo;
   ¡ah viejas! por ese modo,
   aunque de corazón tierno,
   yo las mandaba al infierno
3060   con oraciones y todo.

   Otra vez, que como siempre
   la parda me perseguía,
   cuando yo acordé, mis tías
   me habían sacao un mechón
3065   al pedir la estirpación
   de todas las heregías.

   Aquella parda maldita
   me tenía medio afligido,
   y ansí, me había sucedido,
3070   que al decir estirpación
   le acomodé entripación,
   y me cayeron sin ruido.[17]

   El recuerdo y el dolor
   me duraron muchos días;
3075   soñé con las heregías
   que andaban por estirpar,
   y pedía siempre al resar,
   la estirpación de mis tías.

   Y dale siempro rosarios,
3080   noche a noche y sin cesar;
   dale siempre barajar
   salves, trisagios[18] y credos:
   me aburrí de esos enriedos
   y al fin me mandé mudar.[19]

[17] "Me cayeron sin ruido": Me atacaron de repente sin decirme nada.
[18] Trisagio: Himno en honor de la Santísima Trinidad.
[19] Mandar mudar: Marcharse de un lugar.

3055	One of the aunts went for me with her feet
	and the other one with her elbow . . . .
	After treating me that way,
	even though I've a tender heart
	I cursed both those old women to hell,
3060	along with their prayers and all.
	And another time, when as always
	the colored girl was haunting me,
	the first thing I knew was that my aunts
	had pulled out a great tuft of my hair,
3065	while we were praying for the extirpation
	of all the heresies.
	That devil of a colored girl
	had got me all on edge,
	and what had happened to me was that
3070	when I got to "extirpation"
	I put "en-*tripe*-ation"[9] in instead—
	and they fell on me without a word.
	That memory, and the bruises,
	lasted me for days.
3075	I used to dream about heresies
	they were going to extirpate,
	and when I prayed it was always for
	the extirpation of my aunts.
	And on they went with their rosaries
3080	never stopping, night after night,
	and on they went with their muttering,
	Credos and hymns to the Blessed Trinity . . . .
	I got tired of all these problems
	and in the end I simply took off.

[9] En-*tripe*-ation: In the original, *extirpación* is mispronounced *entripación*.

3085   Andube como pelota
     y más pobre que una rata;
     cuando empecé a ganar plata
     se armó no sé qué barullo,
     y yo dije: a tu tierra, grullo,[1]
3090   aunque sea con una pata.

     Eran duros y bastantes
     los años que allá pasaron;
     con lo que ellos me enseñaron
     formaba mi capital;
3095   cuanto vine me enrolaron
     en la Guardia Nacional.

     Me había ejercitao[2] al naipe,
     el juego era mi carrera;
     hice alianza verdadera
3100   y arreglé una trapisonda[3]
     con el dueño de una fonda
     que entraba en la peladera.[4]

     Me ocupaba con esmero
     en floriar[5] una baraja:
3105   él la guardaba en la caja,
     en paquetes, como nueva;
     y la media arroba lleva[6]
     quien conoce la ventaja.

[1] "Cuando amenaza tempestad las grullas huyen de las orillas del mar y se van tierra alentro para escapar del peligro." Castro, p. 453.

[2] Ejercitao: Ejercitado, es decir, adiestrado.

[3] Trapisonda: Enredo.

[4] Que era cómplice de la acción de "pelar" a los otros.

[5] Floriar: Marcar las cartas de la baraja para poder reconocerlas.

[6] Llevar la media arroba: Llevar mucha ventaja.

3085   I went around like a rolling stone,[1]
and poorer than a rat.
As soon as I earned any money
some kind of trouble started up,
so I said,"Time to get home, crane[2]—even though
3090   you've only got one leg to stand on."

It was quite a few years, and they were hard ones,
that I'd spent in those parts;
the things I'd learned from them made up
my stock of capital . . . .
3095   As soon as I got back, they enrolled me
in the National Guard.[3]

The training I'd done was at playing cards,
and gambling was my career.
I made a regular treaty
3100   and I fixed up a crooked game
with the owner of an eating-house
who used to take part in the deal.

I'd set myself carefully
to the marking of a pack—
3105   he'd keep it in the cash-box
wrapped up as if it was new—
and you're carrying half the handicap
if you know where the advantage lies.

---

[1] Literally: "Like a ball," that is, bouncing around.
[2] Crane: The analogy refers to the crane's habit of escaping inland when a storm threatens the seashore.
[3] National Guard: i.e. The frontier regiments.

                    Comete un error inmenso
3110   quien de la suerte presuma,
            otro más hábil lo fuma,[7]
            en un dos por tres, lo pela;
            y lo larga que no vuela
            porque le falta una pluma.

3115   Con un socio que lo entiende
            se arman partidas muy buenas;
            queda allí la plata agena,
            quedan prendas y botones;[8]
            siempre cain a esas riuniones
3120   sonzos con las manos llenas.

                    Hay muchas trampas legales,
            recursos del jugador;
            no cualquiera es sabedor
            a lo que un naipe se presta:
3125   con una *cincha*[9] bien puesta
            se la pega uno al mejor.

                    Deja a veces ver la boca[10]
            haciendo el que se descuida;
            juega el otro hasta la vida,
3130   y es siguro que se ensarta,
            porque uno muestra una carta
            y tiene otra prevenida.

                    Al monte, las precauciones
            no han de olvidarse jamás;
3135   debe afirmarse además
            los dedos para el trabajo,[11]
            y buscar asiento bajo
            que le dé la luz de atrás.[12]

---

[7] Fuma: Engaña.

[8] Botón: El cinturón del gaucho llevaba a veces monedas aplicadas sobre el cuero como botones.

[9] Borges y Bioy Casares citan a Santiago M. Lugones: "En el monte y otros juegos, la cincha consiste en sacar dos cartas juntas, de manera que parezcan una sola ..." *Poesía gauchesca*, II, p. 705.

[10] Deja ver la carta de abajo.

[11] Debe acostumbrar y acondicionar los dedos.

[12] Para poder hacer trampa con la ayuda de la sombra del cuerpo.

It's making a very big mistake
3110   for anyone to rely on luck.
Someone smarter than he is will get him,
he'll pluck him bare straight off,
and send him away so that he can't fly
because he's got no feathers left.

3115   Some very good games can get going
with a partner who's in the know;
Other people's money stays behind with you,
and their clothes and the coins off their belts[4]—
there'll always be fools with their hands full
3120   who turn up at these gatherings.

There are plenty of lawful dodges
that a gambler knows how to use.
It's not everyone who's wise to the things
that can be done with a card—
3125   and with a well-placed double deal[5]
you can beat the best of them.

Sometimes you'll pretend to be careless
and let the top card show;
the other man stakes his life on it,
3130   and he's certain to get hooked—
because you're showing one card, and you've got
another one lined up.

Playing monte,[6] you can never afford
to forget your precautions.
3135   You have to sharpen your fingers, too,
for this kind of work,
and find yourself a low seat
that gives you the light at your back.

---

[4] Coins off their belts: The gaucho's belt had coins sewed on to the leather.

[5] "Double deal": With this and other cardsharp's technicalities, the general sense is given rather than equivalent slang.

[6] Monte: Card game of chance with a bank, and players betting on cards turning up in a certain order.

Pa tayar, tome la luz,
3140   dé la sombra al alversario,
acomódesé al contrario
en todo juego cartiao:
tener ojo ejercitao
es siempre muy necesario.

3145   El contrario abre los suyos,
pero nada vé el que es ciego;
dándolé soga,[13] muy luego
se deja pescar el tonto:
todo chapetón[14] cree pronto
3150   que sabe mucho en el juego.

Hay hombres muy inocentes
y que a las carpetas van;
cuando asariados[15] están,
les pasa infinitas veces,
3155   pierden en puertas y en treses,[16]
y dándolés, *mamarán*.[17]

El que no sabe, no gana
aunque ruege a Santa Rita;
en la carpeta a un mulita[18]
3160   se le conoce al sentarse;
y conmigo, era matarse,
no podían ni a la manchita.[19]

---

[13] Dar soga: Dar oportunidad para que el "tonto" piense que va a salir ganando; en el momento que más convenga, le dan el golpe que lo arruinará.

[14] Chapetón: Hombre sin experiencia, novato.

[15] Asariado: Sobresaltado.

[16] Lances del juego del monte, según Borges y Bioy Casares, II. p. 705.

[17] *Mamarán:* "Dar un cebo para hacer caer a otro en una celada. Haciéndoles probar la leche de la teta mamarán confiados porque sacan provecho." Castro, p. 240.

[18] Mulita: Cobarde, miedoso.

[19] Mancha (Juego de la): "*Arg.* Juego de niños en que uno corre a varios, y cuando llega á tocar á otro, queda *manchado* y debe correr á otros," vol. 32, p. 719 *Enciclopedia Universal Ilustrada.*

	If you're dealing, take the light side
3140	and give your opponent the shadow.
	Adapt yourself to who's against you
	in all games of cards—
	it's very important at all times
	to keep your eyes peeled.

	Your opponent keeps his eyes open,
3145	but no one can see if he's blind.
	Give a fool rope, and in no time
	he'll let himself get hanged—
	a beginner soon starts thinking
3150	he knows all about the game.

	There are some very innocent people
	who go out playing cards.
	Once they get agitated
	it'll happen time and again
3155	they'll lose turning up in ones or in threes—[7]
	let them win some first, and they're done for.

	If you're not in the know, you won't win
	even if you pray to Santa Rita.[8]
	At cards, you can tell a donkey
3160	as soon as he sits down,
	and playing with me it was certain death—
	they couldn't have won at tag.

[7] "Ones . . . threes": Two possible turn-ups in monte.

[8] Santa Rita of Cascia (1386–1456), Saint of hopeless cases. ("La Santa de los Imposibles," she is called in Spain.)

En el nueve y otros juegos
llevo ventaja no poca;
3165   y siempre que dar me toca
el mal no tiene remedio
porque sé sacar del medio
y sentar la de la boca.[20]

En el truco,[21] al más pintao
3170   solía ponerlo en apuro;
cuando aventajar procuro,
sé tener, como fajadas,
tiro a tiro[22] el as de espadas,
o flor, o envite seguro.

3175   Yo sé defender mi plata
y lo hago como el primero;
el que ha de jugar dinero
preciso es que no se atonte;
si se armaba una de monte,
3180   tomaba parte el fondero.

Un pastel,[23] como un paquete,
sé llevarlo con limpieza;
dende que a salir empiezan
no hay carta que no recuerde:
3185   sé cual se gana o se pierde[24]
en cuanto cain a la mesa.

[20] Fingir sacar la carta que debe dar y sacar la que sigue.

[21] Truco: Juego de naipes.

[22] "Tiro a tiro": "Cada vez que se repite la jugada, a cada tiro, uno a continuación del otro, en cada vuelta de mano que se echan las cartas o se tira la taba." Castro, p. 350.

[23] Pastel: "Baraja arreglada para que las cartas salgan en cierto orden." Borges y Bioy Casares, II, p. 706.

[24] "Se cuál se gana o se pierde." Aquí es evidente un error de imprenta que se ha repetido en todas las ediciones; lo correcto es: "Sé con cuál se gana o pierde"; porque tal como está el verso significaría que lo que se gana o se pierde es la carta con que se juega, como ocurre al jugar las bolitas; pero en el juego del monte lo que se gana o se pierde es el dinero apostado a una carta con la que se gana o se pierde, según aparezca antes o despúes que otras." Castro, p. 455.

At nines,[9] and at other games,
I've got quite some advantage,
3165   and whenever I'm the dealer
there's no way out—because
I can deal from the middle of the pack
or slip the top card underneath.

At *truco*,[10] I'd confound
3170   even the craftiest players.
When I manage to get the advantage
I can hold the cards in stacks,
time after time—the ace of spades,
or threes, or a natural for sure.

3175   I know how to take care of my money,
and I do it well as anyone.
You can't afford to lose your head
if you're going to play for cash . . . .
If a game of monte got going,
3180   the owner of the place joined in.

A fixed deal, or a whole pack of cards—
I can handle it without a hitch.
There's not one card I don't remember
from the time they're first turned up—
3185   as soon as they're on the table
I can tell which win and which lose.

[9] "Nines": An old form of baccarat.
[10] *Truco:* Still the most popular Argentine card-game.

También por estas jugadas
suele uno verse en aprietos;
mas yo no me comprometo
3190   porque sé hacerlo con arte,
y aunque les corra el descarte
no se descubre el secreto.

Si me llamaban al dao,
nunca me solía faltar
3195   un *cargado*[25] que largar,
un cruzao[26] para el más vivo;
y hasta atracarles[27] un *chivo*[28]
sin dejarlos maliciar.

Cargaba bien una taba[29]
3200   porque la sé manejar;
no era manco en el billar,
y, por fin de lo que esplico,
digo que hasta con pichicos[30]
era capaz de jugar.

3205   Es un vicio de mal fin,
el de jugar, no lo niego;
todo el que vive del juego
anda a la pesca de un bobo,
y es sabido que es un robo
3210   ponerse a jugarle a un ciego.

Y esto digo claramente
porque he dejao de jugar;
y les puedo asigurar,
como que fui del oficio:
3215   más cuesta aprender un vicio
que aprender a trabajar.

---

[25] Dado cargado: Lleva plomo adentro para hacer que siempre salga uno de los lados.
[26] Dado cruzado: Lleva el mismo punto en caras opuestas.
[27] Atracarles: Hacer que acepten.
[28] Dado *chivo:* Lleva el mismo punto en todos los lados.
[29] Taba: Juego en que se arrojan al aire tabas de animal vacuno. (Tabas: huesos).
[30] Pichico: Hueso de animal.

You can find yourself in trouble
for this sort of trick, as well,
but I don't get compromised
3190   because I do it skillfully,
and even if they run through the discards
the secret won't be found out.

If I was asked to a game of dice
I never would be short of
3195   a loaded one to play with—
if they were really smart, one the same on each side—
and even hand them one with the same face all round
without their suspecting a thing.

I could load a *taba*[11] expertly
3200   because I know how to handle it;
I wasn't clumsy at billiards—
and as a last word on this theme
I'll tell you, I wasn't even above
gambling with knucklebones.

3205   I won't deny that gambling
is a vice with a wicked end—
anyone who lives as a gambler
is out to catch a fool,
and everyone knows it's robbery
3210   to play with a man who's blind.

And I'm saying this so openly
because I've given up gambling.
And I can tell you for certain,
speaking as one who was in the trade—
3215   it's harder to learn to be crooked
than it is to learn honest work.

[11] *Taba:* Game in which cow bones are thrown in the air.

Un nápoles mercachifle[1]
que andaba con un arpista
cayó también en la lista
3220 sin dificultá ninguna:
lo agarre a la treinta y una[2]
y le daba bola vista.[3]

Se vino haciendo el chiquito,[4]
por sacarme esa ventaja;
3225 en el pantano se encaja,
aunque robo se le hacía:
lo cegó Santa Lucía[5]
y desocupó las cajas.[6]

Lo hubieran visto afligido
3230 llorar por las chucherías;
"ma gañao con picardía"
decía el gringo y lagrimiaba,
mientras yo en un poncho alzaba
todita su merchería.[7]

[1] Mercachifle: Vendedor ambulante.

[2] "Treinta y una": Juego de billar.

[3] "Le ... vista": En el juego de billar llamado *treinta y una* hay que hacer treinta y un puntos. El que se pasa pierde. "Antes de empezar el juego, el mozo a cargo del billar, además de unas bolitas numeradas que indican el turno que corresponde a los jugadores, entrega a cada uno de éstos una bola con un número, esta bola se llama reservada y su número, conocido únicamente por el jugador que la recibe, acredita los puntos sobre los que éste juega. Dar a conocer al adversario el número de esta bola significa una gran ventaja, cosa que sólo pueden hacer los muy expertos." Castro, p. 71.

[4] Hacerse el chiquito: Hacerse el tonto, el inocente.

[5] Santa Lucía: Patrona de los ciegos; se confunde Santa Lucía de Siracusa con Lucía *La Casta,* terciaria dominica (m. 1420).

[6] Cajas: Donde traía su mercancía.

[7] Merchería: Mercancía.

There was an Italian, a peddler,
who went around with a man with a harp,
he also fell into our trap
3220   without any trouble at all—
I got hold of him at thirty-ones[1]
and let him see my hidden score.

He started off acting innocent
thinking he'd use this advantage;
3225   he thought it was going all his way
but he got himself bogged down—
Saint Lucy[2] took his sight away
and emptied the boxes.

You should have seen him, all upset
3230   crying for his bits and pieces.
"He win by cheat," said the gringo,
and his tears went rolling down,
while I gathered up in a poncho
the whole of his stock-in-trade.

[1] Thirty-ones: Here referring to a billiards game.
[2] Saint Lucy: Patron saint of the blind.

3235	Quedó allí aliviao del peso
	sollozando sin consuelo,
	había cáido en el anzuelo[8]
	tal vez porque era domingo,
	y esa calidá de gringo
3240	no tiene santo en el cielo.[9]

Pero poco aproveché
de fatura tan lucida:[10]
el diablo no se descuida,
y a mí me seguía la pista
3245 un ñato[11] muy enredista
que era Oficial de partida.

Se me presentó a esigir
la multa en que había incurrido,
que el juego estaba prohibido,
3250 que iba a llevarme al cuartel[12]
tube que partir con él
todo lo que había alquirido.

Empecé a tomarlo entre ojos[13]
por esa albitrariedá;
3255 yo había ganao, es verdá,
con recursos,[14] eso sí;
pero él me ganaba a mí
fundao en su autoridá.

Decían que por un delito
3260 mucho tiempo andubo mal;[15]
un amigo servicial
lo compuso con el Juez,
y poco tiempo después
lo pusieron de Oficial.

[8] Caer en el anzuelo: Dejarse engañar.
[9] "No tiene santo en el cielo": Es decir, ningún santo le ayudará.
[10] De cosa tan bien ejecutada.
[11] Ñato: Chato.
[12] Cuartel: Comisaría.
[13] "Tomarlo entre ojos": Empieza a aborrecerlo.
[14] "Con recursos": Con trampas.
[15] Anduvo mal: Anduvo huyendo de la justicia.

3235	There he stayed, with his pack a lot lighter, sobbing away in despair. He'd swallowed the hook—maybe because it was Sunday that day, and that kind of gringo doesn't have
3240	a saint in heaven on his side.

	But this kind of easy money didn't do me much good. The Devil never dozes, and on my trail there came
3245	a flat-nosed fool[3], always scheming, who was head of the local police.

	He came to see me in order to claim the fine that I'd incurred. Because gambling was prohibited . . .
3250	and he'd take me off to the guard-house. . . . I had to cut him in on everything I'd won.

	I started to dislike him for this high-handed way he behaved.
3255	It's true that I'd won what I had by sharp practice, that I'll admit— but what he won from me was only on the strength of his authority.

	People said that for a long time
3260	he'd been on the run for some crime, and then an obliging friend of his had put him right with the Judge— and a short time after, they made him officer of the police force.

[3] "Flat-nosed fool": *Ñato* is a physical description somewhat derogatory although it can be also used as an expression of endearment.

3265   En recorrer el partido
        continuamente se empleaba,
        ningún malevo agarraba,
        pero tráia en un carguero
        gallinas, pavos, corderos
3270   que por áhi recoletaba.

        No se debía permitir
        el abuso a tal estremo:
        mes a mes hacía lo mesmo,
        y ansí decía el vecindario,
3275   "este ñato perdulario
        "ha resucitao el diezmo."[16]

        La echaba de guitarrero
        y hasta de concertador:[17]
        sentao en el mostrador
3280   lo hallé una noche cantando
        y le dije: "co ... mo ... quiando[18]
        con ganas de óir un cantor".

        Me echó el ñato una mirada
        que me quiso devorar;
3285   mas no dejó de cantar
        y se hizo el desentendido,
        pero ya había conocido
        que no lo podía pasar.[19]

        Una tarde que me hallaba
3290   de visita ... vino el ñato,
        y para darle un mal rato
        dije fuerte: "Ña ... to ... ribia[20]
        no cebe con la agua tibia."
        y me la entendió el mulato.

[16] Diezmo: Lo que se pagaba de tributo a la iglesia.

[17] Concertador: Improvisador de versos.

[18] "Co—mo—quiando": "Como que ando" y a la vez "moqueando". "En la forma de descomponer la palabra 'como' y añadir 'que ando' de modo que suene 'moqueando,' Picardía quiere decirle 'pavo' al ñato Oficial, lo que en habla campera es sinónimo de zonzo." Castro, p. 456.

[19] "No lo podía pasar": No lo tragaba, no lo soportaba.

[20] "Ña—to—ribia": "Ña Toribia" y también "Ñato ribia". "Picardía al llamarle 'ñato' al Oficial lo hacía tanto por ser éste chato como persona de malos hábitos." Castro, p. 456.

3265 He always kept himself busy
doing his rounds of the district—
he never caught any criminals,
but he brought back a pack-horse load
of lambs and chickens and turkeys
3270 that he'd collected on his way.

Taking advantage as far as that
shouldn't have been allowed.
He did the same thing month after month,
and the local people used to say,
3275 "This flat-nosed scoundrel
has brought back the tithes[4] again."

He boasted of being a guitar-player,
and even of making up songs.
One night I found him sitting
3280 on the bar-counter, singing away,
and I said, "What a cele-*bray*-tion[5] . . .
I'd like to hear someone sing."

Flat-nose sent a look at me
as if he'd eat me alive.
3285 He didn't leave off singing
and pretended he hadn't heard,
but he'd understood by this time
that I couldn't stand him.

One evening I was out paying
3290 a visit, when Flat-nose came along,
and I said loudly, so as to annoy him,
"This lady *knows*, that's *flat*[6] . . .
not to make maté if the water's cold"—
and the half-breed[7] took in the joke.

---

[4] Tithes: Tithes paid to the Church were in operation during colonial times but were abolished in 1822.

[5] "Cele-*bray*-tion . . . etc.": A "hidden word" insult: in the original *moqueando* (running-nose) hidden in *como-que-ando*.

[6] "This lady knows . . .": The "hidden word" in the original this time is *ñato* (flat-nose) in *Doña Toribia*.

[7] Half-breed: The Spanish says *mulato*, although Picardía is not necessarily referring to someone who has Negro blood. The term was simply meant as an insult.

3295   Era todo en el Juzgao,
y como que se achocó[21]
áhi no más me contestó:
"cuanto el caso se presiente
"te he de hacer tomar caliente[22]
3300   "y has de saber quién soy yo."

Por causa de una mujer
se enredó más la cuestión:
le tenía el ñato afición,
ella era mujer de ley,[23]
3305   moza con cuerpo de güey,
muy blanda de corazón.

La hallé una vez de amasijo,[24]
estaba hecha un embeleso,
y le dije: "Me intereso
3310   "en aliviar sus quehaceres,
"y ansí, señora, si quiere
"yo le arrimaré los güesos."[25]

Estaba el ñato presente,
sentado como de adorno;
3315   por evitar un trastorno
ella, al ver que se dijusta,
me contestó: "si usté gusta
"arrímelós junto al horno."

Áhi se enredó la madeja
3320   y su enemistá conmigo;
se declaró mi enemigo,
y por aquel cumplimiento
ya sólo buscó el momento
de hacerme dar un castigo.

[21] "Se achocó": Se sintío molesto por la burla.
[22] "Hacer tomar caliente": Imponerle un castigo.
[23] "Mujer de ley": Muy hermosa.
[24] "De amasijo": Amasando harina.
[25] Güesos: Huesos. Por falta de leña a veces quemaban huesos. Pero **Picardía** también quería decir que él se le arrimaría.

3295   He had things all his way at the Courthouse,
          and as he'd been stung by this
          he answered right back at me—
          "Just as soon as I get the chance
          you're going to find out who I am
3300   and I'll make you drink it hot!"

          And on account of a woman
          the affair got more tangled still.
          Flat-nose was keen on her—
          and she was a real fine girl,
3305   built with a body like an ox
          and with a very tender heart.

          One day I found her kneading bread—
          she was looking wonderful—
          and I said to her, "I'd be very pleased
3310   to give you a hand with your work,
          and so, if you'd like it, lady,
          I'll bring some bones[8] to help heat your fire."

          Flat-nose was also on the scene
          sitting there just for decoration.
3315   She could see he wasn't pleased at this,
          and so as to avoid trouble
          she answered me, "If that's what you want
          put them there right by the oven."[9]

          That's how the skein got tangled
3320   and so did his feud with me.
          He declared himself my enemy,
          and because of that compliment
          he was just waiting for the moment
          to let me in for a punishment.

[8] Bones: Cattle bones were sometimes used as fuel since wood was not always available.
[9] Oven: Ovens were usually apart from the house: rounded clay structures retaining heat.

<pre>
3325   Yo véia que aquel maldito
              me miraba con rencor,
              buscando el caso mejor
              de poderme echar el pial;[26]
              y no vive más el lial[27]
3330   que lo que quiere el traidor.

              No hay matrero que no caiga,
              ni arisco que no se amanse;
              ansí, yo, desde aquel lance
              no salía de algún rincón,
3335   tirao como el San Ramón[28]
              después que se pasa el trance.[29]

                      xxiv

              Me le escapé con trabajo
              en diversas ocasiones;
              era de los adulones,[1]
3340   me puso mal con el Juez;
              hasta que, al fin, una vez
              me agarró en las eleciones.

              Ricuerdo que esa ocasión
              andaban[2] listas diversas;
3345   las opiniones dispersas
              no se podían arreglar:
              decían que el Juez, por triunfar,
              hacía cosas muy perversas.
</pre>

[26] Pial: Tiro de lazo a la res. Echar un pial, aquí, sería hacerlo caer en una trampa.
[27] Lial: Leal.
[28] San Ramón Nonato: Mercedario español (¿1200?–1240). Las mujeres encintas se encomendaban a San Ramón.
[29] Después de nacer el niño.
[1] "De los adulones": De los amigos de la autoridad, véase Castro, p. 300.
[2] Andaban: Circulaban.

3325   And I could see, the devil,
               he was watching me spitefully,
               looking out for the best way
               to trip me up with a noose—[10]
               and good men can only live as long
3330   as the wicked men allow them.

               There's no one so free he's not caught in the end,
               nor so wild he won't be tamed—
               so after that incident, I kept quiet
               in my corner, like San Ramón,[11]
3335   who gets thrown aside after they've prayed to him,
               as soon as the baby's born.

xxiv

               I had quite a job escaping him
               a number of different times.
               He was a real flatterer,
3340   and he turned the Judge against me
               until finally he caught me
               one day, during the elections.

               On that occasion, I remember,
               there were several lists going round,
3345   and the various opinions
               couldn't get to agree. . . .
               People said that in order to win it, the Judge
               was doing some pretty strange things.

---

[10] "Trip . . . noose": Referring to the more skillful way of lassoing round the animal's front feet.

[11] San Ramón Nonnatus (1204?–1240). Saint Raymond is invoked by women in labor.

Cuando se riunió la gente
3350 vino a ploclamarla[3] el ñato;
diciendo, con aparato,
"que todo andaría muy mal,
"si pretendía cada cual
"votar por un candilato."

3355 Y quiso al punto quitarme
la lista que yo llevé;
mas yo se la mesquiné[4]
y ya me gritó ... "Anarquista,
"has de votar por la lista
3360 "que ha mandao el Comiqué."

Me dió vergüenza de verme
tratado de esa manera;
y como si uno se altera[5]
ya no es fácil de que ablande,
3365 le dije: "mande el que mande
"yo he de votar por quien quiera."

"En las carpetas de juego
"y en la mesa eletoral,
"a todo hombre soy igual;
3370 "respeto al que me respeta
"pero el naipe y la boleta[6]
"naides me lo ha de tocar."

Áhi no más ya me cayó
a sable la polecía;
3375 aunque era una picardía
me decidí a soportar,
y no los quise peliar
por no perderme,[7] ese día.

---

[3] Ploclamarla: Arengarla.
[4] Mesquiné: Escondí.
[5] "Se altera": Se enoja.
[6] Boleta: Cédula para votar.
[7] Perderme: Tener que huir de la justicia y estar condenado a que se le persiga siempre.

When we were all met together,
3350 Flat-nose came to make a speech—
and with a lot of fancy talk
he said, "Things would be in a bad way
if everyone thought he'd vote for
whatever candidate[1] he liked."

3355 And right there he tried to take away
the list that I was holding.
But I wouldn't let him have it,
and he shouted, "Anarchist—
you've got to vote for the list
3360 which the Committee orders you!"

I thought it was an insult
being treated like that,
and as it's not easy to give way
once you've lost your temper,
3365 I told him, "I don't care who orders—
I'll vote for whoever I like.

"If it's at a gambling table
or an election stand,
I'm equal with everybody—
3370 I respect those who respect me,
but no one's going to interfere
with my voting paper or my cards."

Right away, the police force
fell on me with their swords drawn.
3375 And though it was all a dirty trick
I decided to give in,
and I didn't resist them, because that day
would have meant the end of me.

[1] Candidate: Mispronounced "candilate" in the original.

                    Atravesao me agarró[8]
3380   y se aprovechó aquel ñato,
            dende que sufrí este trato
            no dentro donde no quepo:
            fi a ginetiar en el cepo[9]
            por cuestión de candilatos.

3385   Injusticia tan notoria
            no la soporté de flojo;[10]
            una venda de mis ojos
            vino el suceso a voltiar:
            vi que teníamos que andar
3390   como perro con tramojo.[11]

                   Dende aquellas eleciones
            se siguió el batiburrillo;[12]
            aquel se volvió un ovillo
            del que no había ni noticia:
3395   ¡Es señora la justicia ...
            y anda en ancas del más pillo![13]

                         XXV

                   Despés de muy pocos días,
            tal vez por no dar espera
            y que alguno no se fuera,
3400   hicieron citar la gente
            pa riunir un contingente
            y mandar a la frontera.

---

[8] "Atravesado me agarró": Me agarró en el momento en que no podía defenderme.
[9] Cepo: Instrumento de dos maderos; al juntarlos quedan agujeros donde se fijan las piernas y el pescuezo del prisionero.
[10] Flojo: Cobarde.
[11] Tramojo: Trangallo, palo que, durante la cría de la caza, se le cuelga del collar a algunos perros para que no bajen la cabeza.
[12] Batiburrillo: Mezcla de cosas.
[13] La justicia es como una mujer ligera que se va con el más pillo.

	Flat-nose had caught me broadside[2] on
3380	and he made the most of his chance.
	Ever since I had that experience
	I keep out of where I don't belong,
	because I went off for a ride in the stocks—
	and all for some candidates.

	It wasn't from weakness that I put up
3385	with such a scandalous injustice.
	What that incident did for me
	was tear the blindfolds from my eyes—
	I saw that we couldn't move any more than a dog
3390	with a stick tied to its collar.[3]

	And after those elections
	they carried on with the racket.
	It turned out to be a tangled scheme
	of a sort you wouldn't imagine—
3395	because Justice is a lady . . . and where she rides
	is up behind whoever's the most cunning.

XXV

	After a very few more days—
	maybe so as not to waste time
	and not to let anyone get away—
3400	they called us all to a meeting
	in order to raise a contingent
	to send to the frontier.

[2] Broadside: He caught me at my weakest moment.
[3] "Stick . . . collar": i.e., To restrict its movement.

                    Se puso arisco el gauchage;
                    la gente está acobardada;
3405   salió la partida armada,
                    y trujo como perdices[1]
                    unos cuantos infelices
                    que entraron en la voltiada.[2]

                    Decía el ñato con soberbia:
3410   "esta es una gente indina;
                    "yo los rodié a la sordina,
                    "no pudieron escapar;
                    "y llevaba orden de arriar
                    "todito lo que camina."

3415   Cuando vino el Comendante
                    dijieron: "¡Dios nos asista!"
                    llegó y les clavó la vista,
                    yo estaba haciéndomé el sonzo,
                    le echó a cada uno un responso[3]
3420   y ya lo plantó en la lista.

                    "Cuadráte, le dijo a un negro,
                    te estás haciendo el chiquito
                    cuando sos el más maldito
                    que se encuentra en todo el pago;
3425   un servicio es el que te hago
                    y por eso te remito.

                              a otro
                    "Vos no cuidás tu familia
                    ni le das los menesteres;
                    visitás otras mujeres
3430   y es preciso, calabera,
                    que aprendás en la frontera
                    a cumplir con tus deberes.

[1] "Trujo como perdices": Trajo como perdices, es decir, atadas unas con otras.
[2] Voltiada: Volteada, aquí, redada.
[3] Responso: Regaño.

The gauchos got surly—
people there were terrified by it—
3405   the military force went out
and brought back a few poor devils
who had got caught in the roundup,
tied together like partridges.

Flat-nose said loftily,
3410   "This is a miserable lot,
I rounded them up without warning—
they couldn't get away—
and I had orders to bring in
anything that was able to walk."

3415   When the Commandant came along,
"God help us!" everyone said.
He got there and fixed his eyes on us—
I was doing my best to look stupid—
he had a tongue lashing for each one
3420   and stuck him right down on the list.

"Stand up straight!" he said to a Negro,
"and stop trying to hide
when you're the most troublesome devil
to be found in this whole neighborhood.
3425   This is a service I'm doing you—
and that's why I'm sending you off."

. . . and to the next . . .
"You don't take care of your family,
you don't give them enough to live on.
You go visiting other women,
3430   and what you need, my lad,
is to spend some time at the frontier
to teach you to do your duty."

a otro

"Vos también sos trabajoso;[4]
cuando es preciso votar
3435   hay que mandarte llamar
y siempre andás medio alzao,[5]
sos un desubordinao[6]
y yo te voy a filiar.[7]

a otro

"¿Cuánto tiempo hace que vos
3440   andás en este partido?
¿Cuántas veces has venido
a la citación del Juez?
No te he visto ni una vez,
has de ser algún perdido.

a otro

3445   "Este es otro barullero
que pasa en la pulpería[8]
predicando noche y día
y anarquizando a la gente;
irás en el contingente
3450   por tamaña picardía.

a otro

"Dende la anterior remesa
vos andás medio perdido;
la autoridá no ha podido
jamás hacerte votar:
3455   cuando te mandan llamar
te pasás a otro partido.

---

[4] Trabajoso: Difícil, poco complaciente.

[5] Alzado: Rebelde.

[6] Desubordinao: Rebelde.

[7] Filiar: Inscribir en el ejército. Sin embargo, Castro dice: "Observar, estudiar, vigilar." (p. 182); y Villasuso (p. 130) "enderezar."

[8] Pulpería: Tienda donde se venden comestibles, bebidas, etcét.

. . . and to the next . . .
"You're another difficult one—
when it's time for you to vote
3435   we have to send and fetch you,
and you're always pretty free with the law.
You're an insubordinate, you are,
and I'm going to have you put straight."[1]

. . . and to the next . . .
"How long is it since you've been
3440   going round in this part of the country?
How many times have you shown up
when the Court summoned you?
I haven't seen you a single time—
you must be some good-for-nothing."

. . . and to the next . . .
3445   "Here's another trouble-maker
who spends his time at the country store
making speeches night and day
and turning people into Anarchists,
You're going in the contingent—
3450   that's what you get for that kind of trick."

. . . and to the next . . .
"You've been keeping pretty well out of sight
since the last lot went off,
and the authorities have never
been able to get you to vote—
3455   when they send to fetch you, you move off
over the next boundary."

[1] "Put straight": put you on the army list.

a otro

"Vos siempre andás de florcita,[9]
no tenés renta ni oficio;
no has hecho ningún servicio,
3460   no has votado ni una vez:
marchá ... para que dejés
de andar haciendo perjuicio.

a otro

"Dame vos tu papeleta
yo te la voy a tener;
3465   ésta queda en mi poder,
después la recogerás,
y ansí si te resertás
todos te pueden prender.

a otro

"Vos, porque sos ecetuao[10]
3470   ya te querés sulevar;
no vinistes a votar
cuando hubieron eleciones:
no te valdrán eseciones,
yo te voy a enderezar."

3475   Y a este por este motivo
y a otro por otra razón,
toditos, en conclusión,
sin que escapara ninguno,
fueron pasando uno a uno
3480   a juntarse en un rincón.

Y allí las pobres hermanas,
las madres y las esposas
redamaban cariñosas
sus lágrimas de dolor;
3485   pero gemidos de amor
no remedian estas cosas.

[9] Andar de florcita: Andar de vago, holgazán.
[10] Ecetuao: Exceptuado del servicio militar.

. . . and to the next . . .
"You're always loafing around,
you've no money and no job.
You've never done military service
and you've not voted even once.
Off with you—that's the way to stop you
going around spreading trouble."

. . . and to the next . . .
"You, give me your enrollment papers,
I'm going to keep them for you.
This stays in my possession,
You'll collect it afterwards.
This way, if you're a deserter,
anyone can turn you in."

. . . and to the next . . .
"You think because you're exempted
you can get rebellious.
You never came in for the voting
when the elections were on. . . .
Exemptions won't do you any good,
I'll straighten you out."

And so, with one by this excuse,
and the next for another reason,
the end of it was that the whole lot,
without one going free,
one by one they went across
to stand together in a corner.

And there were the poor sisters
and the mothers and the wives,
pouring down their tears of sorrow
in their loving tenderness—
but there's no help for things like this
in any tears shed by love.

3460

3465

3470

3475

3480

3485

                    Nada importa que una madre
                    se desespere o se queje;
                    que un hombre a su mujer deje
3490   en el mayor desamparo;
                    hay que callarse, o es claro,
                    que lo quiebran por el eje.[11]

                    Dentran después a empeñarse
                    con este o aquel vecino;
3495   y como en el masculino
                    el que menos corre vuela,
                    deben andar con cautela
                    las pobres, me lo imagino.[12]

                    Muchas al Juez acudieron,
3500   por salvar de la jugada;[13]
                    él les hizo una cuerpiada,[14]
                    y por mostrar su inocencia,
                    les dijo: "tengan pacencia
                    "pues yo no puedo hacer nada."

3505   Ante aquella autoridá
                    permanecían suplicantes;
                    y después de hablar bastante,
                    "yo me lavo, dijo el Juez,
                    "como Pilatos, los piés:[15]
3510   "esto lo hace el Comendante."

---

[11] Quebrar el eje: Dañar gravemente.

[12] Deben andar las mujeres con mucho cuidado porque parece que todos los hombres están listos para aprovecharse de una mujer desvalida.

[13] Jugada: Mala situación.

[14] Hacer una "cuerpiada"; Zafarse, desentenderse del asunto.

[15] Battistessa (p. 265): "Reminiscencia evangélica grotescamente desfigurada. Con ella tipifica Hernández al funcionario ignorante y presuntuoso ..." Castro (p. 460): "Es indudable que el Juez conocía la frase: 'yo lavo mis manos', pronunciada por Pilatos para manifestar su prescindencia en juzgar a Jesús, pero, al aplicarla en el caso citado por Picardía, usaba de la agudeza burlona del gaucho y le pareció bien lavarse los pies."

It means nothing that there's a mother
lamenting or in despair,
or that a man has to leave his wife
3490 completely destitute—
they have to keep quiet, or clearly
they'll be smashed once and for all.

Because then they start to get in debt
to one neighbor or another—
3495 and where the male sex is concerned
they all move on the run.[2]
I can imagine, poor women,
they must have to go carefully.[3]

A lot of them went to the Judge
3500 for him to help them out of this fix.
He gave them the run-around—and just to show
how innocent he was,
he told them, "You must be patient,
because there's nothing that I can do."

3505 So there they remained, imploring
this figure of authority,
and, after a fair amount
of talking, the Judge said,
"I'm washing my feet, like Pilate—[4]
3510 this is the Commandant's affair."

[2] "El que menos corre vuela": literally: "the one who runs the least, flies."
[3] He means that men are always ready to take advantage of helpless women.
[4] The judge may be, as Battistessa says, ignorant and pretentious, and this explains his misquoting.

De ver tanto desamparo
el corazón se partía;
había madre que salía
con dos, tres hijos o más,
3515   por delante y por detrás,
y las maletas[16] vacías.

¿Dónde irán, pensaba yo,
a perecer de miseria?
Las pobres si de esta feria
3520   hablan mal, tienen razón;
pues hay bastante materia
para tan justa aflición.

xxvi

Cuando me llegó mi turno
dije entre mí: "¡ya me toca!"
3525   y aunque mi falta era poca,
no sé porqué me asustaba;
les asiguro que estaba
con el Jesús en la boca.[1]

Me dijo que yo era un vago,
3530   un jugador, un perdido;
que dende que fi al partido
andaba de picaflor;[2]
que había de ser un bandido
como mi antesucesor.[3]

3535   Puede que uno tenga un vicio,
y que de él no se reforme;
mas naides está conforme
con recibir ese trato:
yo conocí que era el ñato
3540   quien le había dao los informes.

---

[16] Maletas: Alforjas.
[1] Muy asustado.
[2] Andar de picaflor: Andar de tenorio.
[3] Antesucesor: Antecesor.

Seeing people so helpless
was enough to break your heart.
There was one mother who went away
with two or three children or more,
3515 riding behind and in front of her,
and nothing in the saddlebags.

Where will they go, I wondered,
to die of poverty?
Poor things, if they grumble
3250 about this setup, they're right—
because there's quite enough evidence
to justify their complaints.

xxvi

When it came to my turn
I said to myself, Now I'm in for it;
3525 and though what I'd done wasn't much
I was scared, I don't know why—
I can tell you, I was standing there
with a prayer ready in my mouth.

He told me I was a vagrant,
3530 a gambler, a hopeless case,
that ever since I'd come to that district
I'd been around chasing women,
and that I must be a bandit
like my father had been before.

3535 Now it may be a person has a fault
that he doesn't cure himself of,
but nobody is willing
to be treated in that way—
I could tell it was Flat-nose
3540 who'd given him the information.

Me dentró curiosidá,
al ver que de esa manera
tan siguro me dijiera
que fué mi padre un bandido;
3545　　luego lo había conocido,
y yo inoraba quién era.

Me empeñé en aviriguarlo;
promesas hice a Jesús;
tube, por fin, una luz,[4]
3550　　y supe con alegría
que era el autor de mis días
el guapo sargento Cruz.

Yo conocía bien su historia
y la tenía muy presente;
3555　　sabía que Cruz bravamente,
yendo con una partida,
había jugado la vida
por defender a un valiente.

Y hoy ruego a mi Dios piadoso
3560　　que lo mantenga en su gloria;
se ha de conservar su historia
en el corazón del hijo:
él al morir me bendijo,
yo bendigo su memoria.

3565　　Yo juré tener enmienda
y lo conseguí de veras;
puedo decir ande quiera
que si faltas he tenido
de todas me he corregido
3570　　dende que supe quién era.

El que sabe ser buen hijo
a los suyos se parece;
y aquel que a su lado crece
y a su padre no hace honor,
3575　　como castigo merece
de la desdicha el rigor.

---

[4] Tener una luz: "Tener indicios seguros que aclaran repentinamente algo que era dudoso ..." Castro, p. 235.

I started to get curious,
seeing he was telling me
in such a positive manner
that my father had been a bandit—
3545   it followed he must have known him
while I didn't know who he was.

I undertook to discover it,
I made vows to Jesus Christ—
finally, light dawned on me,
3550   and to my delight I learnt
that the man who had given life to me
was the valiant Sergeant Cruz.

I knew his story well
and I had it fresh in my mind—
3555   I knew that once when Cruz had gone out
with a troop of the police
he'd gambled his life courageously
in defense of a brave man.

And now I pray my God in his mercy
3560   to keep him in his glory.
His story will be kept alive
in the heart of his son—
when he died he gave me his blessing
and I bless his memory.

3565   I made a vow to mend my ways
and I truly succeeded in it—
I can say in any company
that even if I've had my faults,
I've cured myself of all of them
3570   since I found out who I was.

If you know your duty as a son
you'll take after your own kin;
and anyone who grows up at his father's side
and has no respect for him
3575   deserves to suffer the hardships
of misfortune, as a punishment.

Con un empeño costante
mis faltas supe enmendar;
todo conseguí olvidar,
3580   pero, por desgracia mía,
el nombre de *Picardía*
no me lo pude quitar.

Aquel que tiene buen nombre
muchos dijustos ahorra;
3585   y entre tanta mazamorra[5]
no olviden esta alvertencia:
aprendí por esperencia
que el mal nombre no se borra.

xxvii

He servido en la frontera,
3590   en un cuerpo de milicias;
no por razón de justicia,
como sirve cualesquiera.

La bolilla[1] me tocó
de ir a pasar malos ratos
3595   por la facultá del ñato,
que tanto me persiguió.

Y sufrí en aquel infierno
esa dura penitencia,
por una malaquerencia
3600   de un oficial subalterno.

No repetiré las quejas
de lo que se sufre allá;
son cosas muy dichas ya
y hasta olvidadas de viejas.

3605   Siempre el mesmo trabajar,
siempre el mesmo sacrificio,
es siempre el mesmo servicio,
y el mesmo nunca pagar.

[5] Mazamorra: Mezcla, confusión.
[1] La bolilla: La suerte.

By making efforts constantly
I learned how to mend my faults;
I managed to forget them all—
3580   except that, for my sins,
I wasn't able to get rid of Picardía—
the name they'd given me.

A man who has a good name is spared
from a lot of unpleasantness;
3585   so out of all this meandering
don't you forget this warning—
it was by experience I learned
that a bad name can't be rubbed out.

xxvii

I've done service at the frontier
3590   in a militia force—
and not for lawful reasons
as anyone might do.

The way my unlucky number came up
to send me off for a bad time there
3595   was through the scheming of that Flat-nose
who was after me for so long.

And I suffered the cruel punishment
there in that hell
all because of some bad feeling
3600   from a petty official.

I won't go repeating the complaints
of what you suffer there—
they're things that have been said often before,
and even forgotten, they're so old.

3605   Always the same hard work
and always the same hardships;
it's always the same kind of service
and the same way of not getting paid.

Siempre cubiertos de harapos,
3610 siempre desnudos y pobres;
nunca le pagan un cobre
ni le dan jamás un trapo.

Sin sueldo y sin uniforme
lo pasa uno aunque sucumba;
3615 confórmesé con la tumba[2]
y si no ... no se conforme.

Pues si usté se ensoberbece
o no anda muy voluntario,
le aplican un novenario
3620 de estacas ... que lo enloquecen.

Andan como pordioseros,
sin que un peso los alumbre,
porque han tomao la costumbre
de deberle años enteros.

3625 Siempre hablan de lo que cuesta,
que allá se gasta un platal;
pues yo no he visto ni un rial
en lo que duró la fiesta.

Es servicio estrordinario
3630 bajo el fusil y la vara,
sin que sepamos qué cara
le ha dao Dios al comisario.[3]

Pues si va a hacer la revista,
se vuelve como una bala,
3635 es lo mesmo que luz mala[4]
para perderse de vista.

[2] Tumba: Carne de mala calidad, mal preparada.
[3] Comisario: En este caso, el pagador.
[4] "Luz mala": Luminosidad fugaz que desaparece como aquí las esperanzas del soldado que quiere recibir su paga.

Always dressed in tatters,
with no clothes, and always poor—
they never pay you a cent
nor ever give you a rag to wear.

It may finish you, but you go through it
with no pay and no uniform;
you can make the best of scrag meat
or else . . . make the worst of it.

Because if you start putting on airs
or you're not extremely willing,
they give you a penance of staking-out[1]
enough to send you mad.

The men go around like beggars
without a glimpse of a peso piece;
because they've adopted the custom
of owing whole years of pay.

They're always talking of how much it costs
and that they're spending a fortune out there—
well, I've not seen a coin of it
all the time the party went on.

It's a strange sort of service
beneath the gun and the lash
without ever our learning what kind of a face
God gave to the Paymaster.

Because if he comes to inspect the troops
he's off again like a bullet—
he's as good as a will o' the wisp[2]
at getting lost to sight.

---

[1] Staking-out: See part I, v 876.

[2] "Will o' the wisp": "luz mala" ("evil light") in the Spanish, a light from marsh gas that passes quickly, as elusive as a vain hope.

Y de yapa[5] cuando va,
todo parece estudiao:
va con meses[6] atrasaos
3640   de gente que ya no está.

Pues ni adrede que lo hagan
podrán hacerlo mejor:
cuando cai, cai con la paga
del contingente anterior.

3645   Porque son como sentencia
para buscar el ausente,
y el pobre que está presente
que perezca en la endigencia.

Hasta que tanto aguantar
3650   el rigor con que lo tratan,
o se resierta, o lo matan,
o lo largan sin pagar.

De ese modo es el pastel,
porque el gaucho ... ya es un hecho,
3655   no tiene ningún derecho,
ni naides vuelve por él.

¡La gente vive marchita![7]
si viera, cuando echan tropa,[8]
les vuela a todos la ropa
3660   que parecen banderitas.[9]

De todos modos lo cargan
y al cabo de tanto andar,
cuando lo largan, lo largan
como pa echarse a la mar.[10]

---

5 "De yapa": Además.
6 Meses: El sueldo de varios meses.
7 Marchita: Agobiada, derrotada.
8 Echar tropa: Juntar a los soldados en una formación militar.
9 Por estar tan pobres ahora andan vestidos de andrajos.
10 Es decir, le quitan toda la ropa.

And on top of that, when he does appear
it's as if it had all been arranged—
he arrives with back pay, months behind,
3640   for men who aren't there anymore.

They couldn't arrange it better
if they did it purposely—
when I arrived, it was with the pay
belonging to the previous contingent.

3645   Because they're sure as judgment
at finding people who aren't there,
and as for the poor man who is there,
he can die in poverty—

until, after putting up so long
3650   with the hard way they've treated him,
either he deserts, or they kill him,
or they send him off without pay.

And that's the way the pudding's made—
because it's a fact by now
3655   that a gaucho has no rights of his own,
and no one lifts a hand for him.

The men there live in such misery!
you should see them, when there's a parade—
everyone's clothes all fluttering
3660   like a lot of little flags.

They burden you every way they can—
and at the end of this long trail
when they do let you go, it's dressed as if
you were going for a swim in the sea.[3]

---

[3] "Swim in the sea": That is, practically naked since they will not give the discharged men any clothes.

3665   Si alguna prenda le han dao,
    se la vuelven a quitar:
    poncho, caballo, recao,[11]
    todo tiene que dejar.

    Y esos pobres infelices,
3670   al volver a su destino,
    salen como unos Longinos[12]
    sin tener con que cubrirse.

    A mí me daba congojas
    el mirarlos de ese modo,
3675   pues el más aviao[13] de todos
    es un perejil sin hojas.

    Aora poco ha sucedido,
    con un invierno tan crudo,
    largarlos a pié y desnudos
3680   pa volver a su partido.

    Y tan duro es lo que pasa,
    que en aquella situación,
    les niegan un mancarrón
    para volver a su casa.

3685   ¡Lo tratan como a un infiel![14]
    completan su sacrificio
    no dándolé ni un papel
    que acredite su servicio.[15]

    Y tiene que regresar
3690   más pobre de lo que fué,
    por supuesto a la mercé
    del que lo quiere agarrar.

---

[11] Recado: Silla de montar.
[12] Salen casi sin ropa. Longinos es el soldado romano que hirío a Cristo con su lanza.
[13] Aviao: Provisto.
[14] Infiel: Indio.
[15] Sin el documento, el gaucho quedaba en peligro de volver a servir en la frontera.

3665	If they have given you any clothes to wear they take them back again— your poncho, your horse, your saddle-blankets, you have to leave them all behind.
3670	And the poor unfortunate soldiers returning home to find their fate, leaving the place looking like Longinuses[4] without enough on to cover themselves.
3675	It used to make me unhappy just to look at them in that state— the best equipped among them all was like a stick of parsley without its leaves.
3680	Just recently it happened with winter rough as it was, they sent them off without clothes and on foot to travel back to their part of the land.
	And the way they treat them is so cruel that even at a time like that they don't allow them a broken-down horse so as to get back to their homes.
3685	They treat a man like a heathen! and they complete his punishment by not even giving him a paper to prove he's done his service.[5]
3690	And he's obliged to go back home poorer than he went away— and of course, at the mercy of anyone who wants to conscript him again.

[4] Longinuses: Longinus is the bare-legged Roman soldier in Crucifixion scenes.
[5] Without his service certificate the gaucho could conceivably be drafted again.

Y no averigüe despúes
de los bienes que dejó:
3695 de hambre, su mujer vendió
por dos lo que vale diez.

Y como están convenidos
a jugarle manganeta,[16]
a reclamar no se meta
3700 porque ese es tiempo perdido.

Y luego, si a alguna estancia
a pedir carne se arrima,
al punto le cáin encima
con la ley de la vagancia.[17]

3705 Y ya es tiempo, pienso yo,
de no dar más contingente;
si el Gobierno quiere gente,
que la pague y se acabó.

Ya saco ansí en conclusión,
3710 en medio de mi inorancia,
que aquí el nacer en estancia
es como una maldición.

Y digo, aunque no me cuadre,
decir lo que naides dijo:
3715 la Provincia es una madre
que no defiende a sus hijos.

Mueren en alguna loma
en defensa de la ley,
o andan lo mesmo que el güey,
3720 arando pa que otros coman.

Y he de decir ansímismo,
porque de adentro me brota,
que no tiene patriotismo
quien no cuida al compatriota.

---

[16] Jugar manganeta: Engañar.
[17] Ley de vagancia: A los arrestados por vagos los mandaban al ejército.

And then, don't let him ask about
the property he left behind—
3695   his wife will have sold, out of hunger,
for two what was worth ten.

And as they're in a conspiracy
to block him at every turn,
don't let him start complaining
3700   because that's a waste of time.

And then, if he goes up
to a ranch house, to ask for meat,
they're down on him immediately
with the law against vagrancy.[6]

3705   And by now it's time, if you ask me,
to stop sending any more contingents.
If the Government needs men
let it pay for them, and have done.

And the conclusion I come to
3710   for all my ignorance,
is that with us, to be born on the land
is like a kind of curse.

And I'll say, though it's not my place to say
what nobody else has said,
3715   that our Province[7] is a mother
who does not look after her sons.

They die out in the hills somewhere
in service of the law—
or else they live like oxen,
3720   and plough so that others can eat.

And while I'm at it, I'll say also,
because it springs from my heart—
that if you don't take care of your countrymen
you're not a true patriot.

[6] Vagrancy: Those arrested for vagrancy were drafted into the army.
[7] Province: i.e. of Buenos Aires.

3725
Se me va por donde quiera
esta lengua del demonio:
voy a darles testimonio
de lo que vi en la frontera.

Yo sé que el único modo
3730
a fin de pasarlo bien,
es decir a todo amén
y jugarle risa a todo.

El que no tiene colchón
en cualquier parte se tiende;
3735
el gato busca el jogón[1]
y ése es mozo que lo entiende.

De aquí comprenderse debe,
aunque yo hable de este modo,
que uno busca su acomodo
3740
siempre, lo mejor que puede.

Lo pasaba como todos
este pobre penitente,
pero salí de asistente
y mejoré en cierto modo.

3745
Pues aunque esas privaciones
causen desesperación,
siempre es mejor el jogón[2]
de aquel que carga galones.

De entonces en adelante
3750
algo logré mejorar,
pues supe hacerme lugar
al lado del Ayudante.

---

[1] El gato busca el calor del fogón porque siempre procura estar lo más cómodo posible.
[2] El jogón: Es decir, la comida de los superiores es mejor que la del soldado.

3725 This devil of a tongue of mine
is running away with me. . . .
I'm going to give you an eyewitness account
of what I saw at the frontier.

I know the only thing to do
3730 if you want to make the best of things
is to say Amen to the lot of it
and laugh at the whole affair.

If you've got no mattress to sleep on
you lie down anywhere—
3735 a cat finds its way to the fireside
and he's one who knows what's what.[1]

And in spite of my manner of speaking
it ought to be clear from this
that everyone always does his best
3740 to get as comfortable as he can.

This poor sinner here
went through it like the rest—
but I ended up as Orderly
and in some ways had a better time.

3745 Because even though the hardships there
are enough to drive you mad,
there's always a warmer fire[2]
near the one who wears the officer's badge.

From that time onwards I managed
3750 to look after myself a bit better,
because I got myself into a place
beside the Adjutant.

[1] Cats naturally try to remain as close as possible to the warmth of a fire, being concerned only with their own comfort.
[2] The food of officers was better than the soldier's.

Él se daba muchos aires;[3]
pasaba siempre leyendo;
3755   decían que estaba aprendiendo
pa recebirse de fraile.

Aunque lo pifiaban[4] tanto,
jamás lo ví disgustao;
tenía los ojos paraos[5]
3760   como los ojos de un Santo.

Muy delicao, dormía en cuja,[6]
y no sé por qué sería,
la gente lo aborrecía
y le llamaban LA BRUJA.

3765   Jamás hizo otro servicio
ni tubo más comisiones,
que recebir las raciones
de víveres y de vicios.[7]

Yo me pasé a su jogón[8]
3770   al punto que me sacó,
y ya con él me llevó
a cumplir su comisión.

Estos diablos de milicos
de todo sacan partido:
3775   cuando nos vían riunidos
se limpiaban los hocicos.[9]

Y decían en los jogones
como por chocarrería:
"con la Bruja y Picardía
3780   van a andar bien las raciones".

[3] Darse aires: Presumir.
[4] Pifiar: Burlarse de alguien.
[5] Ojos parados: Mirando hacia arriba.
[6] Cuja: Cama.
[7] Vicios: El gobierna les daba a los soldados yerba mate, tabaco y papel para liar los cigarrillos.
[8] Me hice de los suyos para vivir protegido.
[9] "Haciendo burla, como si hubiesen comido mucho," Tiscornia, 1963 ed., p. 271. Castro dice: "Murmurar, difamar, hablar or comentar malignamente, mofarse." p. 462.

He gave himself plenty of airs—
he used to spend all his time reading—
3755   people said that he was studying
to become a Friar.

Although they made such a fool of him,
I never saw him get annoyed—
he had eyes that were turned upwards
3760   just like the eyes of a saint.

He was delicate, and he slept on a bed—
and I don't know why it would be,
but everyone there detested him
and they called him The Witch.

3765   The only duty he ever did,
and the only orders he had,
was taking in the rations
of provisions and luxuries.[3]

I found my way to his fireside
3770   as soon as he sent for me,
and he took me with him right away
to carry out his commission.

The soldiers, like the devils they are,
don't let any chance go by,
3775   and when they saw us together
they started smacking their lips.[4]

And they used to say around the fire
as a nasty sort of joke,
"What with Picardía and the Witch
3780   the rations are in good hands!"

---

[3] Luxuries: i.e. Maté, sugar, tobacco, which the government provided its soldiers.
[4] "Smacking their lips . . .": in the original "they pretended to wipe their mouths."

A mí no me jué tan mal,
pues mi oficial se arreglaba;
les diré lo que pasaba
sobre este particular.

3785   Decían que estaba de acuerdo
La Bruja y el provedor,
y que recebía lo pior ...
puede ser, pues no era lerdo.

Que a más en la cantidá
3790   pegaba otro dentellón,[10]
y que por cada ración
le entregaban la mitá.

Y que esto lo hacia del modo
como lo hace un hombre vivo:
3795   firmando luego el recibo
ya se sabe, por el todo.

Pero esas murmuraciones
no faltan en campamento;
déjenmé seguir mi cuento,
3800   o historia de las raciones.

La Bruja las recebía
como se ha dicho, a su modo;
las cargábamos, y todo
se entriega en la mayoría.

3805   Sacan allí en abundancia
lo que les toca sacar,
y es justo que han de dejar
otro tanto de ganancia.

Van luego a la compañía,
3810   las recibe el comendante,
el que de un modo abundante
sacaba cuanto quería.

10 Dentellón: Dentellada.

And things didn't turn out too bad for me,
because my officer did himself fine. . . .
I'll tell you what used to happen
where this business was concerned.

3785   People said there was an agreement
between the wholesale dealer and the Witch,
and that he took the worst goods they had—
very likely, he was no fool.

And that in the quantity, besides,
3790   he nibbled a bit more off,
and that for every ration
they used to deliver him half.

And that his method of doing it
was like a man who's really smart,
3795   signing the receipt afterwards
(you'll have guessed) for the full amount.

But in an army camp there's bound to be
this sort of dissatisfaction. . . .
Let me go on with my story,
3800   or the History of the Rations.

The Witch used to receive them
as I've said, in his own way—
we'd load them up; and everything
gets handed in at the sergeant's office.

3805   And there without stinting they all take out
the amount that's due to them,
and it's reasonable that they keep back
a bit extra for good measure.

Then off go the rations to the Headquarters
3810   and they're received by the Commandant,
who used to take all he wanted
and without any stinting either.

Ansí la cosa liviana,
va mermada por supuesto;
3815 luego se le entrega el resto
al oficial de semana.
¿Araña, quién te arañó?[11]
Otra araña como yó.

Éste le pasa al sargento
3820 aquello tan reducido,
y como hombre prevenido
saca siempre con aumento.

Esta relación no acabo
si otra menudencia ensarto;
3825 el sargento llama al cabo
para encargarle el reparto.

Él también saca primero
y no se sabe turbar:
naides le va a aviriguar
3830 si ha sacado más o menos.

Y sufren tanto bocao
y hacen tantas estaciones,
que ya casi no hay raciones
cuando llegan al soldao.

3835 ¡Todo es como pan bendito[12]
y sucede, de ordinario,
tener que juntarse varios
para hacer un pucherito.[13]

Dicen que las cosas van
3840 con arreglo a la ordenanza;
puede ser, pero no alcanzan,
¡tan poquito es lo que dan!

---

[11] "Araña." "Muy poca cosa, de poco valer. Picardía pone en evidencia de la gente de poco valer, hombres todos envilecidos que, como las arañas, ocultan entre sí las rapiñas en las raciones." Castro, p. 462.
[12] "Como pan bendito": Muy poco.
[13] Pucherito: Olla, guisado.

Like this, something small to start with
ends up smaller still, of course. . . .
3815   Then what's left is handed over
to the Officer for the week.
Spider, Spider, who got you?
—Another spider just like me.

This one hands it on to the Sergeant—
3820   the small amount that's left—
and he like a man of foresight
always takes a bit overweight.

I'll never end this story
if I stick any more details in. . . .
3825   The Sergeant calls the Corporal
and puts him in charge of the distribution.

He also takes first helping,
and without any scruples—
no one's going to check up on him
3830   whether he takes less or more.

And there's so many bites taken out of them,
and so many stops on the way,
that by the time they reach the soldiers
there're hardly any rations left.

3835   They're pieces no bigger than holy bread!
and it's a common thing
that you have to put several together
even to make a little stew.

They tell you that things are the way they are
3840   as arranged by the stores.
Maybe—but they give you so little
it's not enough to go round.

                    Algunas veces, yo pienso,
                    y es muy justo que lo diga,
3845   sólo llegaban las migas
                    que habían quedao en los lienzos.

                    Y esplican aquel infierno,
                    en que uno está medio loco,
                    diciendo que dan tan poco
3850   porque no paga el gobierno.

                    Pero eso yo no lo entiendo,
                    ni aviriguarlo me meto;
                    soy inorante completo;
                    nada olvido y nada apriendo.

3855   Tiene uno que soportar
                    el tratamiento más vil:
                    a palos en lo civil,
                    a sable en lo militar.

                    El vistuario, es otro infierno;
3860   si lo dan, llega a sus manos
                    en invierno el de verano
                    y en el verano el de invierno.

                    Y yo el motivo no encuentro,
                    ni la razón que esto tiene;
3865   mas dicen que eso ya viene
                    arreglao dende adentro.[14]

                    Y es necesario aguantar
                    el rigor de su destino:
                    el gaucho no es argentino
3870   sinó pa hacerlo matar.

                    Ansí ha de ser, no lo dudo,
                    y por eso decía un tonto:
                    "si los han de matar pronto,
                    "mejor es que estén desnudos."

[14] Adentro: Buenos Aires. "Asunto convenido y arreglado en la Capital", Castro, p. 462.

Sometimes, it seems to me,
and it's only fair to say it,
3845   all that used to reach us were the crumbs
that had got left in the sacks.

And they make excuses for that hell
that makes you go half-mad,
by saying they give so little because
3850   the Government doesn't pay.

But I don't understand this
and I won't try to work it out;
I'm nothing but ignorant. . . .
I don't learn, but I don't forget.

3855   A man has to put up with
all the dirtiest treatment—
kept down by the whip in civil life
and by the sword in the army.

Another hell is the clothing store—
3860   if they do give it out, it reaches you
in winter, with the summer clothes,
and in summer the winter ones.

And I can't discover the reason
nor the explanation for this—
3865   but they say it comes already
arranged from higher up.

And you're obliged to suffer
the hardship of your fate—
a gaucho is only an Argentine
3870   when they want to have him killed.

This must be true, I don't doubt it,
and that's why some joker said,
"If they're going to kill them rather soon,
what do they want with clothes?"

3875   Pues esa miseria vieja
          no se remedia jamás;
          todo el que viene detrás
          como la encuentra la deja.

          Y se hallan hombres tan malos
3880   que dicen de buena gana:
          "el gaucho es como la lana
          se limpia y compone a palos."

          Y es forzoso el soportar
          aunque la copa se enllene:[15]
3885   parece que el gaucho tiene
          algún pecao que pagar.

                    xxix

          Esto contó Picardía
          y después guardó silencio,
          mientras todos celebraban
3890   con placer aquel encuentro.

          Mas una casualidá,
          como que nunca anda lejos,
          entre tanta gente blanca
          llevó también a un moreno,
3895   presumido de cantor
          y que se tenía por bueno.

[15] "Se enllene": Se llene.

3875 And this wretchedness, that's gone on so long,
never gets to be put right—
everyone who comes along
lets it stay just as he found it.

And you'll find people cruel enough
3880 to say deliberately
that the gauchos should be treated like wool—
that's cleaned and kept in place by beating it.

And you're forced to put up with it, even though
the cup can hold no more. . . .
3885 It seems as if the gauchos have
some sin they're paying for.

xxix

This was Picardía's story,
and after it he kept quiet—
meanwhile they were all happy
3890 celebrating this new meeting.

But by a coincidence—
the kind that's never far off—
among all the white folk there
happened also to be a black man,
3895 one who boasted of being a singer
and thought a lot of himself.

Y como quien no hace nada,
o se descuida de intento,
(pues siempre es muy conocido
3900   todo aquel que busca pleito).
se sentó con toda calma,
echó mano al estrumento
y ya le pegó un rajido;[1]
era fantástico[2] el negro,
3905   y para no dejar dudas
medio se compuso el pecho.[3]

Todo el mundo conoció
la intención de aquel moreno:
era claro el desafío
3910   dirigido a Martín Fierro,
hecho con toda arrogancia,
de un modo muy altanero.

Tomó Fierro la guitarra,
pues siempre se halla dispuesto,
3915   y ansí cantaron los dos
en medio de un gran silencio:

MARTÍN FIERRO

XXX

Mientras suene el encordao,[1]
mientras encuentre el compás,
yo no he de quedarme atrás
3920   sin defender la parada;[2]
y he jurado que jamás
me la han de llevar robada.[3]

---

[1] Rajido: Rasgueo.
[2] Fantástico: Vanidoso.
[3] "Medio se compuso el pecho": Tosió como preparándose para cantar.
[1] Encordao: Encordado, es decir, la guitarra.
[2] "Defender la parada": Defender la "apuesta."
[3] "Me la han de llevar robada": No me han de derrotar sin que yo luche como se debe.

And in an unobtrusive manner,
pretending it was quite by chance—
because it's always easy to recognize
3900 anyone who's looking for trouble—
he sat down quite calm,
picked up his guitar
and swept the strings.
He was full of fine airs, that Negro—
3905 and so as to leave no doubts about anything,
he started clearing his throat.[1]

Everyone could see
what the colored man intended:
it was a clear challenge
3910 aimed at Martín Fierro,
made with complete arrogance
and in a very insolent manner.

Fierro took up his guitar,
since he was always willing—
3915 and with a silent crowd all round them,
the two of them began to sing.

MARTÍN FIERRO

XXX

While there's still sound in the strings
and I can still find the beat,
I won't get left behind
3920 without playing hard for the stake—
and I've sworn that no one will ever
steal an easy game from me.

---

[1] Clearing his throat: As if to begin singing, that is, but also as a defiance.

Atiendan, pues, los oyentes
y cáyensén los mirones;
3925   a todos pido perdones,
pues a la vista resalta
que no está libre de falta
quien no está de tentaciones.

A un cantor le llaman bueno,
3930   cuando es mejor que los piores;
y sin ser de los mejores,
encontrándosé dos juntos,
es deber de los cantores
el cantar de contrapunto.

3935   El hombre debe mostrarse[4]
cuando la ocasión le llegue;
hace mal el que se niegue
dende que lo sabe hacer,
y muchos suelen tener
3940   vanagloria en que los rueguen.

Cuando mozo fuí cantor,
—es una cosa muy dicha—
mas la suerte se encapricha
y me persigue costante:
3945   de ese tiempo en adelante
canté mis propias desdichas.

Y aquellos años dichosos
trataré de recordar;
veré si puedo olvidar
3950   tan desgraciada mudanza,
y quien se tenga confianza
tiemple y vamos a cantar.

[4] Mostrarse: Probar que vale.

Pay attention, then, if you're listening—
and keep quiet if you've just come to stare.
3925   I'll ask you all to forgive me
because it's plain to see
that a person can't be free from faults
if he can't resist a temptation.

They call a singer a good one
3930   if he's any better than the worst;
and when two find themselves together,
even though they're not the best,
it's their duty as singers
to sing in counterpoint.[1]

3935   A man has to show what's in him[2]
at the right opportunity.
He'd be wrong to refuse it
when it's a thing he knows how to do—
and there are many people who take pride
3940   in having to be persuaded.

As a young man I was a singer—
that's a thing that's often said—
but bad luck has her favorites
and she's always after me. . . .
3945   From that time onward
it's my own misfortunes I've sung.

And now I'll try to recapture
those years of happiness.
I'll see whether I can forget
3950   all the sad changes I've seen. . . .
So anyone who feels confident—
tune up, and we'll start to sing.

[1] Counterpoint: The *payada,* challenge and competition between two singers, improvising and answering each other's chosen themes.
[2] That is, prove his worth as a man.

Tiemple y cantaremos juntos,
trasnochadas no acobardan;
3955   los concurrentes aguardan,
y porque el tiempo no pierdan,
haremos gemir las cuerdas[5]
hasta que las velas no ardan.[6]

Y el cantor que se presiente,
3960   que tenga o no quien lo ampare,
no espere que yo dispare
aunque su saber sea mucho;
vamos en el mesmo pucho[7]
a prenderle hasta que aclare.

3965   Y seguiremos si gusta
hasta que se vaya el día;
era la costumbre mía
cantar las noches enteras:
había entonces dondequiera
3970   cantores de fantasía.[8]

Y si alguno no se atreve
a seguir la caravana,[9]
o si cantando no gana,
se lo digo sin lisonja:
3975   haga sonar una esponja
o ponga cuerdas de lana.[10]

---

[5] Haremos llorar las cuerdas de tanto tocar.

[6] Hasta que vuelva a salir el sol y las velas ya no ardan.

[7] "El mesmo pucho": En seguida, uno tras otro sin interrupción.

[8] "Cantores de fantasía": "Cantores hábiles, pero superficiales y amigos de hacer gala de su arte." Battistessa, p. 285.

[9] "A seguir la caravana": A continuar, seguir con la fiesta o competencia.

[10] Quiere decir: si es así, entonces sería mejor que haga otra cosa, que se dedique a otro menester.

Tune up and we'll sing together,
we're not afraid to stay up all night;
3955   the audience is waiting—
and to make it worth their while
we'll set the strings a-moaning[3]
till the candles are burned out.

And whether the singer who comes forward
3960   has someone backing him or not,
he needn't wait for me to run off
no matter how much he knows—
one after the other, like the chain smoker,
we'll keep going till it's light.

3965   And if you like, we'll continue
till the day's gone past as well;
I used to be accustomed
to singing whole nights through—
anywhere you went, in those days,
3970   there were fancy singers around.

And if there's anyone here who won't venture
to follow the party on,
or if he can't sing well enough to win,
I'll tell him without flattering,
3975   he might as well go and play on a sponge[4]
or use strings made of wool.

---

[3] "We shall make the strings cry by playing so long and hard on them."
[4] "Play on a sponge, etc. . . .": He means he should try to do something else since he is obviously not much of a singer.

Yo no soy, señores míos,[11]
sinó un pobre guitarrero;
pero doy gracias al cielo
3980   porque puedo, en la ocasión,
toparme con un cantor
que esperimente a este negro.

Yo también tengo algo blanco,
pues tengo blancos los dientes;
3985   sé vivir entre las gentes
sin que me tengan en menos:
quien anda en pagos agenos
debe ser manso y prudente.

Mi madre tuvo diez hijos,
3990   los nueve muy regulares;
tal vez por eso me ampare
la Providencia divina:
en los güevos de gallina
el décimo es el más grande.[12]

3995   El negro es muy amoroso,
aunque de esto no hace gala;
nada a su cariño iguala
ni a su tierna voluntá;
es lo mesmo que el macá;[13]
4000   cría los hijos bajo el ala.[14]

---

[11] "El negro, habituado a su condición humilde y de inferioridad con que lo trataban los blancos, se mantiene en su lugar de servilismo, llamando a los circustantes 'señores míos', palabras que no se oirán salir de la boca de un gaucho." Castro, p. 465.

[12] ¿Por qué debería ser "más grande" el décimo huevo? Comenta Castro: "El negro, como lo interpreta Eleuterio F. Tiscornia, no se refería al tamaño, sino a la importancia y valía del décimo lugar. Algo de místico y religioso involucra la idea. Siendo el décimo hijo de una madre cristiana estaba destinado a algo importante para lo cual creía gozar de cierta protección celestial." p. 465.

[13] Macá: "Pato zambullidor, de varios colores, que lleva sobre el lomo a sus hijos pequeños mientras nada." Castro, p. 237.

[14] Es decir, los protege siempre mientras crecen.

Your Honors—I am nothing more
than a poor man with a guitar;
but I give thanks to heaven
3980   that when the opportunity comes
I'm able to face a singer
who'll give this Negro a trial.

I've got some white about me too
because my teeth are white.
3985   I know how to live among other folk
so that they don't look down on me—
a person who goes about in strange parts
needs to be cautious and quiet.

My mother had ten sons
3990   and nine of them were pretty good;
maybe this is why I'm protected
by Divine Providence—
because in a nest of hen's eggs
the biggest is the tenth.[5]

3995   Negroes are very loving
although they don't boast about it;
there's nothing equals their affection
nor their tender care—
they're like the *macá*-bird,[6] that raises
4000   its young ones under its wing.

---

[5] "Biggest . . . tenth": There is apparently no known popular superstition to explain this. Why should the tenth egg be bigger? Castro comments: "The Negro, as Eleuterio F. Tiscornia interprets it, was not referring to the size but rather to the importance and worth of the tenth place . . . ." (p. 465).

[6] *Macá:* Slow and cumbersome river bird, takes its young on its back while swimming.

Pero yo he vivido libre
y sin depender de naides;
siempre he cruzado a los aires
como el pájaro sin nido;
4005   cuanto sé lo he aprendido
porque me lo enseñó un flaire.[15]

Y sé como cualquier otro
el porqué retumba el trueno,
por qué son las estaciones
4010   del verano y del invierno;
sé tambien de dónde salen
las aguas que cain del cielo.

Yo sé lo que hay en la tierra
en llegando al mesmo centro;
4015   en donde se encuentra el oro,
en donde se encuentra el fierro,
y en donde viven bramando
los volcanes que echan juego.

Yo sé del fondo del mar
4020   donde los pejes nacieron;
yo sé por qué crece el árbol,
y por qué silban los vientos;
cosas que inoran los blancos
las sabe este pobre negro.

4025   Yo tiro cuando me tiran,
cuando me aflojan, aflojo;
no se ha de morir de antojo
quien me convide a cantar:
para conocer a un cojo
4030   lo mejor es verlo andar.

Y si una falta cometo
en venir a esta riunión
echándolá de cantor,
pido perdón en voz alta,
4035   pues nunca se halla una falta
que no esista otra mayor.

[15] Flaire: Fraile.

But I've lived free,
not depending on anybody—
I've always moved beneath the skies
like a bird without a nest;
4005 and whatever I know, I learned it
because I was taught by a Friar.

And I know as well as anyone
why it is the thunder rolls;
why it is there are seasons
4010 of summer and winter time,
and I know too where the waters come from
that fall down from the heavens.

I know what there is in the earth
when you reach its very center,
4015 in the place where gold is found,
in the place where iron is found,
and where the volcanoes live
that roar and spit out fire.

I know about the bottom of the sea
4020 where the fish were born;
I know what makes a tree grow
and what makes the whistling winds—
things that white men haven't heard of
this poor Negro knows.

4025 When they pull my rope,[7] I pull likewise,
when they slacken I slacken too. . . .
Don't worry, you'll get what you want,
anyone who invites me to sing—
to find out whether someone's lame
4030 the best way is to watch him walk.

And if I'm doing wrong
to come to this gathering
and set myself up as a singer,
I ask your pardon aloud
4035 because you never find one fault
without there being a worse one still.

[7] "Pull my rope . . .": An image from the technique of holding a lassoed steer.

De lo que un cantor esplica
no falta que aprovechar,
y se le debe escuchar
4040   aunque sea negro el que cante:
apriende el que es inorante,
y el que es sabio, apriende más.

Bajo la frente más negra
hay pensamiento y hay vida;
4045   la gente escuche tranquila,
no me haga ningún reproche:
también es negra la noche
y tiene estrellas que brillan.

Estoy, pues a su mandao,[16]
4050   empiece a echarme la sonda[17]
si gusta que le responda,
aunque con lenguaje tosco:
en leturas no conozco
la jota por ser redonda.[18]

MARTÍN FIERRO

4055   ¡Ah negro! si sos tan sabio
no tengás ningún recelo:
pero has tragao el anzuelo[19]
y, al compás del estrumento,
has de decirme al momento
4060   cuál es el canto del cielo.

[16] Estar al mandado: A sus órdenes.
[17] Echar la sonda: Hacer preguntas para averiguar si se sabe contestar.
[18] Claro que es redonda la O, no la J. El negro "se valía de esa argucia para achicarse, pues era bastante letrado, como lo acaba de manifestar al referir las muchas cosas que le enseñó el fraile." Castro, p. 466.
[19] "Tragao el anzuelo": Caído en la trampa.

There's always some profit to be got
from what a singer has to say,
and he ought to be given a hearing
4040   even if it's a black man who sings—
if people are ignorant, they can learn,
and if they're wise, learn more.

Beneath even the blackest forehead
there are thoughts and there is life;
4045   listen quietly to me, people,
don't reproach me for anything—
the night is black, also,
and it has stars that shine.

So, then, I'm at your service
4050   and you can start sounding me[8]
if you'd like me to give you answers
even though it's in a rough kind of speech—
as for learning, I don't even know
the J in spite of its being round.[9]

MARTÍN FIERRO

4055   Ah, black man, if you're so wise
you've no need to hesitate,
but you've swallowed the hook—and so
keeping time with your guitar
you're to tell me directly
4060   what is the song of the sky.

---

[8] "Sounding me": Asking me questions to find out if I answer well.
[9] ". . . The J in spite of its being round": Obviously, it's the O that is round.

El Moreno

Cuentan que de mi color
Dios hizo al hombre primero;[20]
mas los blancos altaneros,
los mesmos que lo convidan,
4065   hasta de nombrarlo olvidan
y sólo le llaman negro.

Pinta el blanco negro al diablo,
y el negro, blanco lo pinta;
blanca la cara o retinta,[21]
4070   no habla en contra ni en favor:
de los hombres el Criador
no hizo dos clases distintas.

Y después de esta alvertencia,
que al presente viene a pelo,[22]
4075   veré, señores, si puedo,
sigún mi escaso saber,
con claridá responder
cuál es el canto del cielo.

Los cielos lloran y cantan
4080   hasta en el mayor silencio;
lloran al cáir el rocío,
cantan al silbar los vientos,
lloran cuando cain las aguas
cantan cuando brama el trueno.

Martín Fierro

4085   Dios hizo al blanco y al negro
sin declarar los mejores;
les mandó iguales dolores
bajo de una mesma cruz;
mas también hizo la luz
4090   pa distinguir los colores.

---

[20] "Dios hizo al hombre de barro, por consiguente no podía ser blanco sino oscuro, lo que además interpreta el nombre hebreo de Adán." Castro, p. 466.

[21] Retinto: Color castaño oscuro, negro.

[22] Venir al pelo: Ser oportuno.

They say it was of my color
that God made the first man,[10]
but the high-and-mighty white men—
the same who invite him to sing—
4065   don't even remember to give him a name
and only call him black.

The white men paint the devil black
and the black men paint him white
but if the face is white or inky
4070   doesn't speak for or against—
when he made man, the Creator
didn't make two different kinds.

And having given this warning,
which is right to the point just now,
4075   I'll see, Sirs, if I'm able
from the little that I know
to answer to you clearly
what is the song of the sky.

Even in the greatest silence
4080   the heavens weep and sing.
They weep as the dew falls,
they sing as the winds blow,
they weep when the rains fall,
and they sing when the thunder roars.

MARTÍN FIERRO

4085   God made both black and white men
without saying which were better.
He sent them the same sorrows
beneath one and the same cross—
but he made light, also,
4090   to show the difference between colors.

---

[10] "God made men out of clay, as a consequence he could not be white but dark, which the Hebrew name of Adam also interprets." Castro, p. 466.

Ansí ninguno se agravie;
no se trata de ofender;
a todo se ha de poner
el nombre con que se llama,
4095   y a naides le quita fama
lo que recibió al nacer.

Y ansí me gusta un cantor
que no se turba ni yerra;
y si en tu saber se encierra
4100   el de los sabios projundos,
decíme cuál en el mundo
es el canto de la tierra.

El Moreno

Es pobre mi pensamiento
es escasa mi razón;
4105   mas pa dar contestación
mi inorancia no me arredra:
también da chispas la piedra
si la gólpea el eslabón.

Y le daré una respuesta
4110   sigún mis pocos alcances:
forman un canto en la tierra
el dolor de tanta madre,
el gemir de los que mueren
y el llorar de los que nacen.

Martín Fierro

4115   Moreno, alvierto que trais
bien dispuesta la garganta:
sos varón, y no me espanta
verte hacer esos primores:
en los pájaros cantores
4120   solo el macho es el que canta.[23]

---

[23] Se sabe que solo los pájaros machos cantan. M. Fierro quiere decir, claro, que el negro es muy hombre ("sos varón," dice un poco antes, v. 4117).

So nobody need feel injured,
there's no call to take offense;
everything has to be called by
the name that belongs to it,
4095 and there's no disgrace to anyone
in what he received at birth.

And that's why I like a singer
who won't get upset nor make mistakes. ....
And if your wisdom includes in it
4100 what the deepest of wise men know,
then tell me, what in the world
is the song of the earth.

THE NEGRO

The thoughts I have are poor ones
and I've scanty reasoning,
4105 but when it comes to giving a reply
my ignorance won't set me back—
even a stone will give out sparks
if it's struck by the steel.

And I'll give you an answer
4110 from my small abilities.
A song in the earth is formed by
so many mothers' pains,
the groans of people who are dying,
and the crying of those who are born.

MARTÍN FIERRO

4115 Negro, I can tell you've brought us
a voice that's in good shape.
You're a real man, and I'm not surprised
to see you doing so well—
among singing-birds, it's only
4120 the male who's the one that sings.[11]

---

[11] It was said only male birds sing.

Y ya que al mundo vinistes
con el sino de cantar,
no te vayás a turbar
no te agrandes ni te achiques:
4125   es preciso que me espliques
cuál es el canto del mar.

El Moreno

A los pájaros cantores
ninguno imitar pretiende;
de un don que de otro depende
4130   naides se debe alabar,
pues la urraca apriende a hablar
pero sólo la hembra apriende.[24]

Y ayúdamé ingenio mío
para ganar esta apuesta;
4135   mucho el contestar me cuesta
pero debo contestar:
voy a decirle en respuesta
cuál es el canto del mar.

Cuando la tormenta brama,
el mar que todo lo encierra
4140   canta de un modo que aterra,
como si el mundo temblara;
parece que se quejara
de que lo estreche la tierra.

---

[24] Urraca: Pájaro de plumaje blanco y negro, cotorra. Parece que es verdad que sólo la hembra aprende a hablar. Ver Castro, p. 364.

And since you came into the world
with a destiny to sing,
don't let yourself get confused,
don't act too big or too small. . . .
4125   What you must do now is explain to me
what is the song of the sea.

THE NEGRO

Nobody claims to imitate
the voice of the singing-birds,
and no one ought to boast of a gift
4130   that comes from another's hand—
because the magpie[12] learns to speak
but only the female learns.

So come and help me win this challenge
all my ingenuity,
4135   it costs me plenty to answer,
but answer it I must. . . .
In my reply I'll tell you
what is the song of the sea.

When the storms are raging,
4140   the sea which encloses all things
has a song that terrifies you
as if the whole world were shaking—
it seems that it's complaining
of the way the earth squeezes it in.

[12] Magpie: *Urraca.*

4145   Toda tu sabiduría
has de mostrar esta vez;
ganarás sólo que estés
en vaca[25] con algún santo:
la noche tiene su canto
4150   y me has de decir cuál es.

El Moreno

No galope, que hay augeros,[26]
le dijo a un guapo un prudente;
le contesto humildemente:
la noche por cantos tiene
4155   esos ruidos que uno siente
sin saber de dónde vienen.

Son los secretos misterios
que las tinieblas esconden;
son los ecos que responden
4160   a la voz del que da un grito,
como un lamento infinito
que viene no sé de dónde.

A las sombras sólo el sol
las penetra y las impone;
4165   en distintas direciones
se oyen rumores inciertos:
son almas de los que han muerto,
que nos piden oraciones.

.

[25] "En vaca": En sociedad. Battistessa dice: "El dinero que juegan en común dos o más personas recibe el nombre de *vaca*."
[26] Es decir, mucho cuidado y no vaya tan aprisa porque el terreno es peligroso.

4145 This time you'll need to show us
 all the wisdom you've got;
 your only chance of winning
 is if you're in league with a saint. . . .
 There is a song the night has
4150 and you're to tell me what it is.

THE NEGRO

 As the cautious man said to the bold one—
 "Don't gallop, there're holes in the ground."
 I'll answer you in a humble way—
 the night has for its song
4155 those noises you hear without knowing
 where it is that they come from.

 They are the secret mysteries
 that are hidden by the dark,
 they are the echoes that answer back
4160 your voice if you shout aloud,
 like an endless lamentation
 that comes from I don't know where.

 Only the sun can penetrate
 the shadows and conquer them;
4165 from different directions
 mysterious sounds are heard—
 they are the souls of those that have died[13]
 who are asking us for prayers.

---

[13] "Souls . . .": The first sign of an ulterior motive in the Negro's challenge.

459

4170
Moreno, por tus respuestas
ya te aplico el cartabón.[27]
pues tenés desposición
y sos estruido de yapa;[28]
ni las sombras se te escapan
para dar esplicación.

4175
Pero cumple su deber
el leal diciendo, lo cierto,
y por lo tanto te alvierto
que hemos de cantar los dos,
dejando en la paz de Dios
4180
las almas de los que han muerto.

Y el consejo del prudente
no hace falta en la partida;[29]
siempre ha de ser comedida[30]
la palabra de un cantor:
4185
y áura quiero que me digas
de dónde nace el amor.

EL MORENO

A pregunta tan escura
trataré de responder,
aunque es mucho pretender
4190
de un pobre negro de estancia;
mas conocer su inorancia
es principio del saber.

Ama el pájaro en los aires
que cruza por donde quiera,
4195
y si al fin de su carrera
se asienta en alguna rama,
con su alegre canto llama
a su amante compañera.

[27] Cartabón: Especie de escuadra que se usa en el dibujo lineal.
[28] De yapa: Además.
[29] Partida: Ocasión.
[30] Comedida: Cortés, moderada.

Negro, by these replies of yours
4170   I'm sizing you up already,
because you've a talent for singing
and you're learned on top of that—
when you're giving an explanation
even shadows don't pass you by.

4175   But an honest man does his duty
by saying things he's certain of,
and on that score I'll warn you
that we two are here to sing—
and in the peace of God we'll leave
4180   the souls of those who are dead.

And the good advice of the cautious man
isn't needed in this game,
because the words of a singer
will always be carefully weighed. . . .
4185   And now I'd like you to tell me
where it is that love is born.

The Negro

To such an obscure question
I'll do my best to reply,
although it's a lot to expect
4190   from a poor Negro cattle-hand—
but the beginning of wisdom
is to know your own ignorance.

The bird loves in the skies
that he moves through wherever he will,
4195   and, at the end of his flight,
if he perches on a bough
he'll call with his happy song
to his loving companion.

                La fiera ama en su guarida,
4200   de la que es rey y señor;
                allí lanza con furor
                esos bramidos que espantan,
                porque las fieras no cantan:
                las fieras braman de amor.

4205   Ama en el fondo del mar
                el pez de lindo color;
                ama el hombre con ardor,
                ama todo cuanto vive;
                de Dios vida se recibe,
4210   y donde hay vida, hay amor.

                        Martín Fierro

                Me gusta, negro ladino,
                lo que acabás de esplicar;
                ya te empiezo a respetar,
                aunque al principio me réi,
4215   y te quiero preguntar
                ¿Qué es la ley?

                        El Moreno

                Hay muchas doctorerías
                que yo no puedo alcanzar;
                dende que aprendí a inorar
4220   de ningún saber me asombro;
                mas no ha de llevarme al hombro[31]
                quien me convide a cantar.

                Yo no soy cantor ladino
                y mi habilidá es muy poca;
4225   mas cuando cantar me toca
                me defiendo en el combate,
                porque soy como los mates;
                sirvo si me abren la boca.[32]

[31] No me derrotará fácilmente.
[32] Claro que para beber la infusión hay que poder meter la bombilla y la yerba en el recipiente.

4200
The wild beast loves in his lair
where he is king and lord,
it's there he sends out so furiously
those terrible roars of his—
because the wild beasts don't sing,
the wild beasts roar of love.

4205
The fish with its pretty colors,
loves at the bottom of the sea,
and men love fiercely—
all things love that are alive—
it's from God that life is given
4210
and wherever there's life there's love.

MARTÍN FIERRO

You're a smart one, darky,
and I like what you've just explained.
I'm beginning to respect you
though I laughed at you at first. . . .
4215
And now I want to ask you
what you understand by the law.

THE NEGRO

There's a great deal of learning
that I'm not able to reach;
ever since I learned to be ignorant
4220
I'm not surprised at what anyone knows—
but no one who invites me to sing
is going to find me a lightweight.[14]

I'm no very smart singer
and I've very little skill,
4225
but when it's up to me to sing
I put up a good fight for myself—
because I'm like a maté-pot,
I work when they open my mouth.

---

[14] No one will defeat me easily.

              Dende que elige a su gusto,
4230   lo más espinoso elige;
              pero esto poco me aflige,
              y le contesto a mi modo:
              la ley se hace para todos,
              más sólo al pobre le rige.

4235   La ley es tela de araña,
              en mi inorancia lo esplico:
              no la tema el hombre rico,
              nunca la tema el que mande,
              pues la ruempe el bicho grande
4240   y sólo enrieda a los chicos.

              Es la ley como la lluvia:
              nunca puede ser pareja;
              el que la aguanta se queja,
              pero el asunto es sencillo,
4245   la ley es como el cuchillo:
              no ofiende a quien lo maneja.

              Le suelen llamar espada,
              y el nombre le viene bien;
              los que la gobiernan ven
4250   a dónde han de dar el tajo:
              le cai al que se halla abajo
              y corta sin ver a quien.

              Hay muchos que son dotores,
              y de su cencia no dudo;
4255   mas yo soy un negro rudo,
              y, aunque de esto poco entiendo,
              estoy diariamente viendo
              que aplican la del embudo.[33]

---

[33] "La del embudo": Es decir, la ley se mide como con embudo, medida desigual.

	Since you're choosing what questions you fancy
4230	you're choosing the thorniest kind,
	but that doesn't worry me much
	and I'll answer you in my own way—
	the law is made for everyone
	but it only rules the poor.

4235	The law is a spider's web—
	that's how I see it, though I'm ignorant.
	It's not feared by the rich men,
	and never by the ones in command—
	because the big flies break out of it
4240	and it only catches little ones.

	The law is like rain—
	it can't fall the same everywhere.
	The person it falls on grumbles,
	but it's a simple matter—
4245	the law's like a knife, it doesn't hurt
	the one who handles it.

	A sword[15] is what people call it
	and this name suits it well.
	The ones who control it, they can see
4250	whereabouts they're going to cut—
	but it falls on whoever's underneath
	and cuts without seeing who.

	There are plenty of learned Professors
	and I don't doubt they know a lot;
4255	I'm just a poor rough Negro
	and don't understand much of this—
	but every day I can see their law is like
	a funnel, with a big end and a small.

[15] "Sword . . .": As in figures of Justice holding scales and a sword.

Moreno, vuelvo a decirte:
4260   ya conozco tu medida;
has aprovechao la vida
y me alegro de este encuentro;
ya veo que tenés adentro
capital pa esta partida.

4265   Y áura te voy a decir,
porque en mi deber está,
y hace honor a la verdá
quien a la verdá se duebla,
que sos por juera tinieblas
4270   y por dentro claridá.

No ha de decirse jamás
que abusé de tu pacencia;
y en justa correspondencia,
si algo querés preguntar,
4275   podés al punto empezar,
pues ya tenés mi licencia.

El Moreno

No te trabés, lengua mía,
no te vayas a turbar;
nadie acierta antes de errar
4280   y, aunque la fama se juega,
el que por gusto navega
no debe temerle al mar.

Voy a hacerle mis preguntas,
ya que a tanto me convida;
4285   y vencerá en la partida
si una esplicación me da
sobre el tiempo y la medida,
el peso y la cantidá.

Negro, I'll tell you once again
4260 I've sized you up.
You've got plenty out of life
and I'm enjoying our encounter—
I can see you've got enough capital
inside you, for this game.

4265 And so now I'll tell you—
because it's my duty to do it,
and it's doing truth an honor
to give way before what's true—
you've got darkness on the outside
4270 but inside you've got light.

No one must ever say
that I imposed on your patience;
and as a fair exchange, if you want
to put any questions to me,
4275 you've already got my permission
and you can start right away.

THE NEGRO

Don't you stick now, tongue of mine,
don't let this confuse you.
Nobody hits without missing first—
4280 and even if your good name's at stake,
when you're sailing of your own free will
you've no right to fear the sea.

I'll put my questions to you
since that's what you invite me to do. . . .
4285 And you'll have won this competition
if you can explain to me
the nature of time and measurement
and weight and quantity.

            Suya será la vitoria
4290   si es que sabe contestar;
            se lo debo declarar
            con claridá, no se asombre,
            pues hasta áura ningún hombre
            me lo ha sabido esplicar.

4295   Quiero saber y lo inoro,
            pues en mis libros no está,
            y su respuesta vendrá
            a servirme de gobierno:[34]
            para qué fin el Eterno
4300   ha criado la cantidá.

                    MARTÍN FIERRO

            Moreno, te dejás cáir
            como carancho en su nido;[35]
            ya veo que sos prevenido,
            mas también estoy dispuesto;
4305   veremos si te contesto
            y si te das por vencido.

            Uno es el sol, uno el mundo,
            sola y única es la luna;
            ansí, han de saber que Dios
4310   no crió cantidá ninguna.
            El ser de todos los seres
            sólo formó la unidá;
            lo demás lo ha criado el hombre
            después que aprendió a contar.

[34] Gobierno: Norma de conducta.
[35] "El carancho llega volando hasta encima de su nido y, cuando está a más o menos a un metro de él, se deja caer a plomo, con toda confianza y seguridad," Castro, p. 468.

The victory will go to you
4290   if you know how to answer this;
it's my duty to warn you fairly,
so don't be surprised at it,
up to now there's been no man
has known how to explain them to me.

4295   I want to know and I'm ignorant
because it's not in my books,
and your answer will be able
to serve me as a guide
as to why the Everlasting Lord
4300   created quantity.

MARTÍN FIERRO

Negro, you hit the mark neatly
as a *carancho* lands on its nest,[16]
I can see you're well prepared
but you'll find I'm ready too—
4305   we'll see if I give you an answer
and if you'll admit defeat.

There's one sun and one world
and a one and only moon:
so you see, God never created
4310   any quantity at all.
The being of all beings
only made unity—
and the rest is what man has created
after he learned to count.

---

[16] *"Carancho . . . nest"*: the carancho drops precisely on its nest from flight.

EL MORENO

4315 Veremos si a otra pregunta
da una respuesta cumplida:
el ser que ha criado la vida
lo ha de tener en su archivo,
mas yo inoro qué motivo
4320 tuvo al formar la medida.

MARTÍN FIERRO

Escuchá con atención
lo que en mi inorancia arguyo:
la medida la inventó
el hombre para bien suyo.
4325 Y la razón no te asombre,
pues es fácil presumir:
Dios no tenía que medir
sinó la vida del hombre.

EL MORENO

Si no falla su saber
4330 por vencedor lo confieso;
debe aprender todo eso
quien a cantar se dedique;
y áura quiero que me esplique
lo que sinifica el peso.

MARTÍN FIERRO

4335 Dios guarda entre sus secretos
el secreto que eso encierra,
y mandó que todo peso
cayera siempre a la tierra;
y sigún compriendo yo,
4340 dende que hay bienes y males,
fué el peso para pesar
las culpas de los mortales.

4315   We'll see if another question
gets a good answer from you. . . .
The being who created life
must keep it in his records,
but I'm ignorant of what motive
4320   he had to make measurement.

MARTÍN FIERRO

Listen closely to the argument
I'll give from the little I know—
Measurement was invented
by man for his own good.
4325   And don't be surprised at the reason
because it's easy to guess—
God only needed to measure one thing
and that was the life of man.

THE NEGRO

If your wisdom doesn't fail you
4330   I'll grant you the victory.
A man whose profession is singing
has to learn all of these things. . . .
And now I want you to explain to me
what is the meaning of weight.

MARTÍN FIERRO

4335   God keeps among his secrets
the secret containing this;
and he commanded that all weights
should always fall to the earth.
And to my way of understanding,
4340   since there's good and bad in the world,
the reason for weight was for weighing
the sins of mortal men.

El Moreno

Si responde a esta pregunta
téngasé por vencedor;
4345   doy la derecha al mejor;[36]
y respóndamé al momento:
cuándo formó Dios el tiempo
y por qué lo dividió.

Martín Fierro

Moreno, voy a decir
4350   sigún mi saber alcanza:
el tiempo sólo es tardanza
de lo que está por venir;
no tuvo nunca principio
ni jamás acabará,
4355   porque el tiempo es una rueda,
y rueda es eternidá;
y si el hombre lo divide
sólo lo hace, en mi sentir,
por saber lo que ha vivido
4360   o le resta que vivir.

Ya te he dado mis respuestas,
mas no gana quien despunta:[37]
si tenés otra pregunta
o de algo te has olvidao,
4365   siempre estoy a tu mandao[38]
para sacarte de dudas.

No procedo por soberbia
ni tampoco por jatancia,
mas no ha de faltar costancia
4370   cuando es preciso luchar;
y te convido a cantar
sobre cosas de la Estancia.

[36] "Doy la derecha al mejor": Cedo el lado de la derecha que corresponde al vencedor.
[37] Despuntar: Empezar.
[38] "A tu mandao": A tus órdenes.

THE NEGRO

If you can reply to this question
consider that you've won;
4345   I can acknowledge the better man. . . .
So answer me right away
when it was that God made time
and why he divided it up.

MARTÍN FIERRO

Negro, I'm going to tell you
4350   as far as my knowledge goes.
Time is only the delaying
of things that are to come—
it never had a beginning
nor will it ever end,
4355   because time is a wheel, and also
a wheel is Eternity.
And if man divides it up
he only does it, I guess,
to know how much he's lived so far
4360   or how much he's got left to live.

Now I've given you my answers,
but a good start's not enough to win;
if you've got another question
or you've forgotten anything,
4365   I'm always at your service
to clear up any doubts.

It's not out of pride I'm doing this
nor because I want to boast,
but you need to be determined
4370   when you've got to fight to win. . . .
And I'll invite you to sing on the subject of
the work of a cattle-hand.

Ansí prepará, moreno,
cuanto tu saber encierre;
4375   y sin que tu lengua yerre,
me has de decir lo que empriende
el que del tiempo depende
en los meses que train erre.[39]

EL MORENO

De la inorancia de naides
4380   ninguno debe abusar;
y aunque me puede doblar[40]
todo el que tenga más arte,
no voy a ninguna parte
a dejarme machetiar.[41]

4385   He reclarao que en leturas
soy redondo como jota;
no avergüence mi redota,[42]
pues con claridá le digo:
no me gusta que conmigo
4390   naides juegue a la pelota.[43]

Es buena ley que el más lerdo
debe perder la carrera;
ansí le pasa a cualquiera,
cuando en competencia se halla
4395   un cantor de media talla
con otro de talla entera.

[39] Rela cita a José Hernández, *Instrucción del estanciero*, cap. **IV**, "... determina en los meses con r (en verano y en otoño) lo que debe hacerse con el ganado vacuno y lanar. En los meses fríos (sin r), mayo, junio, julio, agosto, no es propicio hacer esas tareas." cf. *Martín Fierro*, p. 217.

[40] Doblar: Vencer.

[41] Machetiar: Aquí, maltratar.

[42] Redota: Derrota.

[43] Nadie abuse de mí.

474

So, Negro, start preparing
all the knowledge you've got inside,
4375   and without a slip of your tongue
you've to tell me what work's done
according to the weather
in the months with an R in them.[17]

THE NEGRO

No one ought to take advantage
4380   of a person's ignorance,
and even though anyone can put me down
who's got more art than me,
I'm not going anywhere
to get myself hit on the head.

4385   I made it clear, when it comes to reading
that I'm as round as a J;
I've no shame at being defeated,
but I'll tell you plain,
I won't stand it if anyone
4390   tries to kick me around.

It's a fair law that the slowest
must be the one to lose the race—
and that's what happens to anyone
when the competition's between
4395   one singer who's only medium sized
with another who's full grown.

[17] "Months with R in them": The winter months of May, June, July, and August
are excluded since there would be little to do at that time.

¿No han visto en medio del campo
al hombre que anda perdido,
dando güeltas aflijido
4400   sin saber dónde rumbiar?[44]
ansí le suele pasar
a un pobre cantor vencido.

También los árboles crugen
si el ventarrón los azota;
4405   y si aquí mi queja brota
con amargura, consiste
en que es muy larga y muy triste
la noche de la redota.

Y dende hoy en adelante,
4410   pongo de testigo al cielo
para decir sin recelo
que, si mi pecho se inflama,
no cantaré por la fama,
sinó por buscar consuelo.

4415   Vive ya desesperado
quien no tiene que esperar;
a lo que no ha de durar
ningún cariño se cobre:
alegrías en un pobre
4420   son anuncios de un pesar.

Y este triste desengaño
me durará mientras viva;
aunque un consuelo reciba
jamás he de alzar el vuelo:
4425   quien no nace para el cielo
de balde es que mire arriba.[45]

Y suplico a cuantos me oigan
que me permitan decir
que al decidirme a venir
4430   no sólo jué por cantar,
sinó porque tengo a más
otro deber que cumplir.

[44] "Dónde rumbiar": Hacia dónde dirigirse.
[45] Fatalismo del negro.

476

Haven't you seen, out on the plain
a man who has lost his way
going around in circles, desperately,
4400   not knowing which way to turn? . . .
Just the same thing happens to
a poor singer who's lost the game.

The trees too are set groaning
if there's a gale lashing them;
4405   so now if my complaints burst out
in a bitter way, it's because
the night that defeat brings
is very long and very sad.

And from this day onward
4410   I call Heaven to witness me—
I'll come right out and say it—
if my heart should be inspired
I won't sing for the glory of it
but just to console myself.

4415   When he's got no more to hope for
a man's life turns to despair.
It's no good setting your heart
on things that don't last long—
if a poor man finds any happiness
4420   it's a sure sign of grief to come.

And this sad lesson
will last me as long as I live.
Even though I may find some comfort
I'll never again take flight—
4425   if you're not born to reach the skies
it's no good looking up high.

And now I'll beg all you who are listening
to give me leave to say
that when I made up my mind to come here
4430   it was not only to sing,
but because I've got, besides that,
another duty to be done.

Ya saben que de mi madre
fueron diez los que nacieron;
4435   mas ya no esiste el primero
y más querido de todos:
murió, por injustos modos,
a manos de un pendenciero.

Los nueve hermanos restantes
4440   como güérfanos quedamos;
dende entonces lo lloramos
sin consuelo, créanmenló,
y al hombre que lo mató
nunca jamás lo encontramos.

4445   Y queden en paz los güesos
de aquel hermano querido;
a moverlos no he venido,
mas, si el caso se presienta,
espero en Dios que esta cuenta
4450   se arregle como es debido.

Y si otra ocasión payamos[46]
para que esto se complete,
por mucho que lo respete
cantaremos, si le gusta,
4455   sobre las muertes injustas
que algunos hombres cometen.

Y aquí, pues señores míos,
diré, como en despedida,
que todavía andan con vida
4460   los hermanos del dijunto,
que recuerdan este asunto
y aquella muerte no olvidan.

Y es misterio tan projundo
lo que está por suceder,
4465   que no me debo meter
a echarla aquí de adivino:
lo que decida el destino
desp.és lo habrán de saber.

[46] Payamos: Cantamos en contrapunto.

I've told you that from my mother
there were ten children born.
4435   But the first of them is no longer alive—
the one who was best loved of all—
he died by foul means
at the hands of a drunk in a brawl.

And we were left like orphans
4440   the nine brothers who remained.
Ever since that day, believe me,
we've mourned him without relief—
but we've never ever come across
the man who murdered him.

4445   And the bones of that dear brother
can be left to rest in peace;
I've not come here to disturb them—
but if the right occasion comes
I trust to God that this account
4450   will be settled as it ought.

And if we sing against each other again
to make an end of this—
for all that I respect you,
if you agree, we'll sing
4455   on the subject of the unjust deaths
that certain people bring about.

And so at this point, your Honors,
by way of parting I'll say
that the brothers of the dead man
4460   are still very much alive—
they have not forgotten that murder
and they're keeping all this in mind.

And whatever is going to happen
is so deep a mystery
4465   that it's not for me to come forward
and act the prophet here—
you'll all find out afterwards
what destiny has in store.

Al fin cerrastes el pico
4470   después de tanto charlar;
ya empesaba a maliciar
al verte tan entonao,
que tráias un embuchao[47]
y no lo querías largar.

4475   Y ya que nos conocemos,
basta de conversación;
para encontrar la ocasión
no tienen que darse priesa:
ya conozco yo que empiesa
4480   otra clase de junción.

Yo no sé lo que vendrá,
tampoco soy adivino;
pero firme en mi camino
hasta el fin he de seguir:
4485   todos tienen que cumplir
con la ley de su destino.

Primero fué la frontera
por persecución de un juez,
los indios fueron después,
4490   y, para nuevos estrenos,[48]
ahora son estos morenos
pa alivio de mi vejez.

La madre echó diez al mundo,
lo que cualquiera no hace;
4495   y tal vez de los diez pase
con iguales condiciones:
la mulita pare nones,
todos de la mesma clase.[49]

---

[47] Traer un embuchado: Traer algo oculto.

[48] "Para nuevos estrenos": En lugar de los infortunios del pasado.

[49] Mulita: Especie de armadillo. Martín Fierro sugiere que los hijos salieron miedosos. "La ofensa de Fierro es evidente, tanto al suponer que la madre del negro ocultaba un hijo, como al llamarlo mulita, que entre los gauchos es símbolo de ruín y cobarde." Castro, p. 469.

At last you've shut your trap
4470   after all that chattering—
I'd started to have a suspicion
seeing you get so high flown
that you were holding in a mouthful
and were shy of spitting it out.

4475   And now that we know where we stand
that's enough polite conversation.
There's no need to hurry
about finding the right occasion—
I can see by now there's another sort
4480   of party starting up.

I can't tell what's going to happen,
I'm not a prophet either,
but I'll follow my right road
steady on to the end—
4485   everyone is bound to carry through
the law of his destiny.

First it was the frontier
through a judge persecuting me,
after that were the Indians—
4490   and now for a change of scene
here come these darkies
to cheer up my old age.

His mother brought ten into the world
which not every woman could do,
4495   and maybe she had more than ten
just of the same type—
the mulita[18] has a litter of nine
and all of them are alike.

---

[18] Mulita: type of small armadillo.

          A hombre de humilde color
4500   nunca sé facilitar;[50]
          cuando se llega a enojar
          suele ser de mala entraña;
          se vuelve como la araña,
          siempre dispuesta a picar.

4505   Yo he conocido a toditos
          los negros más peliadores;
          había algunos superiores
          de cuerpo y de vista ... ¡ai juna!
          si vivo, les daré una ...[51]
4510   historia de las mejores.

          Mas cada uno ha de tirar
          en el yugo en que se vea;
          yo ya no busco peleas,
          las contiendas no me gustan;
4515   pero ni sombras me asustan
          ni bultos que se menean.

          La créia ya desollada,[52]
          mas todavía falta el rabo,
          y por lo visto no acabo
4520   de salir de esta jarana;[53]
          pues esto es lo que se llama
          remachárselé a uno el clavo.[54]

                    xxxi

          Y después de estas palabras,
          que ya la intención revelan,
4525   procurando los presentes
          que no se armara pendencia,
          se pusieron de por medio
          y la cosa quedó quieta.

[50] "Nunca sé facilitar": Nunca le doy ventaja.
[51] Quiere decir que les dará una tunda.
[52] Creía que había terminado, per ve que todavía falta algo.
[53] Jarana: Alboroto, lío.
[54] Al verse de nuevo ante la posibilidad de tener que pelear, Martín Fierro comenta que pasar por el mismo peligro otra vez constituye *"remachársele a uno el clavo"*.

I've never been able to get along
with any low colored man;
they generally turn vicious
when they get their temper up—
they start to act like spiders,
always ready to bite.

4500

I've known a whole lot of Negroes
and all of them fighters too;
some of them were pretty sharp
with their eyes and the way they'd move. . . .
if I live to do it, *¡ai juna!*
I'll give them a good . . . tale to tell.

4505

4510

But each one of us has to haul
in the yoke he finds himself in.
I don't go looking for fights these days—
I've no pleasure in arguments—
but dark shadows don't frighten me
nor shapes that come looming up.

4515

I thought I'd finished skinning the carcass
but there's still the tail left to do,
and it looks as though I'm not done yet
with this happy gathering—
because this is what they call
carrying the thing too far.[19]

4520

xxxi

And after this exchange of words,
whose intention must be plain by now,
the bystanders tried
to stop a fight starting up—
they got between them,
and things stayed quiet.

4525

[19] The Spanish reads: "that's what they call hitting a nail which has already been hammered in well."

                     Martín Fierro y los muchachos,
4530   evitando la contienda,
                     montaron y paso a paso
                     como el que miedo no lleva,
                     a la costa de un arroyo
                     llegaron a echar pie a tierra.
4535   Desensillaron los pingos
                     y se sentaron en rueda,
                     refiriéndosé entre sí
                     infinitas menudencias,
                     porque tiene muchos cuentos
4540   y muchos hijos la ausencia.
                     Allí pasaron la noche
                     a la luz de las estrellas,
                     porque ese es un cortinao
                     que lo halla uno donde quiera,
4545   y el gaucho sabe arreglarse
                     como ninguno se arregla.
                     El colchón son las caronas,
                     el lomillo es cabecera,
                     el coginillo es blandura,
4550   y con el poncho o la jerga,
                     para salvar del rocío
                     se cubre hasta la cabeza.
                     Tiene su cuchillo al lado,
                     pues la precaución es buena;
4555   freno y rebenque a la mano,
                     y, teniendo el pingo cerca,
                     que pa asigurarlo bien
                     la argolla del lazo entierra
                     (aunque el atar con el lazo
4560   da del hombre mala idea)[1]
                     se duerme ansí muy tranquilo
                     todita la noche entera;
                     y si es lejos del camino,
                     como manda la prudencia,
4565   más siguro que en su rancho
                     uno ronca a pierna suelta,[2]

---

[1] Según Castro (p. 470), el que ata el caballo con el lazo, entierra la argolla. No se debe atar de esta manera porque se deteriora el lazo y porque puede estropear las patas del caballo.

[2] "A pierna suelta": Tranquilamente.

Martín Fierro and the boys
4530 avoided the argument.
They mounted, and riding slowly,
showing they weren't leaving out of fear,
they reached the edge of a stream
and there they got down.
4535 They unsaddled the horses
and sat in a circle,
talking among themselves
about endless little things—
because separation breeds a large family
4540 of stories to be told.
There they spent the night,
by the light of the stars:
that's a curtain for your bed
you find wherever you are,
4545 and a gaucho, better than anyone,
knows how to make himself comfortable.
His saddle-blankets make the mattress,
his saddle the pillow;
there's the sheepskin for softness;
4550 and to keep himself from the dew,
he'll cover himself with his poncho or a blanket,
right over his head.
He'll keep his knife beside him,
as that's a wise precaution;
4555 with the bridle and his whip to hand,
and the horse close by,
which he's tethered safely
by burying the lasso-ring—
though using the lasso for tying up
4560 gives a bad idea of a man.[1]
Like this he'll sleep peacefully
the whole night through;
and if it's a good way off the track,
as caution indicates,
4565 you can snore stretched out at your ease,
safe as under your own roof.

[1] "Using the lasso . . . bad idea": Because there was a special supple rein normally
used for tethering (the lasso being hard and liable to hurt the horse).

pues en el suelo no hay chinches,
y es una cuja camera[3]
que no ocasiona disputas
4570 y que naides se la niega.
Además de eso, una noche
la pasa uno como quiera,
y las va pasando todas
haciendo la mesma cuenta.
4575 Y luego los pajaritos,
al aclarar, lo dispiertan,
porque el sueño no lo agarra
a quien sin cenar se acuesta.[4]
Ansí, pues, aquella noche
4580 jué para ellos una fiesta,
pues todo parece alegre
cuando el corazón se alegra.
No pudiendo vivir juntos
por su estado de pobreza
4585 resolvieron separarse,
y que cada cual se juera
a procurarse un refujio
que aliviara su miseria.
Y antes de desparramarse
4590 para empezar vida nueva,
en aquella soledá
Martín Fierro con prudencia,
a sus hijos y al de Cruz
les habló de esta manera:

xxxii

4595 Un padre que da consejos
más que padre es un amigo;
ansí, como tal les digo
que vivan con precaución:
naides sabe en qué rincón
4600 se oculta el que es su enemigo.

[3] "Cuja camera": Cama ancha.
[4] El hambre no le permite dormir.

You won't find bedbugs on the ground—
and it's a proper double-sized bed,
that nobody can refuse you,
4570   and won't lead to arguments.
Besides that, you can spend a night
anyway you please—
and you'll spend all of them
just like the one before.
4575   And then the birds
will wake you, as soon as it gets light—
because sleep doesn't get a firm hold on you
when you've gone to bed with no supper.
And so it was—that night
4580   then was a joyful time for them all:
because everything seems happy
when there's happiness in your heart.
As they couldn't live all together,
on account of their poverty,
4585   they decided to separate,
and that each of them would go
and find himself a place
to lessen his misery.
And before they scattered
4590   to start a new life—
there in that solitary place
Martín Fierro spoke
to his sons and Cruz's son,
with discretion, in the following way:

xxxii

4595   A father who can advise you
is more than a father, he's a friend.
So it's as a friend I warn you
to be on your guard in life:
you can never tell what corner
4600   your enemy's lurking in.

Yo nunca tuve otra escuela
que una vida desgraciada;
no estrañen si en la jugada
alguna vez me equivoco,
4605   pues debe saber muy poco
aquel que no aprendió nada.

Hay hombres que de su cencia
tienen la cabeza llena;
hay sabios de todas menas,[1]
4610   mas digo, sin ser muy ducho:
es mejor que aprender mucho
el aprender cosas buenas.

No aprovechan los trabajos
si no han de enseñarnos nada;
4615   el hombre, de una mirada
todo ha de verlo al momento:
el primer conocimiento
es conocer cuándo enfada.

Su esperanza no la cifren
4620   nunca en corazón alguno;
en el mayor infortunio
pongan su confianza en Dios;
de los hombres, sólo en uno,
con gran precaución, en dos.

4625   Las faltas no tienen límites
como tienen los terrenos,
se encuentran en los más buenos,
y es justo que les prevenga:
aquel que defetos tenga
4630   disimule los agenos.

Al que es amigo, jamás
lo dejen en la estacada;[2]
pero no le pidan nada
ni lo aguarden todo de él:
4635   siempre el amigo más fiel
es una conduta honrada.

[1] Mena: Clase.
[2] Dejar en la estacada: Abandonar a alguien que está en un aprieto.

488

A life full of misfortunes
was the only school I ever had;
so don't be surprised if sometimes
I make mistakes in this game,
4605 because you can't expect to know very much
if you never learned anything.

There are some men who have their heads
full up with the things they know.
Wise men come in all sizes,
4610 but I don't need so much sense to say
that better than learning a lot of things
is learning things that are good.

No kind of work is any use
if it won't teach us anything.
4615 A man has to see how things are
in one glance, right away:
the first thing you have to know
is to know when you're giving offense.

Don't sum up all your hopes
4620 in any one heart ever;
in the worst of trouble
put your trust in God:
among men, in one only,
or with great caution, in two.

4625 Shortcomings aren't like land is,
they don't have boundaries.
Even the best men have them,
and it's right I warn you of this:
anyone with defects of his own
4630 should overlook them in others.

If a man is your friend
never leave him in the lurch,
but don't ask him for anything
nor depend too much on him:
4635 the truest friend, always,
is to behave honorably.

Ni el miedo ni la codicia
es bueno que a uno lo asalten,
ansí, no se sobresalten
4640 por los bienes que perezcan;
al rico nunca le ofrezcan
y al pobre jamás le falten.

Bien lo pasa hasta entre pampas
el que respeta a la gente;
4645 el hombre ha de ser prudente
para librarse de enojos;
cauteloso entre los flojos,[3]
moderado entre valientes.

El trabajar es la ley,
4650 porque es preciso alquirir;
no se espongan a sufrir
una triste situación:
sangra mucho el corazón
del que tiene que pedir.

4655 Debe trabajar el hombre
para ganarse su pan;
pues la miseria, en su afán
de perseguir de mil modos,
llama en la puerta de todos
4660 y entra en la del haragán.

A ningún hombre amenacen
porque naides se acobarda;
poco en conocerlo tarda
quien amenaza imprudente,
4665 que hay un peligro presente
y otro peligro se aguarda.

Para vencer un peligro,
salvar de cualquier abismo,
por esperencia lo afirmo:
4670 más que el sable y que la lanza
suele servir la confianza
que el hombre tiene en sí mismo.

[3] Flojos: Cobardes.

It's a bad thing to be attacked
either by fear or by greed,
so, don't upset yourselves
4640   over perishable goods.
Don't show off your wealth to rich men
and never fail the poor.

If you respect other people
you'll get by, even with Indians.
4645   A man needs to be discreet
to save himself from annoyances:
among weak men, act cautious,
and with brave ones, keep cool.

The law is that we have to work
4650   because we need to buy.
Don't let yourselves in for the suffering
that a wretched condition brings:
a lot of blood runs from the heart
of a man who's obliged to beg.

4655   A man must work
in order to earn his bread;
because Poverty's always eager
to get you in a thousand ways:
she knocks at everybody's door,
4660   and if it's a lazy man's, she goes in.

Never threaten any man,
because that won't frighten anyone.
A person who makes foolish threats
won't take long to find this out:
4665   because there'll be one danger on hand
and another lying in wait.

To overcome dangers
and get you out of the deepest pit,
I tell you this from experience:
4670   more than swords or spears
you'll be helped by the confidence
that a man has in himself.

Nace el hombre con la astucia
que ha de servirle de guía;
4675   sin ella sucumbiría,
pero, sigún mi esperencia,
se vuelve en unos prudencia
y en los otros picardía.

Aprovecha la ocasión
4680   el hombre que es diligente;
y ténganló bien presente
si al compararla no yerro:
la ocasión es como el fierro,
se ha de machacar caliente.[4]

4685   Muchas cosas pierde el hombre
que a veces las vuelve a hallar;
pero les debo enseñar,
y es bueno que lo recuerden:
si la vergüenza se pierde
4690   jamás se vuelve a encontrar.

Los hermanos sean unidos,
porque esa es la ley primera;
tengan unión verdadera
en cualquier tiempo que sea,
4695   porque si entre ellos pelean
los devoran los de ajuera.

Respeten a los ancianos,
el burlarlos no es hazaña;
si andan entre gente estraña
4700   deben ser muy precavidos,
pues por igual es tenido
quien con malos se acompaña.

La cigüeña, cuando es vieja
pierde la vista, y procuran
4705   cuidarla en su edá madura
todas sus hijas pequeñas:
apriendan de las cigüeñas
este ejemplo de ternura.

---

[4] Hay que aprovechar siempre el momento oportuno.

A man is born with the astuteness
that has to serve him as a guide.
4675   Without it he'd go under;
but in my experience,
in some people it turns to discretion
and in others, dirty tricks.

If a man's a good worker
4680   he'll make the most of the right occasion.
And keep this well in your minds,
if I don't mistake the comparison:
the right occasion is like iron,
you have to strike while it's hot.

4685   A man loses a lot of things
and sometimes finds them again,
but it's my duty to inform you,
and you'll do well to remember it,
if once your sense of shame gets lost
4690   it will never again be found.

Brothers should stand by each other
because this is the first law;
keep a true bond between you
at each and every time—
4695   because if you fight among yourselves
you'll fall prey to those outside.

Show respect to old people,
there's nothing brave in mocking them.
And if you're among strangers
4700   be very careful how you go,
because anyone in bad company
is taken to be of the same kind.

The stork, when it gets old,
loses its eyesight, and then
4705   all its young children undertake
to care for it in its old age—
you can learn from the storks
with this example of tenderness.

Si les hacen una ofensa,
4710 aunque la echen en olvido,
vivan siempre prevenidos;
pues ciertamente sucede
que hablará muy mal de ustedes
aquel que los ha ofendido.

4715 El que obedeciendo vive
nunca tiene suerte blanda;
mas con su soberbia agranda
el rigor en que padece:
obedezca el que obedece
4720 y será bueno el que manda.

Procuren de no perder
ni el tiempo ni la vergüenza;
como todo hombre que piensa
procedan siempre con juicio,
4725 y sepan que ningún vicio
acaba donde comienza.

Ave de pico encorvado
le tiene al robo afición;
pero el hombre de razón
4730 no roba jamás un cobre,
pues no es vergüenza ser pobre
y es vergüenza ser ladrón.

El hombre no mate al hombre
ni pelée por fantasía;[5]
4735 tiene en la desgracia mía
un espejo en que mirarse:
saber el hombre guardarse
es la gran sabiduría.

La sangre que se redama
4740 no se olvida hasta la muerte;
la impresión es de tal suerte,
que a mi pesar, no lo niego,
cai como gotas de fuego
en la alma del que la vierte.

[5] "Por fantasía": Casi por nada o por capricho.

4710

If someone does you a wrong,
even though you think no more of it,
always keep on your guard—
because it's sure to follow
that the one who acted wrongly
will speak evil against you.

4715

No one whose job is to obey
has an easy time of it,
but if he's proud he only increases
the hardship he has to bear—
if you're the one to obey, then obey,

4720

and the one who gives orders will behave well.

Do your best not to lose
either time or your self-respect;
as you're men with power to think
use your judgment when you act—

4725

and keep in mind that there's no vice
which ends as it began.

The carrion bird with its hooked beak
has a taste for robbery,
but a man with powers of reason

4730

will never steal a cent—
because there's no shame in being poor
but there is in being a thief.

Man does not kill man, nor fight
just to satisfy a whim.

4735

You have, in my misfortunes,
a glass to see yourselves in—
the greatest wisdom a man can have
is to know how to control himself.

Blood that is spilt will never

4740

be forgotten till the day you die.
It makes so deep an impression—
in spite of myself, I can't deny it—
that it falls like drops of fire
into the soul of him who shed it.

4745   Es siempre, en toda ocasión,
el trago[6] el pior enemigo;
con cariño se los digo,
recuérdenló con cuidado:
aquel que ofiende embriagado
4750   merece doble castigo.

Si se arma algún revolutis[7]
siempre han de ser los primeros;
no se muestren altaneros
aunque la razón les sobre:
4755   en la barba de los pobres
aprienden pa ser barberos.

Si entriegan su corazón
a alguna mujer querida,
no le hagan una partida[8]
4760   que la ofienda a la mujer:
siempre los ha de perder
una mujer ofendida.

Procuren, si son cantores,
el cantar con sentimiento,
4765   no tiemplen el estrumento
por solo el gusto de hablar,
y acostúmbrensé a cantar
en cosas de jundamento.[9]

Y les doy estos consejos,
4770   que me ha costado alquirirlos,
porque deseo dirijirlos;
pero no alcanza mi cencia
hasta darles la prudencia
que precisan pa seguirlos.

---

[6] Trago: El licor.
[7] Revolutis: Pelea.
[8] Partida: Mala jugada, es decir, engañar o burlar.
[9] No hay que cantar asuntos frívolos sino lo serio e importante.

4745   At all times, it's always
drink that's the worst enemy;
I tell you this out of love for you,
and take care to remember it:
a man who does wrong when he's drunk
4750   deserves twice the punishment.

If ever a brawl starts up,
you're sure to be the first in it;
don't act high and mighty,
even though all the right's on your side.
4755   It's on the chins of poor men
that barbers learn their trade.

If you give up your heart
to some woman that you love,
don't act in any way
4760   that does the woman wrong:
because a woman who's been treated badly
will always ruin you in the end.

If singing is your profession
make sure to sing from the heart;
4765   don't tune your instrument
just for love of your own voice,
and make a habit of singing
about things of consequence.

And I'm giving you this advice
4770   which cost me a lot to learn,
because I want to guide you—
but I don't know enough
to give you the discretion
which you need to follow it.

4775   Estas cosas y otras muchas,
          medité en mis soledades;
          sepan que no hay falsedades
          ni error en estos consejos:
          es de la boca del viejo
4780   de ande salen las verdades.

xxxiii

     Después a los cuatro vientos
     los cuatro se dirijieron;
     una promesa se hicieron
     que todos debían cumplir;[1]
4785   mas no la puedo decir,
     pues secreto prometieron.

     Les alvierto solamente,
     y esto a ninguno le asombre,
     pues muchas veces el hombre
4790   tiene que hacer de ese modo:
     convinieron entre todos
     en mudar allí de nombre.

     Sin ninguna intención mala
     lo hicieron, no tengo duda;
4795   pero es la verdá desnuda,
     siempre suele suceder:
     aquel que su nombre muda
     tiene culpas que esconder.

     Y ya dejo el estrumento
4800   conque he divertido a ustedes;
     todos conocerlo pueden
     que tuve costancia suma:
     este es un botón de pluma[2]
     que no hay quien lo desenriede.

[1] "No dice el poema cúal fué la promesa que todos debían cumplir, pero fluye de lo relatado: seguir luchando por la redención del gaucho." Castro, p. 471.
[2] Botón de pluma": Tiscornia, 1963 ed. (p. 276), dice: "Así se llama un tejido especial, primoroso y complejo, que los paisanos hacen, en forma de botón, para algunas prendas del recado de montar." Ver también Castro, p. 78.

4775	I thought over these things and many more
	in the times when I was alone.
	You can be sure there are no errors
	and nothing false in this advice—
	it's out of the mouths of old men
4780	that the true sayings come.

xxxiii

	After this, the four of them
	turned towards the four winds.
	They made a promise amongst them
	which they were all to keep[1]—
4785	but as they swore it a secret
	I can't tell you what it was.

	The only thing I can tell you—
	and don't anyone be surprised,
	because a man is often obliged
4790	to do things in this way—
	they made an agreement amongst them
	to change their names from then on.

	They had no bad intentions
	in doing it, I've no doubt;
4795	but the naked truth is,
	it always is the case
	that if a person changes his name
	he's got something guilty to hide.

	And now I'll put down this instrument
4800	that I've used to entertain you.
	You must all of you allow
	that I kept at it faithfully—
	this is a knot like a button made of quills[2]
	which nobody can unravel.

[1] "The poem does not indicate what the promise was which they were to keep, but it follows from what is narrated: to keep on fighting for the gaucho's redemption." Castro p. 471.

[2] Literally in Spanish: "A feather button." Tiscornia (p. 276) says this refers to a special very intricate type of weaving used for buttons on riding saddles. Lugones maintains that the author refers to a popular pastime among the gauchos.

4805	Con mi deber he cumplido
	y ya he salido del paso;
	pero diré, por si acaso,
	pa que me entiendan los criollos:
	todavía me quedan rollos
4810	por si se ofrece dar lazo.[3]

Y con esto me despido
sin espresar hasta cuando;
siempre corta por lo blando
el que busca lo siguro;
4815   mas yo corto por lo duro,
y ansí he de seguir cortando.

Vive el águila en su nido,
el tigre vive en la selva,
el zorro en la cueva agena,
4820   y, en su destino incostante,
sólo el gaucho vive errante
donde la suerte lo lleva.

Es el pobre en su orfandá
de la fortuna el desecho,
4825   porque naides toma a pechos
el defender a su raza;
debe el gaucho tener casa,
escuela, iglesia y derechos.

Y han de concluir algún día
4830   estos enriedos malditos;
la obra no la facilito[4]
porque aumentan el fandango[5]
los que están, como el chimango,[6]
sobre el cuero y dando gritos.

---

[3] Quiere decir: "Todavía me quedan cosas que contar y las cantaré si es necesario."
[4] "La obra no la facilito": Castro interpreta el verso, "La creo de difícil realización" (p. 472).
[5] Fandango: Bullicio, ruido.
[6] Chimango: Enorme ave de rapiña. "Es de color pardo canela, de tamaño más grande que una paloma, posee fuertes uñas y pico corvo. Emite un grito agudo y desagradable, teniendo el hábito de hacerlo cuando come posado en una osamenta." Castro, p. 140.

4805	I've carried out my duty
	and now I'm over the worst,
	but I'll tell you for good measure—
	so my countrymen will understand—
	in case I need a longer rope to my noose
4810	I've a good few coils still in hand.[3]

And with that I'll take leave, without saying
when we may meet again;
people who want a sure thing
always cut where it's soft—
4815   but I cut the hard way
and that's how I'll always do it.

An eagle makes its home in a nest
and a tiger in the wild forest;
a fox in the lair of another beast—
4820   and with his fickle destiny
only a gaucho lives wandering
wherever chance may lead him.

He's a poor orphan, and he's the one
who gets crushed by fortune;
4825   because no one takes the responsibility
of standing up for his kind—
but the gauchos ought to have houses
and a school and a church and their rights.

And some day this accursed mess
4830   will be brought to an end:
I don't see it as an easy job,
because the racket's made worse
by the people who act like carrion birds
and stand over the carcass and scream.

---

[3] "I still have more things to tell and I shall sing them if in the future it is necessary."

4835   Mas Dios ha de permitir
que esto llegue a mejorar,
pero se ha de recordar
para hacer bien el trabajo,
que el fuego, pa calentar,
4840   debe ir siempre por abajo.[7]

En su ley está el de arriba
si hace lo que le aproveche;
de sus favores sospeche
hasta el mesmo que lo nombra:
4845   siempre es dañosa la sombra
del árbol que tiene leche.[8]

Al pobre al menor descuido
lo levantan de un sogazo;
pero yo compriendo el caso
4850   y esta consecuencia saco:
el gaucho es el cuero flaco,
da los tientos para el lazo.[9]

Y en lo que esplica mi lengua
todos deben tener fe;
4855   ansí, pues, entiéndanmé,
con codicias no me mancho:
no se ha de llover el rancho[10]
en donde este libro esté.

Permítanmé descansar,
4860   ¡pues he trabajado tanto!
en este punto me planto
y a continuar me resisto;
estos son treinta y tres cantos,
que es la mesma edá de Cristo.

[7] Castro piensa que Fierro dice que se debe educar al gaucho para que pueda gozar de sus derechos de ciudadano, "... y todos marcharían de acuerdo y trabajarían por el bienestar común". Castro, p. 472.

[8] Tiscornia (p. 276): "El gaucho conserva la creencia tradicional de que la sombra de la higuera acarrea desgracia y ruina."

[9] Battistessa: "El lazo era por lo común trenzado con tientos; la parte delgada del cuero los procuraba flexibles y al propio tiempo resistentes. Los dos versos connotan por ello una de las más agudas metáforas del poema." p. 322.

[10] Battistessa: " 'Se le llueve el rancho' a quien por desidia o haraganería ... vive con aprieto e incomodidades grandes. Estos versos afirman pues la inicial intención didáctica del poema ..." p. 322.

4835	But God will make it possible
	for these things to be put right—
	though it's important to remember,
	to make a good job of it,
	that when a fire's for heating
4840	it must always come from underneath.

The man on top's within his rights,
if he does what suits him best;
be wary of his favors,
even he who names him.
4845   The shade is always harmful
of a tree that oozes sap.[4]

If a poor man's the least bit careless
they crack down on him with the whip:
but I understand the way things are
4850   and the conclusion I've reached is this:
the gauchos are the lean leather
that gives the best thongs to make rope.

And you must all have faith in
what my tongue declares to you.
4855   So don't misunderstand me,
there's no stain of greed in what I ask.
There'll be no leaking roof on the cabin
that has this book in it.

I've been working hard and long
4860   so now give me leave to rest!
This is the point I stop at
and I refuse to go on. . . .
This makes thirty-three cantos
which is the same age as Christ.

---

[4] Tiscornia: "The gaucho retains the traditional belief that the shadow of a fig tree brings disgrace and ruin."

4865   Y guarden estas palabras
que les digo al terminar:
en mi obra he de continuar
hasta dárselás concluída,
si el ingenio o si la vida
4870   no me llegan a faltar.

    Y si la vida me falta,
ténganló todos por cierto,
que el gaucho, hasta en el desierto,
sentirá en tal ocasión
4875   tristeza en el corazón
al saber que yo estoy muerto.

    Pues son mis dichas desdichas,
las de todos mis hermanos;
ellos guardarán ufanos
4880   en su corazón mi historia;
me tendrán en su memoria
para siempre mis paisanos.

    Es la memoria un gran don,
calidá muy meritoria;
4885   y aquellos que en esta historia
sospechen que les doy palo,[11]
sepan que olvidar lo malo
también es tener memoria.

    Mas naides se crea ofendido,
4890   pues a ninguno incomodo;
y si canto de este modo
por encontrarlo oportuno,
NO ES PARA MAL DE NINGUNO
SINO PARA BIEN DE TODOS.

[11] Dar palo: Criticar, censurar, maltratar.

4865 So keep a hold of these words
which I say as I come to the end:
I shall carry on with this work of mine
till I bring it to its close—
that is, if my wits or my life
4870 don't end by failing me.

And if my life should fail me
you can all be sure of this:
when that takes place, the gauchos
even out in the desert land
4875 will feel a sadness in their hearts
when they hear that I am dead.

Because the sorrows I've told are those
of all my brothers too;
and they will hold my story
4880 proudly, within their hearts;
my countrymen will keep me
forever in their memories.

Memory is a great gift
and a very fine quality;
4885 those who suspect in this story,
that it's them I'm getting at—
better learn that forgetting evil
is a way of remembering, too.

But no one need feel offended,
4890 as I don't trouble anyone.
And if I sing in this fashion
because I think it's right that I should—
it's not to do anyone evil
but to do everyone good.

Bibliography — Bibliografía

Editions of *Martín Fierro* BY: Ediciones de *Martín Fierro* POR:
Battistessa, Angel J.; Buenos Aires, Ediciones Peuser, 1958.
Becco, Horacio Jorge; Buenos Aires, Huemul, 1962.
Borges, Jorge Luis y Adolfo Bioy Casares en *Poesía gauchesca,* vol. II;
México, Fondo de Cultura Económica, 1955.
Facsímiles de la primera edición: Buenos Aires, Ediciones Centurion,
1962.
Henríquez Ureña, Pedro; Buenos Aires, Editorial Losada, S.A., 1939.
Leumann, Carlos Alberto; Buenos Aires, Estrada, 1945.
Lugones, Santiago; (2a edición), Buenos Aires, Ediciones Centurion,
1948.
Rela, Walter; Montevideo, Ediciones Síntesis, 1963.
Tiscornia, Eleuterio F.; Buenos Aires, Editorial Losada, S.A., 1949.
————; Buenos Aires, "Coni", 1951 (con comentario y gramática).
————; (Biblioteca Contemporánea) Buenos Aires, Editorial Losada,
1963.
Villasuso, Ramón; Buenos Aires, Sopena, 1956.

TRANSLATIONS: TRADUCCIONES:

Holmes, Henry Alfred; New York, Hispanic Institute in the United
States, 1948.
Owen, Walter; London, Blackwell, 1933.

OTHER WORKS CONSULTED: OTRAS OBRAS CONSULTADAS:

Borges, Jorge Luis, El *"Martín Fierro";* Buenos Aires, Editorial Co-
lumba, 1953.
Castro, Francisco L., *Vocabulario y frases de "Martín Fierro"* (2a edición); Buenos Aires, Editorial Kraft, 1957.
Herrero, Enrique (ed.), *Prosas de José Hernández;* Buenos Aires, Editorial Futuro, 1944.
Hespelt, E. Herman, et. al., *An Anthology of Spanish American Literature;* New York, Appleton-Century-Crofts, Inc., 1946.

Hudson, W. H., *Far Away and Long Ago;* New York, Dutton, 1918.

Inchauspe, Pedro, *Diccionario del "Martín Fierro";* Buenos Aires, Dupont Farré, 1955.

Lugones, Leopoldo, *Obras completas en prosa;* Madrid, Aguilar, 1962.

Mafud, Julio, *Contenido social del Martín Fierro,* Buenos Aires, Editorial Americalee, 1961.

———, *Psicología de la viveza criolla;* Buenos Aires, Editorial Americalee, 1965.

Martínez Estrada, Ezequiel, *Muerte y transfiguración de Martín Fierro* (2a edición), 2 vols.; México, Fondo de Cultura Economica, 1958.

Matteis, Emilio de, *Análisis de la vida argentina;* Buenos Aires, Editorial Americalee, 1962.

Tinker, Edward Larocque, "Life and Literature of the Pampas," *Monographs* (Gainesville); XIII (September, 1961).